DU MÊME AUTEUR

NUMÉRO QUATRE
Flammarion Québec, 2011

LE POUVOIR DES SIX
Flammarion Québec, 2012

LA RÉVOLTE DES NEUF
Flammarion Québec, 2013

L'EMPREINTE DE CINQ
Flammarion Québec, 2014

LA REVANCHE DE SEPT
Flammarion Québec, 2015

LA REVANCHE DE SEPT

Catalogage avant publication de Bibliothèque et Archives nationales du Québec et Bibliothèque et Archives Canada

Lore, Pittacus

[Revenge of Seven. Français]

La revanche de Sept

Traduction de : The revenge of Seven.

ISBN 978-2-89077-638-8

I. Prémonville, Marie de, 1973- . II. Titre. III. Titre : Revenge of Seven. Français.

IV. Titre : Revanche de 7.

PS3612.O73R5814 2015 813'.6 C2015-940232-8

Couverture

Photo : Valentin Casarsa/Getty Images

Conception graphique : Antoine Fortin

Intérieur

Composition : Nord Compo

Titre original : *The Revenge of Seven*

Éditeur original : Harper (HarperCollins Publishers)

ISBN 978-2-89077-638-8

Dépôt légal BAnQ : 2e trimestre 2015

Imprimé au Canada

www.flammarion.qc.ca

PITTACUS LORE

LA REVANCHE DE SEPT

Traduit de l'anglais (États-Unis)
par Marie de Prémonville

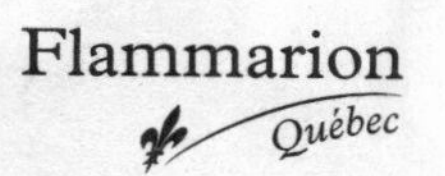

Les événements relatés dans cet ouvrage sont réels.

Les noms de personnes et de lieux
ont été changés afin de protéger
les Lorics, qui demeurent cachés.

Il existe d'autres civilisations que la vôtre.

Certaines d'entre elles ont pour but
ultime de vous exterminer.

CHAPITRE 1

Le cauchemar a pris fin. Quand j'ouvre les yeux, il ne reste plus rien que l'obscurité.

Je suis dans un lit, c'est une certitude, mais je sais aussi que ce n'est pas le mien. Le matelas est énorme, comme moulé pour épouser ma silhouette, et l'espace d'une seconde je me demande si mes amis ne m'auraient pas transportée dans l'un des lits doubles de l'appartement de Neuf. J'étire les jambes et les bras aussi loin que je le peux et je ne sens toujours pas les bords. Le drap qui me recouvre est plus glissant que doux, presque comme s'il était en plastique, et il diffuse de la chaleur. Pas seulement de la chaleur, en fait : je sens une vibration constante qui soulage mes muscles endoloris.

Combien de temps suis-je restée inconsciente, et où diable est-ce que je me trouve ? J'essaie de me remémorer ce qui m'est arrivé, mais la seule chose qui me revienne, c'est ma dernière vision. J'ai l'impression d'être restée prisonnière de ce cauchemar pendant des jours. J'ai encore dans les narines la puanteur de caoutchouc brûlé de Washington. Des nuages de fumée planaient sur la ville, rappelant la bataille qui s'était livrée là. Ou qui y sera livrée, si mon intuition se réalise bel et bien. Ces visions, est-ce qu'elles font partie d'un nouveau Don ? Aucun des autres Gardanes ne possède de Don qui le laisse traumatisé au réveil. S'agit-il de prophéties ? Ou de menaces envoyées par Setrákus Ra, comme ces rêves que faisaient John et Huit ? Ou encore, d'avertissements ?

Quoi qu'il en soit, j'aimerais qu'elles cessent.

J'inspire à fond, plusieurs fois, pour me débarrasser des relents âcres de Washington, même si je sais bien que tout ça n'existe que dans ma tête. Pire encore que l'odeur, c'est la mémoire de chaque détail, comme l'air horrifié de John, lorsqu'il m'a vue sur cette scène avec Setrákus Ra, condamnant Six à mort. Il était coincé dans cette vision, tout comme moi. J'étais totalement impuissante, sur cette estrade, piégée entre Setrákus Ra, qui s'était autoproclamé dirigeant de la Terre, et…

Cinq. Il travaille pour les Mogadoriens ! Il faut que je prévienne les autres. Je me redresse un peu trop violemment, et la tête me tourne, des taches brunes se mettent à flotter dans mon champ visuel. Je cligne plusieurs fois les paupières pour les faire disparaître, et mes yeux me semblent collants. J'ai la bouche sèche et la gorge douloureuse.

Une chose est sûre, je ne suis pas dans l'appartement de Neuf.

J'imagine que mes mouvements ont déclenché un capteur quelconque, car la lumière dans la pièce devient plus vive. Progressivement, je me retrouve baignée d'une lueur rouge pâle. Du regard, j'en cherche la source et découvre un réseau de veines pulsatiles, encastrées dans les murs chromés. Un frisson me parcourt quand je constate combien la pièce est nue et austère, sans aucun détail décoratif. La chaleur diffusée par la couverture s'intensifie, comme pour m'inciter à me rouler en boule. Je la repousse vivement.

Je suis dans un lieu mogadorien.

Je rampe sur le lit gigantesque – il est plus grand qu'une fourgonnette, juste la bonne taille pour qu'un dictateur mogadorien de trois mètres de haut puisse s'y détendre tranquillement – jusqu'à ce que mes pieds nus pendent au-dessus du sol métallique. Je remarque que je porte une longue chemise de nuit grise brodée de plantes grimpantes noires et épineuses. Je frémis de nouveau lorsque je les imagine en train de me vêtir ainsi, pour ensuite me laisser reposer ici. Ils auraient pu me tuer, tout simplement, au lieu de quoi, ils ont préféré me mettre en pyjama... Dans ma vision, j'étais assise à côté de Setrákus Ra, et il m'appelait « son héritière ». Qu'est-ce que ça peut bien vouloir dire ? Est-ce pour cette raison que je suis toujours en vie ?

Peu importe. La seule chose évidente, c'est que j'ai été capturée. Je le sais. Maintenant, à moi de décider ce que je peux y faire.

J'imagine que les Mogs m'ont transférée dans l'une de leurs bases. Sauf que cette pièce n'est pas aussi horrible que les minuscules cellules dans lesquelles Neuf et Six avaient été enfermés. Non, cette chambre doit être le summum de l'hospitalité mogadorienne. On dirait qu'ils essaient de prendre soin de moi.

Setrákus Ra veut qu'on me traite comme une invitée plutôt que comme une prisonnière. Parce qu'il a l'intention de me faire, un jour, régner à ses côtés. Pourquoi, voilà ce que je ne comprends toujours pas. Mais aujourd'hui, c'est la seule chose qui me maintienne en vie.

Oh, non. Si je suis ici, qu'est-il arrivé aux autres, à Chicago ? Mes mains se mettent à trembler et les larmes montantes me brûlent les yeux. Il faut que je sorte d'ici. Et je vais devoir y arriver seule. Je repousse la peur et les visions de Washington dévasté. J'écarte mes inquiétudes au sujet de mes amis. Je dois faire le vide en moi, comme au premier affrontement avec Setrákus Ra, au Nouveau-Mexique, ou lors de mes séances d'entraînement avec les autres. Il m'est plus facile d'être courageuse quand je n'ai pas à réfléchir. Si je suis mon instinct, je peux y parvenir.

Cours. J'entends presque la voix de Crayton. *Cours jusqu'à ce qu'ils soient trop épuisés pour te pourchasser.*

Il va me falloir une arme, si je veux les affronter. Je passe la chambre en revue, et mon regard s'arrête sur la table de chevet en métal, le seul meuble de la pièce. Les Mogs y ont laissé un verre d'eau, je ne suis pas assez stupide pour la boire, bien que je meure littéralement de soif. Près du verre est posé un livre de la taille d'un dictionnaire, à la reliure épaisse et grasse comme de la peau de serpent. Sur la couverture, le titre a l'air carbonisé, les mots sont irréguliers et rugueux, comme s'ils avaient été tracés à l'acide.

L'ouvrage s'intitule *Le Grand Livre du Progrès mogadorien*, et bizarrement il semble rédigé en anglais. En dessous, je remarque une série de formes géométriques et de dièses, et j'en déduis qu'il doit s'agir de mogadorien. Je ramasse le livre et l'ouvre. Chaque double page est divisée en deux, d'un côté le texte est en anglais, et de l'autre, en mogadorien. Je me demande si je suis censée lire ce pavé.

Je le referme en le faisant claquer. L'essentiel, c'est qu'il soit lourd et que je puisse le manier sans mal. Il ne me permettra pas de réduire des Mogs en cendres, mais c'est mieux que rien.

Je descends du lit et me dirige vers ce que je suppose être la porte – un panneau rectangulaire au milieu du mur, mais sans poignée ni bouton.

Tandis que je m'approche à pas de loup en me demandant comment je vais bien pouvoir l'ouvrir, j'entends un ronronnement mécanique dans la cloison. Là encore, il doit s'agir d'un détecteur de mouvement, car dès que je me trouve assez près, la porte coulisse vers le haut et disparaît dans le plafond avec un sifflement.

Je ne perds pas de temps à me demander pourquoi elle n'est pas verrouillée. Tout en me cramponnant fermement au livre, je m'engage dans le couloir, aussi froid et métallique que la chambre que je viens de quitter.

« Ah, m'accueille une voix de femme. Vous êtes réveillée. »

Là où je croyais trouver des gardes, je tombe sur une femelle mogadorienne perchée sur un tabouret à l'entrée de ma chambre, et qui visiblement m'attend. Je ne suis même pas sûre d'en avoir déjà vu avant, en tout cas pas des comme elle. D'âge moyen, avec des rides naissantes au coin des paupières et l'air bien peu menaçant, elle porte une robe qui lui remonte haut dans le cou et descend jusqu'au sol. Sa tenue me rappelle celle que portaient les sœurs, à Santa Teresa. Elle a la tête rasée, avec deux longues tresses noires à l'arrière du crâne ; le reste du cuir chevelu est recouvert d'un tatouage compliqué. Contrairement à tous les autres Mogadoriens que j'ai combattus jusqu'ici, celle-ci ne semble pas mauvaise et vicieuse, elle est même presque élégante.

Interdite, je m'immobilise devant elle. Elle baisse les yeux sur le livre que j'ai en main, et sourit. « Et déjà prête à commencer les leçons, à ce que je vois », dit-elle en se levant. Elle est grande, mince, avec une silhouette rappelant vaguement celle d'une araignée.

Debout face à moi, elle s'incline en une révérence solennelle. « Madame Ella, je serai votre instructrice le temps... »

Dès l'instant où sa tête est assez basse, je lui balance le livre en pleine figure, de toutes mes forces. Elle ne voit rien venir, ce qui me sidère, sachant que tous les Mogs que j'ai rencontrés étaient parés pour le combat. Elle laisse échapper un grognement bref et s'écroule dans un flot d'étoffe. Sans me retourner pour vérifier si je l'ai effectivement assommée ou si elle sort déjà un canon de ses jupons, je détale à toute vitesse dans le couloir, en choisissant une direction au hasard. Le sol métallique me pique la plante des pieds et mes muscles commencent à s'endolorir, mais je continue. Il faut que je sorte d'ici. Dommage que ces bases secrètes mogadoriennes n'aient pas de panneau indiquant la sortie.

Je bifurque une fois, puis une deuxième, et tous ces couloirs sont totalement identiques. Je m'attends à tout instant à ce que des sirènes se mettent à hurler, mais rien ne se passe. Je n'entends pas non plus le martèlement lourd des bottes derrière moi.

Alors que je commence à perdre haleine et envisage de ralentir, une porte s'ouvre sur ma droite, et deux Mogadoriens apparaissent. Ceux-là ressemblent beaucoup plus à ceux que je connais – grands et baraqués, en tenue de combat noire, me fixant de leurs yeux de fouines. Je les contourne d'un bond, mais aucun d'eux ne fait mine de m'attraper. Je crois même les entendre éclater de rire.

Qu'est-ce qui se passe, ici ?

Je les sens qui m'observent, aussi je prends le premier tournant qui se présente. Je ne suis même pas sûre de ne pas être en train de tourner en rond depuis le début. Impossible de me repérer avec la lumière du jour ou les bruits extérieurs, rien qui puisse m'indiquer que j'approche de la sortie. Les Mogs ont même l'air de se moquer totalement de ce que je fais, comme s'ils savaient que je n'avais aucune chance de m'échapper d'ici.

Je ralentis pour reprendre mon souffle et avance prudemment le long d'un énième couloir stérile. Je serre toujours le livre – mon unique arme – et je commence à avoir une crampe dans la main. Je la secoue pour la détendre, et continue mon chemin.

À quelques mètres devant moi, un large passage voûté s'ouvre dans un sifflement hydraulique ; il est différent des autres portes, plus grand, et de l'autre côté je distingue d'étranges lumières clignotantes.

Pas des lumières, non. Des étoiles.

Je passe sous la voûte, et alors le plafond tapissé de panneaux métalliques cède la place à une énorme bulle en verre, un vaste espace ouvert, presque comme un planétarium. Mais en vrai. Au sol sont disposés un grand nombre de consoles et d'ordinateurs – peut-être s'agit-il d'une salle de contrôle quelconque –, mais ce qui m'intéresse vraiment, c'est la vue vertigineuse sur laquelle donne la gigantesque paroi de verre.

Les ténèbres.

Des astres.

La Terre.

Je comprends à présent pourquoi les Mogadoriens ne m'ont pas pourchassée. Ils savent pertinemment que je ne peux aller nulle part. Je suis dans l'espace. Je m'approche au plus près et pose les paumes sur le verre. Je sens le vide, à l'extérieur, l'étendue infinie, glaciale et sans air entre moi et le globe bleu qui flotte au loin.

« Magnifique, n'est-ce pas ? »

Le son de sa voix tonitruante me fait l'effet d'un seau d'eau froide sur la tête. Je fais volte-face et m'appuie contre la paroi, préférant le vide interstellaire à la confrontation qui m'attend.

Setrákus Ra se tient derrière l'un des panneaux de contrôle, à me fixer, un léger sourire aux lèvres. La première chose que je remarque, c'est qu'il n'est pas aussi gigantesque que quand nous l'avons affronté, à la Base de Dulce. Néanmoins, il reste grand et imposant, et sa large silhouette est engoncée dans un uniforme noir et austère, constellé d'un assortiment de médailles mogadoriennes. Trois pendentifs loric, qu'il a arrachés aux cadavres de Gardanes assassinés, pendent à son cou et rayonnent d'une lueur bleu cobalt tamisée.

« Je vois que tu as déjà trouvé mon livre », lance-t-il en désignant ma matraque de fortune en forme de dictionnaire. Je me rends brusquement compte que je le serre contre ma poitrine. « Bien que tu n'en aies pas nécessairement fait l'usage que j'espérais. Heureusement, ton instructrice n'est que légèrement blessée… »

Soudain, entre mes mains, une lueur rouge se met à irradier du livre, exactement comme ce débris que j'avais ramassé par terre, dans la Base de Dulce. Je ne sais pas comment je fais ça, ni même à quoi ça sert, exactement.

« Ah, commente Setrákus Ra en haussant un sourcil. Très bien.

— Va au diable ! » je vocifère en projetant le livre rougeoyant dans sa direction. Presque aussitôt, Setrákus Ra l'immobilise en plein vol en levant simplement la main. Je vois la lueur rouge s'éteindre lentement.

« Allons, allons. Arrêtons les enfantillages.

— Qu'est-ce que tu attends de moi ? je hurle, tellement excédée que je sens mes yeux se remplir de larmes.

— Tu le sais très bien, répond-il. Je t'ai montré ce qui doit advenir. Comme je l'ai montré jadis à Pittacus Lore. »

Setrákus Ra appuie sur une série de touches sur son panneau de contrôle et le vaisseau se met à bouger. Peu à peu, la Terre, qui semble à la fois incroyablement loin et si proche que je pourrais la toucher rien qu'en tendant le bras, disparaît de mon champ de vision. Nous ne nous dirigeons pas vers elle : nous pivotons sur nous-mêmes.

« Tu es actuellement à bord de l'*Anubis*, annonce Setrákus Ra de sa voix râpeuse, non sans une pointe de fierté. Le vaisseau amiral de la flotte mogadorienne. »

L'engin achève sa rotation, et je me retrouve bouche bée. Je dois m'appuyer à la paroi de verre pour ne pas tomber, et j'ai brusquement les jambes qui tremblent.

Dehors, en orbite autour de la Terre, se déploie la flotte ennemie. Des centaines de vaisseaux – pour la plupart longs et argentés, de la taille d'un petit avion, semblables à ceux que les Gardanes m'ont décrits. Mais j'aperçois également au moins vingt énormes bâtiments à côté desquels les autres ont l'air de maquettes : menaçants et armés de canons saillant de tous côtés, pointés droit sur la planète insouciante, en contrebas. « Non, je murmure. Ce n'est pas possible. »

Setrákus Ra s'approche de moi et je suis trop abasourdie par cette vision d'horreur pour bouger. Doucement, il enveloppe mon épaule de sa main. Je sens la froideur de ses doigts blafards pénétrer dans mes os. « L'heure est venue, déclare-t-il en scrutant lui aussi le panorama. La Grande Conquête a enfin atteint la Terre. Nous célébrerons ensemble le Progrès mogadorien, ma chère petite-fille. »

CHAPITRE 2

Depuis la fenêtre cassée à l'étage de l'usine de textile abandonnée, j'observe un vieil homme en imperméable déchiré et jean crasseux qui s'accroupit contre l'entrée du bâtiment d'en face, obstrué par des planches. Une fois installé, il sort de sa poche une bouteille enveloppée dans un sac en papier brun et se met à boire. On est au milieu de l'après-midi – c'est mon tour de garde –, et à part lui, je n'ai pas vu âme qui vive dans ce quartier abandonné de Baltimore depuis notre arrivée, hier. C'est un lieu calme, déserté même, mais tout est préférable à la version de Washington que j'ai aperçue dans la vision d'Ella. Pour l'instant, du moins, on dirait que les Mogadoriens ne nous ont pas suivis depuis Chicago.

Même si, techniquement, ils n'auraient pas à le faire. Nous en avons déjà un parmi nous.

Derrière moi, j'entends Sarah taper du pied. Nous nous trouvons dans ce qui était le bureau du contremaître, une pièce poussiéreuse au parquet gonflé et rongé par l'humidité. Je me retourne juste à temps pour la voir grimacer en inspectant le reste d'un cafard collé à la semelle de sa basket.

« Fais gaffe, tu risques de passer à travers le plancher, je lance, en plaisantant à moitié.

— J'imagine que c'était trop demander, que tous vos QG soient situés dans des appartements de luxe, hein ? » demande Sarah avec un sourire taquin.

Nous avons passé la nuit dernière dans cette usine désaffectée, dans des sacs de couchage posés à même le sol enfoncé. Nous sommes tous deux couverts de crasse, notre dernière douche date de plusieurs jours, et les cheveux blonds de Sarah sont maculés de saleté. Mais à mes yeux, elle reste splendide. Si elle n'avait pas été à mes côtés, j'aurais complètement pété les plombs, après l'attaque de Chicago, quand les Mogs ont enlevé Ella et détruit le duplex.

Ce souvenir me fait serrer les dents, et le sourire de Sarah s'évanouit sur-le-champ. Je quitte mon poste à la fenêtre pour la rejoindre. « Le fait de ne rien savoir, ça me tue, j'explique en secouant la tête. Je ne sais pas quoi faire. »

Sarah pose la main sur mon visage pour tenter de me réconforter. « On peut au moins supposer qu'ils ne feront pas de mal à Ella. Si ce que tu as vu dans ce cauchemar est bien vrai.

— Ouais, je rétorque. Ils vont juste lui laver le cerveau et en faire une traîtresse, comme… » Je songe au reste de nos amis, et au renégat avec lequel ils sont partis en mission. Nous sommes toujours sans nouvelles de Six et des autres – même si, à l'évidence, ils n'ont aucun moyen d'entrer en contact avec nous. Tous leurs coffres sont ici et, même s'ils tentaient des méthodes plus conventionnelles, ils n'auraient aucune idée de l'endroit où nous sommes, puisqu'il nous a fallu fuir Chicago.

La seule certitude que j'aie, c'est cette cicatrice toute fraîche à ma cheville, la quatrième. Elle n'est plus douloureuse, mais elle me pèse. Si les Gardanes n'avaient pas été réunis et si le Sortilège loric était resté intact, cette quatrième balafre aurait symbolisé ma mort. Au lieu de quoi, c'est un de mes amis qui a péri en Floride et je ne sais pas comment, ni de qui il s'agit. Ni même ce que sont devenus les autres.

Je sens dans mes tripes que Cinq est toujours en vie. Je l'ai vu dans la vision d'Ella, ce traître, soutenant Setrákus Ra. Il a dû tendre un piège aux autres, et à présent l'un d'eux ne reviendra pas. Six, Marina, Huit, Neuf – l'un d'eux est mort.

Sarah me prend la main et se met à la masser pour soulager la tension dans mes muscles.

« Je n'arrête pas de ressasser ce que j'ai vu... On avait perdu, Sarah. Et maintenant, on dirait bien que ça se produit pour de bon. Que c'est le début de la fin.

— Ça ne signifie rien, et tu le sais, riposte Sarah. Regarde Huit. Est-ce qu'il n'y avait pas une sorte de prophétie mortelle, le concernant ? Pourtant, il a survécu. »

Je fronce les sourcils et ne prends pas la peine de dire l'évidence, à savoir que Huit pourrait bien être celui qui s'est fait assassiner en Floride.

« Je sais que la situation n'est pas rose, concède Sarah. Ça va mal, John, ça crève les yeux.

— Voilà qui me remonte bien le moral. »

Elle me serre fort la main, et me fait les gros yeux d'un air de dire : *La ferme*. « Mais ce sont des Gardanes, dont on parle. Ils vont se battre, sans jamais baisser les bras, et ils vont gagner. Il faut que tu aies la foi,

John. Quand tu étais dans le coma, à Chicago, on ne t'a jamais laissé tomber. On a bataillé sans relâche, et ça a payé. Au moment même où on pensait t'avoir perdu, c'est toi qui nous as sauvés. »

Je me remémore l'état dans lequel j'ai retrouvé mes amis, quand j'ai fini par reprendre conscience. Malcolm était mortellement blessé, Sarah grièvement touchée elle-même, Sam pratiquement à court de munitions, et nul ne savait où se trouvait Bernie Kosar. Ils avaient tout risqué, pour moi.

« C'est vous qui m'avez sauvé en premier, les gars.

— Ouais, il faut croire. Alors rends-nous la pareille, et sauve cette planète. » Elle dit ça comme si ce n'était pas grand-chose, et ça me fait sourire. Je l'attire contre moi pour l'embrasser.

« Je t'aime, Sarah Hart.

— Je t'aime aussi, John Smith.

— Euh, moi aussi, je vous aime, les gars… »

Nous pivotons, Sarah et moi, et nous retrouvons face à Sam, debout à la porte, un sourire maladroit aux lèvres. Il a dans les bras un énorme chat roux, l'une des six Chimæra que notre nouvel ami mogadorien nous a ramenées, par l'intermédiaire de Bernie Kosar, qui a battu le rappel en hurlant à la mort sur le toit du John Hancock Center. Apparemment, le morceau de bois que Bernie Kosar avait pris dans le coffre de Huit était une sorte de totem pour les Chimæra, un appeau pour les mener jusqu'à nous, comme un sifflet loric.

Pour rejoindre Baltimore, on s'en est tenus aux routes secondaires, pour s'assurer de ne pas être suivis. Le voyage dans la camionnette bondée nous a laissé tout le temps de nous creuser la cervelle pour trouver des noms à nos nouveaux alliés. Dans le cas de cette Chimæra précise, qui a opté pour une apparence de chat dodu, Sam a insisté pour qu'on l'appelle Stanley, en l'honneur de l'ancienne identité de Neuf. S'il est toujours vivant, je suis sûr qu'il sera ravi de se retrouver avec pour homonyme un gros chat visiblement très copain avec Sam.

« Désolé, s'excuse mon meilleur ami. Est-ce que j'ai gâché l'ambiance ?

— Pas du tout, le détrompe Sarah en tendant un bras vers lui. Tu veux un petit câlin de groupe ?

— Plus tard, peut-être, répond Sam en me regardant. Les autres sont rentrés. Ils installent tout en bas. »

Je hoche la tête et lâche Sarah à regret pour me diriger vers le sac de paquetage qui contient nos affaires. « Ils n'ont pas eu de problèmes ? »

Sam secoue la tête. « Ils ont dû se limiter à deux ou trois générateurs de camping. Pas assez d'argent pour du gros matériel. Mais de toute manière, ça devrait donner assez de jus.

— Et côté surveillance ? je demande en sortant la tablette de localisation blanche du sac, ainsi que son adaptateur.

— Adam dit n'avoir vu aucun éclaireur mog.

— Eh bien, j'imagine qu'il est bien placé pour les repérer, fait remarquer Sarah.

— Exact », j'acquiesce à contrecœur. Je ne fais toujours pas confiance à ce soi-disant « bon » Mogadorien, même si, depuis son apparition à Chicago, je dois bien avouer qu'il n'a rien fait d'autre que nous aider. Rien qu'à l'imaginer en ce moment même avec Malcolm, en train d'installer notre nouveau matériel électronique au rez-de-chaussée, je sens un vague malaise à le savoir si près. Mais je repousse mes doutes. « Allons-y. »

Sam passe devant, et nous descendons un escalier en colimaçon rouillé. L'usine a dû fermer précipitamment, car il y a encore des portants chargés de costumes d'homme des années 1980 qui dégagent une odeur de moisi, ainsi que des cartons à moitié remplis d'imperméables, abandonnés sur des tapis roulants.

Une Chimæra ayant pris la forme d'un golden retriever – et que Sarah a tenu à baptiser Biscuit – déboule devant nous avec dans la gueule une manche de costume qu'il se dispute avec Dust, le husky gris. Gamera, une autre Chimæra dont Malcolm a choisi le nom à partir d'un vieux film de monstres, tente maladroitement de suivre ses congénères, mais elle a du mal, sous sa forme de tortue. Les deux dernières Chimæra du groupe – un faucon appelé Regal et un raton laveur tout maigre, Bandit – observent le jeu depuis l'un des tapis roulants à l'arrêt.

C'est un soulagement, de les voir jouer ainsi. Elles n'étaient pas en grande forme, quand Adam les a libérées du laboratoire d'expérimentation des Mogadoriens, ni quand il les a ramenées à Chicago. Ça a pris du temps, mais j'ai réussi à me servir de mon Don de guérison pour les remettre d'aplomb. Il y avait quelque chose en elles, d'origine mogadorienne, qui résistait à mes pouvoirs. Mon Lumen s'est même déclenché tout seul, chose qui ne s'était jamais produite, depuis que j'utilise ce nouveau Don. Mais j'ai fini par avoir le dessus sur ce que les Mogs leur avaient fait.

Avant cette nuit-là, je n'avais jamais tenté de guérir une Chimæra. Heureusement, ça a fonctionné, et c'est une chance, parce qu'il y en avait une qui se trouvait dans un état bien plus grave que les autres.

« Tu as vu BK ? » je demande à Sam en passant la salle en revue. Je l'ai retrouvé sur le toit du John Hancock Center, déchiqueté par les canons mogadoriens, et sa vie ne tenait qu'à un fil. J'ai alors tenté de le soigner, en priant pour que ça marche. Il a beau être en meilleure forme aujourd'hui, je garde tout de même un œil sur lui ; je m'inquiète déjà bien assez du sort de nos autres amis pour prendre le moindre risque de le perdre, lui aussi.

« Là-bas », répond Sam en tendant le doigt.

Tout au bout de la pièce, contre un mur recouvert de tags, j'aperçois trois grands chariots à linge remplis de pantalons en toile. Au sommet d'une de ces piles, Bernie Kosar est allongé, visiblement épuisé par le manège de Dust et Biscuit. Malgré mes soins, il reste faible, depuis le combat de Chicago – où il a laissé un gros morceau d'oreille –, mais grâce à la télépathie animale, je sens un certain contentement émaner de lui tandis qu'il regarde les autres Chimæra. En nous voyant entrer, BK se met à remuer la queue, arrachant des nuages de poussière à la pile de vieux vêtements.

Sam repose Stanley et le chat va se lover à son tour sur le tas de pantalons – ça doit être le coin sieste hypertendance, chez les Chimæra.

« Si on m'avait dit qu'un jour, j'aurais ma propre Chimæra… s'émerveille Sam. Ou carrément une demi-douzaine !

— Et si à moi on m'avait dit que je collaborerais avec l'un d'entre *eux* », je réplique en fixant Adam.

Au milieu de la salle se trouvent plusieurs bancs en tôle rivés au sol. Adam et Malcolm, le père de Sam, sont en train d'installer l'équipement informatique qu'ils viennent d'acheter en échange de quelques-unes de mes pierres précieuses loric – le peu qu'il m'en reste. Comme l'électricité est coupée depuis longtemps dans cette vieille usine, ils ont dû trouver de petits générateurs portables pour alimenter le trio d'ordinateurs et la borne wifi mobile. Adam est en train de brancher l'une des batteries d'ordinateur – en voyant sa peau blême, ses longs cheveux noirs et ternes et ses traits anguleux qui lui donnent l'air un peu plus humain que ses congénères, je dois faire un effort pour me rappeler qu'il est dans notre camp. Sam et Malcolm lui font visiblement confiance ; en outre, il possède un Don, celui de créer des ondes de choc, qu'il a hérité de Numéro Un. Si je ne l'avais pas vu de mes yeux, jamais je n'aurais cru ça possible. Une partie de moi a envie et même besoin de croire qu'un Mog ne pourrait voler un Don, qu'il faudrait qu'il en soit digne, d'une manière ou d'une autre. Que ce n'est pas un hasard, si ça s'est produit.

« Regarde le bon côté des choses, me dit Sam à voix basse, tandis que nous nous dirigeons vers les autres. Humains, Lorics, Mogs… On a en quelque sorte sous les yeux la première réunion des Nations Unies Intergalactiques. C'est historique, mon vieux. »

Je laisse échapper un ricanement et m'approche de la machine qu'Adam vient de finir de connecter. Il me dévisage et sent visiblement quelque chose – je ne dois pas être très doué pour dissimuler mes émotions –, car il se détourne et s'écarte pour me laisser passer, avant de s'attaquer à l'ordinateur suivant. Il ne quitte pas l'écran du regard, pianotant à toute vitesse sur les touches.

« Comment ça s'est passé ? je demande.

— On a trouvé pratiquement tout ce qu'on cherchait », répond Malcolm en tripotant un routeur sans fil. Malgré sa barbe devenue broussailleuse, il a l'air en bien meilleure santé que quand je l'ai rencontré. « Et ici ? Il y a eu du nouveau ?

— Rien, je rétorque en secouant la tête. Il faudrait un miracle pour que les Gardanes en Floride nous retrouvent. Quant à Ella… je guette sans arrêt sa voix dans ma tête, dans l'espoir qu'elle m'apprenne où ils l'ont emmenée, mais elle n'est pas entrée en contact.

— Au moins, on saura où sont les autres, une fois qu'on aura branché la tablette, intervient Sarah.

— Avec le matériel qu'on a acheté, je pense qu'on peut mettre le réseau téléphonique du John Hancock Center sur écoute, suggère Malcolm. De cette manière, s'ils essaient de nous joindre en chemin, on pourra intercepter l'appel.

— Bonne idée », j'approuve en connectant la tablette au portable et en attendant qu'elle démarre.

Malcolm remonte ses lunettes sur son nez et se racle la gorge. « C'est l'idée d'Adam, pour tout dire.

— Oh. » Je garde une voix neutre.

« C'est *vraiment* une bonne idée », renchérit Sarah. Elle se glisse à côté de Malcolm pour prendre place devant le troisième ordinateur, en m'invitant du regard à dire quelque chose d'aimable à Adam. Je ne trouve rien à répondre, et un silence gêné s'installe dans le groupe. Ce n'est pas la première fois, depuis notre départ de Chicago. Et sans doute pas la dernière.

Nous sommes tirés d'embarras par la tablette, qui s'allume enfin. Sam se penche par-dessus mon épaule. « Ils sont toujours en Floride », annonce-t-il.

Je suis symbolisé par un point solitaire sur la côte Est, et les quatre autres points représentant les Gardanes survivants clignotent plus au sud. Trois d'entre eux sont regroupés, se chevauchant quasiment sur l'écran, tandis que le dernier se trouve à quelque distance. Toutes sortes d'hypothèses me passent instantanément par la tête, pour expliquer pourquoi ce dernier est isolé des autres. L'un de nos amis s'est-il fait capturer ? Ont-ils dû se séparer après une attaque ? Est-ce que c'est Cinq, qui se démarque ? Est-ce que ça prouve qu'il est bien un traître, comme dans ma vision ?

Je suis brusquement arraché à mes pensées par l'apparition du cinquième point, totalement à l'opposé des autres. Il plane au-dessus du Pacifique, et brille moins fort.

« Ça doit être Ella, je devine en fronçant les sourcils. Mais comment est-ce que… »

Avant que j'aie pu finir ma phrase, la pointe lumineuse vibre puis disparaît. Une seconde plus tard, alors que la panique commence à me gagner, elle revient à la vie, mais au-dessus de l'Australie.

« Qu'est-ce que c'est que ça ? s'exclame Sam.

— Ça bouge trop vite. Peut-être qu'ils l'emmènent quelque part. » Le point s'évanouit de nouveau, puis réapparaît près de l'Antarctique, quasiment au bout de l'écran de la tablette. Pendant plusieurs secondes, il clignote successivement aux quatre coins de la carte. Frustré, je frappe le côté de l'appareil de ma paume. « Je ne sais pas comment, mais ils brouillent le signal. On n'a aucune chance de la retrouver dans ces conditions. »

Sam désigne les autres points, agglutinés en Floride. « S'ils avaient l'intention de faire du mal à Ella, tu ne crois pas que ce serait déjà fait ?

— Setrákus Ra la veut vivante », intervient Sarah en me jetant un regard. Je leur ai raconté le cauchemar de Washington, avec Ella comme complice de Setrákus Ra. Même si on a tous beaucoup de mal à croire à ce scénario, s'il est véridique, il nous donne au moins un avantage. On connaît les intentions de l'ennemi.

« Ça me rend malade, de la laisser là-bas. Mais je ne crois pas qu'il s'en prendra à elle. Du moins, pas encore.

— Au moins on a confirmation de la localisation des autres, insiste Sam. Il faut qu'on y aille avant que quelqu'un d'autre...

— Sam a raison, je lance, inquiet que l'un de ces points puisse s'éteindre à tout moment. Ils ont peut-être besoin d'aide.

— Je pense que ce serait une erreur. »

J'entends de l'hésitation dans la voix d'Adam, mais aussi cette rudesse mogadorienne qui me fait serrer les poings – c'est un réflexe, je n'y peux rien. Je n'ai pas l'habitude d'avoir l'un d'eux parmi nous. Je pivote et le toise d'un air noir. « Qu'est-ce que tu as dit ?

— Que ce serait une erreur, répète-t-il. Trop prévisible, comme réaction, John. C'est exactement pour ça que mon peuple finit toujours par vous rattraper. »

J'ouvre la bouche et essaie de trouver quoi rétorquer, mais j'ai surtout envie de lui balancer mon poing dans la figure. Je fais un pas en avant, et la main de Sam sur mon épaule m'arrête à temps. « Doucement, me glisse-t-il d'une voix calme.

— Tu suggères quoi ? Qu'on reste assis là sans rien faire ? » je lance à Adam en essayant de garder mon sang-froid. Je sais que je devrais écouter ce qu'il a à dire, mais j'ai l'impression d'être acculé. Et je suis censé demander conseil à un gars dont les congénères me traquent depuis ma naissance ?

« Bien sûr que non, répond-il en me dévisageant de ses yeux noir d'encre.

— Alors quoi ? j'aboie. Donne-moi une seule bonne raison de ne pas aller en Floride.

— Je vais même t'en donner deux. Tout d'abord, si les Gardanes qui restent sont en danger, ou s'ils se sont fait capturer comme tu le redoutes, eh bien ils ne sont maintenus en vie que dans le but de vous attirer là-bas. Ils ne sont utiles que comme appâts.

— Ça pourrait être un piège, c'est ce que tu veux dire ? » Je n'arrive pas à desserrer les dents.

« S'ils ont été pris, alors oui, c'est à l'évidence un piège. En revanche, s'ils sont libres, à quoi pourrait bien leur servir ton sauvetage héroïque ? Est-ce qu'ils ne sont pas hyperentraînés, et parfaitement aptes à se sortir d'affaire tout seuls ? »

Qu'est-ce que je peux répondre à ça ? Que Six et Neuf, les deux personnes les plus coriaces que j'aie rencontrées de ma vie, seraient en fait incapables de s'échapper de Floride et de nous retrouver ? Mais s'ils sont coincés là-bas, à attendre qu'on vienne les chercher ?

Je secoue la tête, et j'ai toujours autant envie d'étrangler Adam.

« Alors on est censés faire quoi, en attendant ? je lui demande. Rester plantés là ?

— Impossible, renchérit Sam. On ne peut pas les laisser comme ça. Ils n'ont aucun moyen de savoir où on est passés. »

Adam fait pivoter son ordinateur pour me montrer l'écran. « Maintenant qu'ils tiennent Ella et qu'ils ont tué un Gardane en Floride, les Mogadoriens croiront vous avoir poussés une nouvelle fois à fuir. Ils ne s'attendront pas à une contre-attaque. » Je scrute les vues satellites d'un coin de banlieue. Des images totalement banales d'une propriété aisée. En y regardant d'un peu plus près, je remarque un nombre impressionnant de caméras de sécurité perchées sur l'imposante enceinte en pierre qui encercle les lieux.

« Voici le domaine d'Ashwood, juste à la périphérie de Washington, explique Adam. C'est là que réside le haut commandement mogadorien affecté aux États-Unis. Vu que la base de Plum Island a été rasée, et que les Chimæra sont rétablies, je pense que nous devrions concentrer l'offensive sur Ashwood.

— Et la base dans la montagne, en Virginie-Occidentale ? » je réplique.

Adam secoue la tête. « C'est une installation strictement militaire, camouflée afin que les forces armées de mon peuple puissent s'y réunir en masse. On aurait beaucoup de difficultés à la prendre d'assaut, à présent. Et de toute manière, le vrai pouvoir, les Originels – autrement dit, les chefs – sont à Ashwood. »

Malcolm se racle la gorge. « J'ai essayé de transmettre tout ce que tu m'avais appris sur les Originels, Adam. Mais peut-être vaudrait-il mieux que tu l'expliques toi-même ? »

L'air un peu inquiet, Adam nous dévisage tous.

« Je ne sais pas par où commencer.

— Tu peux laisser tomber la partie sur les roses et les choux, suggère Sam, ce qui me fait sourire en coin.

— C'est lié aux lignées, c'est ça ? je demande pour l'encourager.

— Ouais. Les Originels sont de lignée pure. Des Mogadoriens nés de parents mogadoriens. Comme moi », ajoute-t-il en voûtant un peu l'échine. Il n'a pas vraiment à se vanter de son statut d'Originel. « Les autres, les Incubés, constituent la réserve de soldats. Ce sont eux que vous avez affrontés, le plus souvent. Ils ne sont pas "nés" à proprement parler, mais élevés par voie scientifique, selon la méthode de Setrákus Ra.

— C'est pour cette raison qu'ils se désintègrent ? demande Sarah. Parce qu'ils ne sont pas... de vrais Mogs ?

— Ils sont conçus pour le combat, pas pour être enterrés, conclut Adam.

— Tu parles d'une vie... Et c'est pour ce genre d'exploits que vous vénérez Setrákus Ra, chez toi ? je lance.

— Comme le racontent les chroniques du Grand Livre, avant l'arrivée du Chef Bien-aimé, comme il se fait appeler, notre peuple se mourait. Grâce aux Incubés et à ses recherches génétiques, il a sauvé notre espèce. » Adam marque une pause pour réfléchir, et un rictus se dessine lentement sur ses lèvres. « Cela dit, comme c'est aussi Setrákus Ra qui a écrit le Grand Livre, difficile de savoir.

— Fascinant, commente Malcolm.

— Ouais, et je n'ai pas demandé à en savoir autant sur l'élevage mogadorien. » Je me tourne vers l'ordinateur. « Si cet endroit grouille de dirigeants mog, est-ce qu'il n'y aura pas un énorme service de sécurité ?

— Il y aura des gardes, oui, mais pas assez pour nous arrêter. Il faut que vous compreniez bien que mes semblables se sentent en sécurité, là-bas. Ils ont l'habitude d'être les chasseurs, pas les proies.

— Alors quoi ? On tue quelques Originels et c'est tout ? Quelle différence ça fera ? je m'impatiente.

— Toute perte dans les rangs du commandement originel aura un impact considérable sur les opérations mogadoriennes. Les Incubés ne sont pas très doués pour se diriger tout seuls. » Adam fait glisser son doigt sur les pelouses impeccablement tondues du domaine d'Ashwood. « De plus, il y a des tunnels, sous ces maisons. »

Malcolm contourne le banc pour venir regarder à son tour les photos. Il croise les bras. « Je croyais que tu avais détruit ces tunnels, Adam.

— Je les ai endommagés, oui, répond ce dernier. Mais ils s'étendent bien plus loin que les pièces qu'on occupait. Même moi, je ne suis pas certain de ce qu'on pourrait trouver là-dessous. »

Sam dévisage Adam, puis Malcolm. « C'est là que…

— Oui, c'est là qu'ils me retenaient, confirme son père, qu'ils m'ont pris mes souvenirs. Et aussi qu'Adam est venu me sauver.

— Il est possible qu'on trouve un moyen de réparer ta mémoire, intervient Adam, souhaitant visiblement aider Malcolm. À condition que l'équipement n'ait pas été trop abîmé. »

Ce que dit Adam tient debout, pourtant je n'arrive pas à m'en persuader. J'ai passé ma vie entière à fuir les Mogadoriens, à me cacher d'eux, à les combattre, à les tuer. Ils m'ont tout pris. Et voilà que je me retrouve à élaborer des plans de bataille avec l'un d'eux. Ça ne va pas. Sans parler du fait que notre principal projet est d'attaquer de front un complexe mogadorien, sans aucun autre Gardane en renfort.

Dust choisit cet instant pour venir s'asseoir près des pieds d'Adam. Ce dernier se baisse pour le gratter distraitement derrière les oreilles.

Si les animaux lui font confiance, pourquoi est-ce que moi, je n'y parviens pas ?

« Quoi qu'on découvre dans ces tunnels, reprend Adam, sans doute conscient que je ne marche pas dans la combine, je suis certain que ça nous donnera des indices décisifs sur leur stratégie. Si vos amis ont été capturés, ou s'ils sont suivis, on le saura aussitôt que j'aurai accès aux systèmes mogadoriens.

— Et si l'un d'eux meurt pendant qu'on est partis pour ta mission ? demande Sam, la voix tremblant légèrement à cette idée. S'ils meurent parce qu'on ne les aura pas sauvés tant qu'on avait une chance ? »

Adam prend le temps d'y réfléchir. « Je sais que ça doit être difficile pour vous, dit-il en nous regardant tour à tour, Sam et moi. J'avoue, c'est un risque à prendre.

— Un risque à prendre, je répète. C'est de nos amis que tu parles.

— Ouais. Et je cherche un moyen de les maintenir en vie. »

D'un point de vue rationnel, je sais qu'Adam essaie vraiment de nous aider. Mais je suis tendu, et mon expérience m'a appris à ne jamais faire confiance à un de ses congénères. Sans réfléchir, je fais un pas vers lui et lui plante l'index dans le torse. « Tu as intérêt à ce que ça en vaille la peine. Et s'il arrive quelque chose en Floride…

— J'en assumerai la responsabilité, répond-il. Ce sera ma faute. Si je me trompe, John, tu pourras me virer.

— Si tu te trompes, je n'aurai sans doute pas à le faire », je rectifie en le défiant du regard. Adam ne cille pas. Sarah siffle fort entre ses doigts, histoire d'attirer l'attention de tout le monde.

« Si on pouvait mettre le numéro de macho sur pause pendant une seconde, je pense que vous devriez jeter un œil à ça. »

Je contourne Adam en m'ordonnant intérieurement de me calmer, et me penche par-dessus l'épaule de Sarah. Elle a affiché un site Internet sur l'écran.

« Je cherchais des articles sur Chicago et je suis tombée là-dessus », explique-t-elle.

Il s'agit d'un site plutôt classe, hormis tous les titres en majuscules et les soucoupes volantes qui encombrent les encadrés. Dans la rubrique « Les plus lus » – avec des liens vert fluo censés faire extraterrestre, j'imagine –, je repère le titre suivant : « Les Mogadoriens ébranlent le gouvernement et les protecteurs loric sont contraints à se cacher. » La page ouverte par Sarah offre une photo du John Hancock Center en flammes, avec la légende : « Attaque mog à Chicago : la fin est-elle proche ? »

Le site s'intitule *Ils sont parmi nous.*

« La vache, grogne Sam en se rapprochant à son tour de l'ordinateur de Sarah. Pitié, pas ces tarés.

— Qu'est-ce que c'est que ce truc ? je demande à Sarah en scrutant l'article affiché.

— Ces gars s'en tenaient au bon vieux fanzine à l'ancienne, en noir et blanc, répond Sam. Et maintenant ils sont sur Internet ? J'arrive pas à décider si c'est mieux ou pire.

— Les Mogs les ont tués, je fais remarquer. Comment est-ce qu'ils peuvent encore exister, sous quelque forme que ce soit ?

— J'imagine qu'il y a un nouveau rédacteur en chef, propose Sarah. Regardez un peu. » Elle clique dans les archives et ouvre la page du tout premier article mis en ligne. Le titre annonce : « L'attaque de l'école de Paradise, point de départ de l'invasion extraterrestre. » En dessous apparaît une photo de mauvaise qualité, prise avec un portable, des décombres près du terrain de football de notre école. Je passe rapidement l'article en revue et suis sidéré par la précision des détails. On dirait que celui ou celle qui a écrit ça était sur les lieux avec nous. Je cherche la signature.

« C'est qui, ce JollyRoger182 ? »

Sarah lève les yeux vers moi avec un drôle de sourire et une expression de perplexité et de fierté mêlées. « Tu vas me prendre pour une folle, répond-elle simplement.

— C'est quoi, un Jolly Roger, au fait ? intervient Sam, réfléchissant à voix haute. Le drapeau pirate ?

— Ouais, confirme Sarah en hochant la tête. Comme celui de l'équipe étudiante des Pirates de Paradise. Dont l'ancien quart-arrière se trouve être l'une des rares personnes en dehors de ce groupe à savoir ce qui s'est passé là-bas. »

J'ouvre des yeux grands comme des soucoupes. « Pas possible.

— Si, possible. Je pense que ce JollyRoger182 est Mark James. »

CHAPITRE 3

« *Il semble que les Mogadoriens, avec la complicité de leurs acolytes parmi les services corrompus de la sécurité nationale, aient livré une bataille prolongée au Nouveau-Mexique contre les Gardanes héroïques*, lit Sam à voix haute. *Mes sources pensent que les Mogadoriens ont été contraints à battre en retraite après que leur chef a été blessé. On ignore ce que sont devenus les Gardanes.*

— En plein dans le mille, commente Malcolm. Mais d'où tient-il tout ça ?

— Aucune idée, je réponds. On n'est pas vraiment restés en contact, depuis Paradise. »

Je me penche par-dessus l'épaule de Sam pour lire la suite. Je suis abasourdi par la quantité d'informations mises en ligne par Mark James – ou qui que soit ce mystérieux rédacteur en chef – sur *Ils sont parmi nous*. J'y trouve des détails sur notre bataille à la Base de Dulce, des spéculations précoces sur celle de Chicago, ainsi que des encadrés effrayants sur l'apparence des Mogs et leurs aptitudes, ou des messages appelant l'humanité à soutenir les Lorics. Il y a également des articles abordant des thèmes qui ne m'avaient jamais effleuré, par exemple l'implication ou non de membres du gouvernement américain aux côtés des Mogadoriens.

Sam clique sur un de ces liens, et l'auteur du texte accuse le ministre de la Défense, un certain Bud Sanderson, d'avoir joué de son influence politique pour préparer une invasion mogadorienne. Dans un autre exposé apparaît une photo de Sanderson, avec un titre à scandale : « Ce minable corrompu s'offre des traitements génétiques mogadoriens. » Deux photos sont disposées en vis-à-vis, sur le mode « avant/après » : l'une prise il y a cinq ans, l'autre il y a quelques mois. Sur la première, Sanderson paraît au moins soixante-quinze ans, l'air hagard, le visage couvert de taches brunes, et il est affublé d'un double menton et d'une bedaine conséquente. Sur la seconde, il a perdu du poids, rayonne de santé, et arbore une splendide chevelure argent. On dirait qu'il a remonté le temps. D'ailleurs la plupart des gens prendraient ça pour un montage, une photo de Sanderson datant d'il y a vingt ans qu'on ferait passer pour un cliché récent. Mais, à en croire Mark, il y a bien eu un grand changement, chez le ministre de la Défense – un changement qui ne doit rien à un régime ou au sport, ni même à la chirurgie esthétique.

Sam secoue la tête d'un air incrédule. « Comment Mark pourrait-il savoir tout ça ? Dis-moi, Sarah, toi qui es sortie avec lui… est-ce qu'il savait *lire* ?

— Oui, Sam, répond Sarah en levant les yeux au ciel, Mark savait lire.

— Mais il n'a jamais eu, euh, la fibre journalistique, pas vrai ? Parce que là, c'est carrément WikiLeaks.

— Les gens ont tendance à changer, le jour où ils comprennent que les extraterrestres sont bien réels, réplique Sarah. Moi j'ai surtout l'impression qu'il essaie d'être utile.

— On n'est pas encore certains qu'il s'agisse bien de Mark », je fais remarquer en fronçant les sourcils. Je jette un coup d'œil vers Adam. Il n'a pas ouvert la bouche depuis qu'on examine ce site et nous écoute, une main sur le menton, l'air songeur. « Est-ce qu'il pourrait s'agir d'un piège ? » J'imagine que le mieux est de consulter directement l'expert.

« Bien sûr, acquiesce-t-il sans hésiter. Mais ce serait plutôt élaboré, comme machination. Et même dans le but de vous attraper, je trouve difficile à croire que Setrákus Ra admette avoir été chassé de la Base de Dulce.

— Est-ce que c'est vrai ? demande Malcolm. Ce qu'il écrit sur le ministre de la Défense ?

— Je ne sais pas, avoue Adam. Mais c'est tout à fait plausible.

— Je vais lui envoyer un mail, annonce Sarah en ouvrant la page du navigateur.

— Attends, s'interpose Adam, un peu plus poli que quand il m'a mouché tout à l'heure. Si ce Mark a réellement accès à toutes ces informations ultra-secr… » Sam laisse échapper un gloussement. « … alors mon peuple surveille très vraisemblablement ses communications », conclut Adam en haussant un sourcil à l'intention de Sam. Puis il se tourne de nouveau vers Sarah. « Et il est certain qu'ils intercepteront ton mail. »

Sarah soulève lentement la main du clavier. « Tu peux y remédier ?

— Je sais comment fonctionne leur système de cyber-surveillance. J'étais... très doué dans ce domaine, pendant mon entraînement. Je savais composer un code de cryptage, rerouter notre adresse IP vers des serveurs dans différentes villes. » Adam se tourne vers moi, comme pour me demander la permission. « Ils finiront par le craquer. Il nous faudra quitter les lieux dans les vingt-quatre heures, par sécurité.

— Vas-y, je dis. De toute manière, il vaut mieux qu'on bouge. »

Adam se met immédiatement à taper sur le clavier de son ordinateur. Sam se frotte les mains et se penche par-dessus son épaule. « Essaie de les envoyer dans des endroits déments. Histoire de leur faire croire que Sarah est en Russie, je ne sais pas.

— C'est comme si c'était fait », répond Adam avec un petit sourire narquois.

Il lui faut une vingtaine de minutes pour écrire un code capable de rerouter notre adresse IP vers une dizaine de lieux dans tous les coins de la planète. Je me remémore le dispositif informatique hyperperformant qu'Henri mettait toujours en place, et le réseau encore plus complexe que Sandor avait conçu, à Chicago. Ensuite j'imagine une centaine de Mogadoriens, comme Adam, penchés sur leurs claviers, à nous traquer. Je n'ai jamais douté que nos Cêpanes avaient raison d'être paranoïaques, mais à voir Adam travailler, je mesure combien c'était indispensable.

« Waouh », s'exclame Sarah lorsqu'elle peut enfin ouvrir son compte mail. Tous les messages non lus proviennent de Mark James. « C'est vraiment lui.

— Ou bien les Mogs ont piraté sa messagerie, suggère Sam.

— J'en doute, objecte Adam. Mes semblables ont de la suite dans les idées, c'est sûr, mais là… c'est un peu alambiqué, quand même. »

Je parcours la rubrique « objet » de ses messages : beaucoup de majuscules et de points d'exclamation. Il y a encore quelques mois, l'idée que Mark James harcèle ma petite amie par mail m'aurait mis hors de moi ; mais, aujourd'hui, notre rivalité me paraît à des années-lumière, comme si elle faisait partie d'une autre vie.

« Depuis quand n'as-tu plus relevé tes messages ? je demande.

— Je ne sais plus vraiment. Plusieurs semaines, au moins, répond Sarah. J'étais un peu occupée, ces derniers temps. » Elle ouvre le dernier envoi de Mark et nous nous penchons tous pour en examiner le contenu.

Sarah,

Je ne sais pas pourquoi je continue à écrire. D'un côté j'espère que tu lis mes messages et que tu t'en sers pour aider les Lorics, et que c'est pour te protéger que tu ne réponds pas. D'un autre côté, j'ai peur que tu ne sois plus là, que tu aies disparu. Je refuse d'y croire, mais…

J'ai besoin que tu me fasses signe.

Je croyais vous avoir pistés au Nouveau-Mexique. Mais je n'y ai trouvé qu'une base militaire déserte. On aurait dit qu'une énorme bataille avait eu lieu. Bien pire que ce qui s'était passé à Paradise. J'espère que vous êtes tous à l'abri. Et surtout que je ne suis pas le seul à combattre ces salopards. Ça craindrait vraiment.

Un de mes amis m'a trouvé un endroit sûr. Loin de tout. Un endroit où je peux me consacrer à dénoncer au monde ces tarés blafards. Si tu arrives à me répondre, je trouverai un moyen de t'envoyer les coordonnées. On est sur un très gros truc. International. Je ne sais même pas quoi faire de tout ça.

Si tu lis ces lignes, si tu es toujours en contact avec John, ce serait vraiment le bon moment pour me faire signe. J'ai besoin de votre aide.

Mark

Sarah se tourne vers moi avec une détermination farouche dans le regard – je lui ai déjà vu cet air. C'est celui qu'elle a, juste avant de m'annoncer qu'elle veut se lancer dans une entreprise dangereuse. Elle n'a pas besoin de dire un seul mot – j'ai compris qu'elle était bien décidée à retrouver Mark James.

La pendulette du tableau de bord indique 7:45. Dans un quart d'heure, le car partira pour l'Alabama. Il ne me reste que quinze minutes avec Sarah. C'est à peu près le temps qu'il a fallu à Adam pour crypter son mail et semer les *hackers* mogadoriens.

Dans la minute qui a suivi, elle a reçu une brève réponse de Mark, contenant l'adresse d'un restaurant à Huntsville. Il a écrit à Sarah qu'il surveillerait les lieux pendant les quelques jours à venir, et que si c'était bien elle qui apparaissait, alors il lui révélerait l'emplacement de sa planque. *Au moins, Mark se montre prudent*, je me dis. Ce qui me rassure pour Sarah. Après ce rapide échange, Adam a immédiatement effacé les deux messages du compte. Et nous voici garés devant la gare routière, dans le centre de Baltimore. Même au crépuscule, ça grouille de monde.

Je suis au volant, Sarah sur le siège passager. On colle bien dans le décor, deux ados dans un van pourri, en train de se dire au revoir.

« J'attends toujours le moment où tu essaieras de me dissuader de partir, dit Sarah avec un petit sourire triste. Tu vas m'expliquer que c'est trop dangereux, on va se disputer, tu vas perdre, et au final j'irai quand même.

— C'est dangereux. » Je me tourne pour lui faire face. « Et je ne veux pas que tu t'en ailles.

— Voilà, c'est ce que je voulais dire. » Elle me prend la main et entremêle ses doigts aux miens. De mon autre main, je caresse sa chevelure, et m'arrête au creux de sa nuque. Je l'attire vers moi. « Mais ce n'est pas plus dangereux que de rester ici avec moi, je conclus.

— Je reconnais bien là le John hyperprotecteur que j'aime, répond-elle.

— Je ne suis pas… »

J'interromps mes protestations en apercevant son sourire moqueur.

« Les au revoir ne deviennent pas plus faciles avec le temps, pas vrai ? »

Je secoue la tête.

« Non, vraiment pas. »

Nous nous taisons et nous serrons fort l'un contre l'autre, en regardant les minutes défiler lentement sur le tableau de bord. À l'usine, la décision de laisser Sarah partir à la recherche de Mark James n'a pas nécessité une longue discussion.

Tout le monde a eu l'air de penser que c'était la chose à faire. Si Mark a bel et bien réussi à réunir des informations cruciales sur les Mogadoriens et qu'il a risqué sa vie pour entrer en contact avec nous, alors nous devons lui rendre la pareille. Mais le reste des Gardanes manque toujours à l'appel. Et plus on y réfléchit, plus le plan d'Adam consistant à attaquer le bastion mogadorien à Washington semble la meilleure solution – c'est une frappe nécessaire pour réunir des renseignements et montrer à ces salauds que nous sommes toujours dans la course. Il se passe trop de choses autour de nous pour que nous lancions toutes nos troupes dans cette seule recherche.

Sarah nous a facilité la tâche en se portant volontaire.

Il va de soi que l'idée de l'envoyer en solitaire accomplir une mission potentiellement dangereuse pour retrouver son ex ne m'emballe pas franchement. Mais je ne peux m'empêcher de penser que l'avenir abject qui m'est apparu dans la vision d'Ella est bel et bien ce qui nous attend, et plus tôt que nous le croyons. Nous avons besoin de toute l'aide possible. Si le fait d'envoyer Sarah en Alabama peut augmenter nos chances de gagner cette guerre, on ne peut pas se permettre de négliger cette piste – et au diable mes sentiments égoïstes.

Et puis, elle ne sera pas totalement seule.

Sur la banquette arrière, Bernie Kosar est debout, les pattes avant appuyées contre la vitre fermée, et il agite furieusement la queue en contemplant la foule qui entre et sort de la gare routière. Depuis la bataille de Chicago, mon vieil ami me paraissait vraiment à plat, mais dès qu'on a repris la route, il a retrouvé une partie de son énergie. Autrefois, à Paradise, c'est lui qui me protégeait. Maintenant il en fera autant pour Sarah.

« Je ne veux pas que tu m'envisages comme ta petite amie, là tout de suite », dit brusquement Sarah d'une voix très posée. Je recule un peu dans mon siège et la dévisage en plissant les yeux.

« Ça va m'être difficile.

— Je veux que tu me considères comme un soldat, insiste-t-elle. Un soldat engagé dans cette guerre, et qui fait ce qu'il a à faire. Je ne sais pas exactement ce que je trouverai, dans le Sud, mais j'ai ce drôle de pressentiment que je vous serai plus utile là-bas. Et puis, au moins, quand l'heure viendra de se battre, je ne serai pas dans tes pattes, à te ralentir.

— Tu ne me ralentis pas », je rétorque pour la énième fois. Mais Sarah balaie mes dénégations d'un geste de la main.

« Ne t'en fais pas, John. Je veux rester avec toi. Je veux voir de mes yeux que tu vas bien, je veux assister à ta victoire. Mais tous les soldats ne peuvent se trouver en première ligne, n'est-ce pas ? Certains sont plus doués quand ils ne sont pas au cœur de l'action.

— Sarah...

— J'ai mon téléphone », poursuit-elle en désignant le sac à dos qu'elle a rempli à la hâte et qui attend à ses pieds. Il contient notamment un des téléphones à carte que Malcolm a achetés, ainsi que quelques vêtements et un pistolet. « J'appellerai toutes les huit heures. Dans le cas contraire, tu devras continuer à te battre. »

Je saisis ce qu'elle essaie de faire. Sarah ne veut pas que je me précipite en Alabama si elle manque un de nos rendez-vous téléphoniques. Elle veut que je me concentre sur l'action. Peut-être qu'elle le sent, elle aussi – que nous approchons de la fin de cette guerre, ou du moins du point de non-retour.

Elle plante son regard dans le mien. « Ça nous dépasse, John.

— Ça nous dépasse », je répète, convaincu que c'est la vérité, mais ne l'acceptant pas pour autant de gaieté de cœur. Je refuse de la perdre, je ne veux pas lui faire mes adieux. Mais je n'ai pas le choix.

Je baisse les yeux et contemple nos doigts entrelacés. Je me remémore combien tout était simple, du moins pendant un temps, quand nous nous sommes installés à Paradise. « Tu sais, la première fois que ma télékinésie a fonctionné, c'était à Thanksgiving, quand je suis venu déjeuner chez toi.

— Tu ne me l'avais jamais dit, répond Sarah en haussant un sourcil, se demandant visiblement pourquoi je me montre tout à coup tellement sentimental. C'est la cuisine de ma mère, qui t'avait inspiré ? »

Je laisse échapper un gloussement. « Je ne sais pas. Peut-être bien. C'est ce soir-là qu'Henri est tombé sur l'équipe d'*Ils sont parmi nous*, les fondateurs de la revue. Et sur les Mogadoriens qui se servaient d'eux. Après cet épisode, il a voulu quitter Paradise, et j'ai refusé. Pour tout dire, je n'ai pas seulement refusé, je me suis servi de la télékinésie pour le plaquer au plafond.

— Je te reconnais bien là, commente Sarah en secouant la tête, un sourire aux lèvres. Entêté.

— Je lui ai dit que je ne voulais plus vivre en cavale. Pas après Paradise. Pas après… t'avoir rencontrée.

— Oh, John… » Sarah pose le front contre ma poitrine.

« Je me disais que cette guerre ne valait pas la peine, si je ne pouvais pas être près de toi, j'ajoute en lui soulevant doucement le menton. Mais à présent, avec tout ce qui s'est passé, après tout ce que j'ai vu – je me rends compte que c'est pour l'avenir que je me bats. Le nôtre. »

Du coin de l'œil, je surveille la pendulette du tableau de bord, et elle me paraît énorme. Plus que cinq minutes. Je me concentre sur Sarah, regrettant qu'il n'existe pas un Don capable d'arrêter le temps, ou de fixer un instant dans l'éternité. Des larmes roulent sur ses joues et je les essuie du pouce. Elle pose sa main sur la mienne et la serre fort ; je vois bien qu'elle fait de son mieux pour se montrer vaillante. Elle prend une longue inspiration tremblante et retient ses sanglots.

« Il faut que j'y aille, John.

— Je te fais confiance, je chuchote avec fermeté. Pas seulement pour retrouver Mark. Si ça tourne mal, je te fais confiance pour rester en vie. Pour me revenir en un seul morceau. »

Sarah agrippe ma chemise et m'attire contre elle. Je sens sa joue humide contre la mienne. J'essaie de tout oublier – mes amis manquant à l'appel, cette guerre, et son départ à elle – pour ne vivre que ce baiser. J'aimerais tant pouvoir retourner à Paradise avec elle, non pas dans la ville telle qu'elle est maintenant, mais dans celle que j'ai connue il y a plusieurs mois, quand on s'embrassait en cachette dans ma chambre pendant qu'Henri faisait les courses, quand on se lançait des regards volés en classe – la vie normale, facile. Mais tout ça est bien fini. Nous ne sommes plus des gosses. Nous sommes des combattants, des soldats, et il nous faut jouer le jeu.

Sarah se recule et, d'un geste fluide pour ne pas prolonger ce moment difficile, elle ouvre la portière et saute hors de la camionnette. Elle met son sac à l'épaule et siffle Bernie Kosar.

« Allez, on y va ! »

BK se hisse sur le siège avant et me dévisage, la tête penchée, se demandant visiblement pourquoi je ne descends pas à mon tour. Je le grattouille derrière son oreille indemne et il laisse échapper un petit gémissement. *Veille sur elle*, je lui dis par télépathie. Il pose les deux pattes avant sur ma jambe et me lèche généreusement la joue.

« Tous ces baisers d'adieu », commente Sarah en riant. BK saute à terre et elle lui attache sa laisse.

« Ce n'est pas un adieu, je rétorque. Pas vraiment.

— Tu as raison. » Son sourire se met à trembler, et l'incertitude perce dans sa voix. « Alors à bientôt, John Smith. Fais attention à toi.

— À bientôt. Je t'aime, Sarah Hart.

— Moi aussi, je t'aime. » Sarah pivote et se dirige d'un pas pressé vers les portes coulissantes de la gare, Bernie Kosar trottant sur ses talons. Elle ne se retourne qu'une fois, juste avant de franchir la porte, et je lui fais signe de la main. Puis elle disparaît – en route pour une destination secrète, en Alabama, en quête d'un moyen de nous aider à gagner cette guerre.

Je dois me retenir de lui courir après et je serre le volant si fort que j'en ai les jointures blanches. Brusquement mon Lumen s'active tout seul, et mes mains se mettent à briller. La dernière fois que j'ai perdu le contrôle de mon Don, c'était… eh bien, à Paradise, justement. J'inspire à fond pour me calmer et scrute les alentours pour m'assurer que personne ne s'est rendu compte de ce qui vient d'arriver. Je mets le contact, le moteur prend vie, et je quitte la gare routière.

Elle me manque déjà.

Je me dirige vers les quartiers chauds de Baltimore, où Sam, Malcolm et Adam m'attendent en préparant l'assaut. Je sais où je vais, et pourquoi, pourtant je me sens à la dérive. Je me remémore ma brève bagarre avec Adam, dans les décombres de l'appartement de Chicago, quand j'ai bien failli tomber par la fenêtre. La sensation du vide derrière moi, la conscience de marcher tout près du gouffre, je les vis à nouveau en cet instant.

Mais alors j'imagine les mains de Sarah qui m'arrachent au néant, et nos prochaines retrouvailles, quand Setrákus Ra sera vaincu et les Mogadoriens renvoyés aux ténèbres glacées de l'espace. Je vois l'avenir et je sens un sourire farouche me monter aux lèvres. Il n'y a qu'un moyen de faire exister cet avenir. L'heure est venue de se battre.

CHAPITRE 4

Nous progressons dans l'obscurité, le long d'une route boueuse creusée dans les marécages, et seuls les bruits de succion rythmés de nos baskets gorgées d'eau et le bourdonnement incessant des insectes viennent troubler le silence. Nous dépassons un poteau en bois solitaire, tellement penché qu'il est à deux doigts de se retrouver déraciné ; l'éclairage a lâché et les lignes électriques pendent sous les arbres touffus, avant de disparaître complètement dans le feuillage. Après deux jours pratiquement sans dormir, à se rendre invisibles au moindre craquement et à cheminer dans la vase, ce signe de civilisation est bienvenu.

C'est Cinq qui nous a conduits dans ces marais. Il savait où il allait, bien sûr. C'était son petit guet-apens à lui. On a eu un mal de chien à sortir de là. Parce que, impossible de retourner à la voiture – on pouvait être certains que les Mogs la surveillaient.

Quelques mètres devant moi, Neuf se flanque une gifle dans la nuque pour écraser un moustique. Le bruit fait sursauter Marina et, pendant une seconde, le champ froid qui émane d'elle depuis le combat avec Cinq s'intensifie. Je ne sais pas bien si elle a du mal à maîtriser son nouveau Don ou bien si c'est volontairement qu'elle refroidit l'air qui nous entoure. Vu l'humidité ambiante dans les marécages de Floride, ce n'est pas si mal de se balader avec la clim portative.

« Ça va ? » je lui demande à voix basse, en espérant que Neuf n'entende pas, même si c'est carrément improbable, avec son ouïe surdéveloppée. Marina ne lui a pas adressé la parole depuis que Huit a été tué, et à moi elle n'a pas dit grand-chose non plus.

Elle se tourne vers moi mais, dans le noir, je ne parviens pas à déchiffrer son expression. « D'après toi, Six ? » demande-t-elle.

Je lui serre le bras et, sous ma paume, sa peau est froide. « On les aura », je réponds. Je ne suis pas très portée sur les laïus du genre « le chef rassure ses troupes » – c'est le domaine de John –, alors je la fais courte. « On les tuera tous. Il ne sera pas mort en vain.

— Il n'aurait pas dû mourir du tout, lance-t-elle. On n'aurait jamais dû le laisser là-bas. Maintenant, ils le tiennent, et ils font Dieu sait quoi avec son corps.

— On n'avait pas le choix », je lui rappelle, et c'est la stricte vérité. Après la raclée que nous a infligée Cinq, on n'était pas en état d'affronter tout un bataillon de Mogadoriens doublé d'un de leurs vaisseaux. Marina secoue la tête et se tait.

« Vous savez, je voulais toujours que Sandor m'emmène camper, balance Neuf comme un cheveu sur la soupe, en nous jetant un regard par-dessus son épaule. J'en avais ras le bol de vivre dans cet appart pépère. Mais maintenant, vous voulez que je vous dise ? Eh bien ça me manque, le confort. »

Marina et moi ne répondons pas. Neuf fait ce petit numéro depuis le combat contre Cinq – il raconte des anecdotes sur tout et n'importe quoi, avec un optimisme bizarre, comme s'il ne s'était rien passé de grave. Ces deux derniers jours, il n'a pas arrêté de partir devant nous, il nous distançait même franchement, grâce à son Don de super-vitesse. Quand on le rejoignait, il avait déjà attrapé un animal quelconque, un serpent en général, qu'il était en train de faire griller au-dessus d'un petit feu de camp qu'il avait confectionné sur un des rares emplacements secs de ce bourbier. On aurait dit qu'il voulait faire croire qu'on était en sortie camping entre copains. Je ne suis pas difficile : j'aurais accepté de manger à peu près n'importe quoi. Mais Marina n'a touché à rien. À mon avis, ce n'est pas tant le fait d'avaler de la créature des marais rôtie qui la dérangeait que de faire honneur aux talents de chasseur de Neuf. Elle doit avoir l'estomac totalement vide, maintenant, plus encore que Neuf et moi.

Nous parcourons encore six cents mètres environ, et je remarque que la route est plus tassée et visiblement plus fréquentée. J'aperçois de la lumière devant nous. Bientôt, le bourdonnement incessant des insectes cède la place à un bruit non moins agaçant.

De la musique country.

Je ne dirais pas vraiment qu'il s'agit d'une ville, et je suis prête à parier que ce bled n'apparaît sur aucune carte de la région, même la plus détaillée. Ça ressemble plutôt à un camping dont les gens auraient oublié de partir. Ou bien c'est le trou où les chasseurs du coin se retrouvent pour s'éloigner un peu de leurs femmes – scénario crédible, à en juger par le nombre de pick-up garés sur le parking gravillonné.

Une demi-douzaine de cabanons rudimentaires sont dispersés dans cette clairière taillée dans la végétation envahissante, comme autant de cabinets à l'ancienne. Les cahutes sont faites de planches de contreplaqué clouées à la va-vite, et un gros coup de vent les arracherait vraisemblablement du sol. J'imagine que, quand on construit dans les marécages, en Floride, il vaut mieux ne pas se donner trop de mal pour les finitions. Pour égayer cette vision glauque, des guirlandes de Noël lumineuses et quelques lanternes à gaz pendent entre les cabanes. Un peu plus loin, là où la terre ferme s'enfonce de nouveau dans l'eau et la vase, j'aperçois la silhouette d'une plateforme branlante à laquelle sont amarrés quelques bateaux pontons.

Nous repérons l'origine de la musique – autrement dit, le « centre-ville » : la seule structure solide du coin est un bar miteux nommé le *Trappeur*, une cabane en rondins avec une enseigne au néon vert qui grésille sur le toit. Une série d'alligators empaillés, aux mâchoires béantes et menaçantes, orne la galerie en bois devant la bâtisse. Outre la musique, j'entends à l'intérieur les voix d'hommes qui braillent et les boules de billard qui s'entrechoquent.

« Parfait, commente Neuf en tapant dans ses mains. Exactement le genre d'endroit que j'aime. »

L'ambiance me rappelle un peu les lieux sur lesquels je tombais, quand j'étais seule et en cavale, et où il était facile de repérer les Mogs, plutôt déplacés au milieu des autochtones bien soudés. Cela dit, en apercevant le type avec sa coupe nuque longue et son débardeur qui nous dévisage tout en fumant cigarette sur cigarette sous l'auvent, je me demande tout de même si on a bien choisi notre endroit pour revenir à la civilisation.

Mais Neuf est déjà sur les marches en bois grinçantes, et Marina le suit de près, alors j'en fais autant. Avec un peu de chance, il y aura un téléphone dans ce bouge, et on pourra au moins entrer en contact avec les autres, à Chicago. Histoire de voir comment vont John et Ella – mieux, j'espère, surtout maintenant qu'on sait que le remède magique que Cinq prétendait avoir dans son coffre n'était qu'une grosse arnaque. Il faut qu'on prévienne les autres, à son sujet. Qui sait quelles informations il a déjà transmises aux Mogadoriens.

Quand nous poussons la porte saloon du *Trappeur*, la musique ne s'arrête pas brusquement comme dans les films, mais tout le monde tourne la tête vers nous en même temps, et toutes les paires d'yeux nous fixent. La salle est bondée et l'ameublement se limite au bar, à un billard et à des tables et chaises de jardin défraîchies. Ça sent la transpiration, l'essence et l'alcool.

« Eh ben mon vieux », dit quelqu'un, avant de siffler bien fort.

Je me rends rapidement compte qu'avec Marina, on est les deux seules femmes ici. On est peut-être même les premières à mettre un pied au *Trappeur*. Les ivrognes qui nous lorgnent vont de l'obèse au maigrichon maladif, et tous sont vêtus de chemises à carreaux ouvertes sur la poitrine ou de débardeurs tachés de sueur. Certains exhibent des sourires édentés, d'autres se lissent la barbe en nous jaugeant du regard.

Un type en T-shirt déchiré à l'effigie d'un groupe de *heavy metal*, la lèvre inférieure gonflée par une chique de tabac, quitte la table de billard et vient se coller tout près de Marina.

« C'est mon jour de chance, faut croire, lance-t-il d'une diction traînante, parce que des filles comme t... » La suite de sa réplique est interrompue net. Au moment où il fait mine de passer le bras autour des épaules de Marina, cette dernière lui attrape vigoureusement le poignet. J'entends la sueur sur son avant-bras craquer sous l'effet de la congélation instantanée, et le gars pousse un cri quand Marina lui retourne le bras dans le dos.

« Ne vous approchez pas de moi », dit-elle d'une voix calme, assez forte pour que tout le bar comprenne que la mise en garde ne s'adresse pas qu'au type dont elle est pratiquement en train de briser l'os.

Cette fois-ci, le silence est total. Je remarque un client qui laisse glisser sa bouteille de bière dans sa paume pour pouvoir la tenir par le goulot – plus pratique pour la lancer. À une table du fond, deux gaillards baraqués échangent un regard puis se lèvent en nous dévisageant. L'espace d'une seconde, je visualise tout le bar se jetant sur nous. Ce qui finirait mal pour ces types, et j'essaie de faire passer l'info par le regard. Neuf, qui avec ses cheveux noirs emmêlés et son visage couvert de crasse ne détonne pas trop dans le décor, fait craquer ses jointures et balance la tête d'avant en arrière en scrutant la foule.

C'est alors qu'un péquenaud à la table de billard se met à brailler : « Mike, espèce de demeuré, demande pardon et ramène-toi ici ! C'est ton tour !

— Désolé », pleurniche le Mike en question à l'intention de Marina, tandis que sa peau vire au bleu sous les doigts de cette dernière. Elle le repousse et il s'empresse d'aller rejoindre ses amis en se frottant le bras et en évitant de nous regarder.

Ça suffit à faire retomber la pression. Tout le monde retourne à ses petites affaires, à savoir descendre des bières. J'imagine que ce genre de scénario – une dispute, un peu d'intimidation, une petite agression au couteau –, c'est monnaie courante, au *Trappeur*. Pas de quoi en faire toute une histoire. C'est le genre d'endroit où personne ne pose de questions.

« Essaie de te contrôler, je glisse à Marina tandis que nous nous approchons du bar.

— C'est ce que je fais, répond-elle.

— On ne dirait pas. »

Neuf s'avance le premier, dégage de la place entre deux ivrognes à moitié affalés, et fait claquer sa main sur le bois usé. Le barman, qui a l'air à peine plus sobre et alerte que ses clients – sans doute l'effet du tablier – nous jauge d'un regard las. « Je vous préviens que j'ai une carabine, derrière le bar. Je veux pas d'ennuis. »

Neuf lui décoche un grand sourire. « C'est cool, mon vieux. Tu as quelque chose à manger, là derrière ? On meurt de faim.

— Je peux faire des hamburgers, répond le type après réflexion.

— C'est pas de la viande d'opossum, ou un truc dans le genre, au moins ? » demande Neuf. Devant l'air abruti du type, il lève les mains. « Laisse tomber, je veux pas savoir. Alors fais-nous trois de tes spécialités, mon pote. »

Je me penche en travers du bar pour interpeller le barman. « Vous avez un téléphone ? »

Du pouce, il désigne le bout de la salle, où je repère dans l'ombre un téléphone à pièces fixé de travers au mur. « Essayez celui-là. Il marche, une fois sur deux.

— On dirait bien que tout ici ne marche qu'une fois sur deux », marmonne Neuf en jetant un coup d'œil au poste de télé accroché au-dessus du bar. La réception est mauvaise et les infos diffusées sont inaudibles à cause des interférences – visiblement, les antennes tordues émergeant du poste ne sont d'aucune efficacité.

Alors que le barman disparaît en cuisine, Marina s'assied sur un tabouret, à bonne distance de Neuf. Elle évite de croiser son regard et se concentre sur la neige à l'écran. Neuf, quant à lui, pianote sur le bar en inspectant les alentours ; il est à deux doigts de provoquer l'un des poivrots. J'ai vraiment l'impression de jouer les baby-sitters.

« Je vais essayer d'appeler Chicago », j'annonce.

Avant que j'aie pu bouger, le fumeur maigre aperçu à l'entrée se glisse à côté de moi au bar. Il me décoche un rictus qui doit se vouloir sexy, mais il lui manque quelques dents, et le regard que je lis dans ses yeux est surtout dingue et désespéré.

« Salut, chérie. » À l'évidence, il a raté la démonstration de Marina lorsqu'elle a découragé le soûlard précédent de flirter avec nous. « Si tu m'offres un verre, je te raconte mon histoire. Tu vas pas t'ennuyer. »

Je lui lance un regard noir. « Lâche-moi. »

Le barman revient de la cuisine, nimbé d'une odeur de viande en train de cuire qui me serre l'estomac. Il remarque le gars à côté de moi et lui brandit immédiatement l'index sous le nez.

« Je croyais t'avoir dit de plus mettre les pieds ici si t'as pas les moyens de payer ton verre, Dale, lui aboie-t-il au nez. Maintenant, dégage. »

Le fameux Dale fait mine de ne pas l'avoir entendu et m'adresse un ultime regard implorant. Voyant que je ne me laisse pas émouvoir, il glisse de son tabouret et décide d'aller mendier son verre auprès d'autres clients. Je secoue la tête et inspire à fond : il faut que je sorte d'ici, que je prenne une douche et que je cogne sur quelque chose. J'essaie de garder mon calme, une vision rationnelle de la situation, d'autant plus que mes deux compagnons de voyage sont loin d'être des modèles de stabilité, mais en fait je suis en colère. Furieuse, même. Cinq m'a assommée, il a bien failli me décapiter tout net. Pendant que j'étais inconsciente, tout a basculé. Je sais bien que je n'aurais pas pu voir venir un dénouement pareil – jamais je n'aurais imaginé qu'un des nôtres puisse passer à l'ennemi, même un taré tel que Cinq. Et pourtant, je ne peux pas m'empêcher de me dire que tout aurait pu se passer autrement, si je n'avais pas baissé la garde. Si j'avais été assez rapide pour esquiver ce premier coup, Huit serait peut-être encore en vie. Je n'ai même pas eu l'occasion de me battre, et j'ai l'impression de m'être fait flouer, d'être totalement inutile. Je ravale ma rage, et la mets de côté pour le prochain Mogadorien que je croiserai.

« Six. » Brusquement, la voix de Marina me paraît fragile, et non plus froide et distante. « Regarde ça. »

Au-dessus du bar, la télé a décidé de se remettre à fonctionner, et malgré la barre neigeuse qui traverse l'image de temps à autre, le bulletin d'information est clairement visible. Un journaliste se tient devant un ruban marqué « POLICE », avec le John Hancock Center à l'arrière-plan.

« Qu'est-ce que c'est que ce bordel ? » je marmonne entre mes dents. Un coup de tonnerre soudain fait trembler le toit. Ça m'apprendra à m'énerver.

À l'écran, des images du gratte-ciel en flammes remplacent le reporter.

« Ce n'est pas possible », s'exclame Marina, les yeux écarquillés. Elle se tourne vers moi, comme pour que je lui confirme que ce n'est qu'une mauvaise blague. J'ai beau essayer d'être l'adulte de l'équipe, je n'ai rien de rassurant à lui dire.

Le barman fixe l'écran lui aussi et fait claquer sa langue : « Dingue, pas vrai ? Tarés de terroristes. »

Je bondis en travers du bar et l'attrape par le tablier sans lui laisser le temps d'attraper son fusil. « Ça s'est passé quand ? j'aboie.

— Bon sang, ma grande, lâche le barman, percevant visiblement dans mon regard quelque chose le dissuadant de riposter. J'en sais rien. Y'a deux jours, j'dirais. On parle que de ça, aux infos. Vous étiez où, au juste ?

— On se faisait mettre une raclée », je marmonne avant de le repousser.

J'essaie de me ressaisir, de maîtriser le sentiment de panique qui me gagne. Depuis quelques minutes, Neuf n'a plus dit un mot. Je me tourne vers lui. Il a l'air ébahi. Il fixe les images de notre appartement, son ancien foyer, en proie aux flammes. Il a la bouche légèrement entrouverte et le corps complètement immobile, presque rigide. On dirait qu'il est en train de bugger, et que son cerveau est incapable d'enregistrer cette ultime catastrophe.

« Neuf… » Ma voix le fait sortir de sa transe. Sans un mot pour Marina ou pour moi, sans même un regard, il fait volte-face et se dirige droit vers la porte. L'un des joueurs de billard tarde un peu trop à dégager le passage, et Neuf l'expédie par terre d'un coup d'épaule.

Tout en priant pour que Marina ne congèle personne en mon absence, je prends Neuf en chasse. Le temps que j'arrive sous le porche du *Trappeur*, il a déjà atteint le parking et marche d'un pas décidé vers la route gravillonnée.

« Où tu vas ? je lui crie en sautant par-dessus la rambarde, avant de le rejoindre à petites foulées.

— À Chicago, réplique-t-il d'un ton brusque.

— Et tu comptes y aller à pied ? C'est ça, ton super plan ?

— Un point pour toi, concède-t-il sans ralentir. Je vais voler une caisse. Vous rappliquez, ou quoi ?

— Arrête de faire l'idiot. »

Voyant qu'il n'obtempère toujours pas, je l'attrape par la télékinésie et le force à se retourner, de sorte qu'il se retrouve face à moi, creusant des sillons avec ses talons en essayant de se dégager.

« Lâche-moi, Six, gronde-t-il. Lâche-moi immédiatement.

— Calme-toi et réfléchis une seconde », j'insiste.

Je comprends alors que ce n'est pas seulement Neuf que j'essaie de convaincre, mais aussi moi-même. Je sens mes ongles se planter dans mes paumes, sans savoir si c'est à cause de la concentration pour maintenir Neuf par la télékinésie, ou parce que je suis à deux doigts de craquer. Sur le toit du John Hancock Center, j'ai dit à Sam qu'on était en guerre et qu'il y aurait des pertes. Je croyais m'y être préparée, mais la mort de Huit – sans parler de la disparition potentielle de tous les autres, à Chicago –, non, je ne peux pas gérer ça. Je ne supporte pas l'idée que ç'ait été ma dernière conversation avec Sam. Pas question.

« Ils ne seront plus à Chicago, de toute manière, j'argumente. Ils se seront enfuis. C'est ce qu'on aurait fait, nous. Et on sait que John est toujours en vie, sinon on aurait une cicatrice de plus. Il a la tablette, et aussi son coffre. Ils ont de meilleures chances de nous retrouver que l'inverse.

— Euh, la dernière fois que j'ai vu John, il était dans le coma. Il est mal barré pour retrouver qui que ce soit.

— Quand tu as un immeuble entier qui t'explose dans les oreilles, ça a tendance à te réveiller. Il s'en est sorti. Dans le cas contraire, on le saurait. »

Au bout d'un moment, Neuf finit par céder et hoche la tête. « OK, OK, tu peux me lâcher, maintenant. »

Je m'exécute et il détourne immédiatement le regard pour fixer la route plongée dans l'ombre, les épaules tombantes.

« J'ai l'impression qu'on est foutus, Six, dit-il, la voix rauque. Comme si on avait déjà perdu, et que personne n'avait pris le temps de nous l'annoncer. »

Je m'approche pour lui poser la main sur l'épaule. Nous sommes dos aux néons du *Trappeur*, aussi m'est-il difficile de distinguer le visage de Neuf, mais je suis pratiquement certaine que ce sont des larmes qui brillent dans ses yeux.

« C'est des conneries, je réplique. On n'est pas du genre à perdre.

— Va dire ça à Huit.

— Neuf, allez, quoi… »

Il fourre ses deux mains dans ses cheveux noirs emmêlés, comme s'il essayait d'en arracher. Puis il se frotte le visage et, lorsqu'il me regarde de nouveau, je vois bien qu'il essaie de se montrer stoïque.

« Et puis, c'était ma faute, ajoute-t-il. C'est moi qui l'ai fait tuer.

— Ce n'est pas vrai.

— Si. Cinq m'avait fichu une raclée, et je n'ai pas pu m'en empêcher. Ç'aurait dû être moi. Tu le sais, je le sais, et Marina le sait encore mieux que nous. »

Je retire ma main de son épaule pour lui balancer une droite dans la mâchoire.

« Aouh ! Merde ! » glapit-il. Il recule en titubant et manque de trébucher sur le gravier. « Qu'est-ce qui te prend ?

— C'est ça que tu veux ? je demande en avançant vers lui, les poings serrés, prête à remettre ça. Tu veux que je te botte un peu le cul ? Histoire de te punir pour ce qui est arrivé à Huit ? »

Neuf lève les mains pour me calmer. « Ça va, arrête-toi, Six.

— Ce n'était pas ta faute », j'ajoute d'une voix posée. Je desserre les poings et lui plante mon index dans le torse. « C'est Cinq qui a tué Huit, pas toi. Et les responsables, ce sont les Mogadoriens. Pigé ?

— Ouais, j'ai pigé », répond Neuf.

Impossible de savoir s'il a vraiment compris, ou s'il veut juste m'empêcher de l'attaquer de nouveau.

« Bien. Alors arrête ton numéro de pleurnichard. Notre priorité, c'est de décider ce qu'on va faire ensuite.

— Ça, j'ai déjà trouvé », intervient Marina.

J'étais tellement occupée à secouer Neuf pour qu'il se ressaisisse que je ne l'ai pas entendue approcher. Neuf non plus et, à son air embarrassé, je devine qu'il se demande si Marina a été témoin de toute la scène. Mais cette dernière ne semble pas très concernée par le passage à vide de Neuf. Elle est trop occupée à trimballer Dale derrière elle, le type rachitique du bar qui voulait me vendre sa fabuleuse histoire contre une bière. Marina lui fait traverser le parking jusqu'à nous, en le tirant par l'oreille comme une méchante institutrice escortant un galopin jusqu'au bureau du directeur. Je remarque au passage la petite couche de givre qui s'est formée sur la joue de Dale.

« Marina, lâche-le », je dis.

Elle s'exécute, et pousse le pauvre gars devant elle. Il trébuche sur le gravier et finit à genoux devant moi. Je lance un regard à mon amie – je comprends bien d'où vient toute cette violence, mais ça ne veut pas dire que j'approuve. Marina ne tient aucun compte de mes récriminations.

« Répète-leur ce que tu m'as raconté, ordonne-t-elle à Dale. Ton histoire *extraordinaire*. »

Dale nous dévisage tour à tour tous les trois, désireux de faire plaisir mais totalement terrifié, pensant sans doute qu'on va le tuer s'il n'obéit pas.

« Il y a une vieille base de la NASA, plus loin, dans les marécages. Ils l'ont fermée dans les années 1980, quand l'eau a commencé à gagner, commence Dale d'une voix hésitante en se frottant la joue pour la réchauffer. Parfois j'y vais faire un tour, pour chercher des trucs à refourguer. En temps normal, c'est désert. Mais hier soir, mon vieux, je te jure que j'ai vu des OVNI qui flottaient au-dessus. Et il y avait des mecs flippants qui montaient la garde, ils avaient une drôle de tronche, et des fusils comme j'en avais jamais vu. Vous êtes pas avec eux, pas vrai ?

— Non, je réponds. C'est le moins qu'on puisse dire.

— Dale s'est porté volontaire pour nous indiquer le chemin », ajoute Marina en le poussant du bout de sa basket.

L'intéressé déglutit bruyamment, puis acquiesce avec enthousiasme.

« C'est pas loin. Une heure ou deux, en coupant par le marécage.

— On vient de passer deux jours de marche à en sortir, de ce fichu marécage, fait remarquer Neuf. Et maintenant vous voulez y retourner ?

— Ils ont son corps, siffle Marina en pointant le doigt dans le noir. Tu as entendu ce que rapportait Malcolm, ce qu'ils ont fait à Numéro Un. Ils lui ont volé ses Dons. »

Je lance un regard noir à Marina. Même si tout ça ne doit avoir aucun sens pour lui, Dale écoute notre conversation avec la plus grande attention. « Tu crois vraiment que c'est le lieu pour discuter de ça ?

— C'est *Dale*, qui t'inquiète, Six ? raille Marina. Ils sont en train d'exterminer tous nos amis. Faire des cachotteries à ce poivrot est bien le cadet de nos soucis. »

Dale brandit la main. « Je vous jure que je dirai rien sur… sur ce que vous racontez, là.

— Pour Chicago, qu'est-ce qu'on fait ? demande Neuf. Et pour les autres ? »

Marina lui jette à peine un coup d'œil. C'est moi qu'elle fixe pour répondre. « Tu sais bien que je m'inquiète pour eux. Mais on ignore où sont John et les autres, Six. Alors qu'on *sait* où se trouve Huit. Et quoi qu'il arrive, je refuse de laisser ces salopards dégénérés le garder. »

Au ton de sa voix, je comprends bien qu'il sera impossible de la faire changer d'avis. Si on ne l'accompagne pas, elle ira seule. Et cette probabilité ne me traverse même pas l'esprit. J'ai tout aussi envie qu'elle de leur exploser la tête. Et s'il y a la plus petite chance que le corps de Huit soit encore dans les parages – entre les griffes de Mogadoriens traînant en Floride, peut-être même avec Cinq –, alors on doit au moins tenter de le récupérer. Pas question d'abandonner un Gardane.

Je me tourne vers le type. « Dale, j'espère que tu as un bateau, parce qu'on compte te l'emprunter. »

CHAPITRE 5

Le morceau de viande posé devant moi ressemble à un croisement entre une éponge et de la chair de poisson cru, sauf qu'en plus il n'a aucune texture. Quand je le pique avec ma fourchette, il tremblote comme de la gélatine. Ou peut-être est-il encore vivant et essaie-t-il de s'échapper lentement de mon assiette, à coups de frétillements répugnants. Si je détourne le regard, je me demande si cette chose accélérera l'allure pour tenter une percée par les conduits d'aération.

J'ai envie de vomir.

« Mange », ordonne Setrákus Ra.

Il se prétend mon grand-père. Ce qui me donne encore plus la nausée que cette nourriture abjecte. Je ne veux pas le croire. C'est sans doute comme dans mes visions, un jeu pervers pour me mettre les nerfs à vif.

Mais pourquoi se donner tant de mal ? Pourquoi m'amener ici, au lieu de me tuer, tout simplement ?

Setrákus Ra est assis en face de moi, à l'autre bout d'une table de banquet qui semble taillée dans la lave, et tellement longue que c'en est grotesque. Sa chaise est en forme de trône, de la même pierre noire que la table, mais ce qui est sûr, c'est qu'elle n'est pas assez grande pour contenir le monstre énorme que nous avons affronté à la Base de Dulce. Il faut croire qu'il a attendu que j'aie le dos tourné pour rapetisser. C'est vrai qu'il est plus pratique de se pencher sur son assiette de gastronomie mogadorienne quand on ne mesure plus que deux mètres quarante. Est-ce que sa capacité à changer de taille pourrait être un Don ? Sur le principe, c'est assez proche de ma faculté de changer d'âge.

« Tu as des questions, gronde Setrákus Ra en me dévisageant.

— Qu'es-tu ? » j'éructe.

Il penche la tête. « Que veux-tu dire, petite ?

— Tu es un Mogadorien, j'ajoute en essayant de ne pas avoir l'air trop hystérique. Moi je suis loric. On ne peut pas avoir de lien de parenté.

— Ah, quelle vision simpliste. Les humains, les Lorics, les Mogadoriens – ce ne sont là que des mots, ma très chère. Des étiquettes. Il y a des siècles, j'ai prouvé par mes expériences scientifiques que la génétique pouvait être modifiée. Augmentée. Nul besoin d'attendre que Lorien nous honore de ses Dons. Il suffisait de nous servir en fonction de nos besoins, et de les utiliser comme n'importe quelle autre ressource.

— Pourquoi tu n'arrêtes pas de répéter *nous* ? » Malgré moi, j'ai la voix qui se casse. « Tu n'es pas l'un d'entre nous. »

Un petit sourire amer se dessine sur les lèvres du monstre. « J'étais loric, jadis. Le dixième Ancien. Puis est venu le jour où l'on m'a exclu. C'est alors que je suis devenu ce que tu as sous les yeux : les pouvoirs d'un Gardane avec la force d'un Mogadorien. Un progrès de l'évolution. »

Sous la table, je sens mes jambes trembler. Sitôt qu'il a mentionné le dixième Ancien, je n'écoute pratiquement plus. C'était dans la lettre de Crayton, je m'en souviens. Il a écrit que mon père était obsédé par l'idée que notre famille comptait autrefois un Ancien. Est-il possible qu'il s'agisse de Setrákus Ra ?

« Tu es fou. Et tu mens.

— Ni l'un ni l'autre, répond-il d'un ton patient. Je ne suis qu'un réaliste. Un futuriste. J'ai modifié mon patrimoine génétique afin de devenir plus comme eux, afin qu'ils m'acceptent. En échange de leur allégeance, j'ai aidé leur peuple à prospérer. Ils étaient au bord de l'extinction, et je les ai sortis de ce gouffre. Rejoindre les Mogadoriens m'a donné une chance de poursuivre ces expériences qui faisaient si peur aux Lorics. À présent, mon œuvre est presque achevée. Bientôt, toute vie dans l'univers – mogadorienne, humaine, et même ce qu'il reste des Lorics – se verra améliorée par ma main ferme et bienveillante.

— Tu n'as pas amélioré la vie sur Lorien, j'aboie. Tu l'as entièrement exterminée.

— Ils s'opposaient au progrès, assène-t-il, comme si la mort d'une planète entière n'était qu'une broutille.

— Tu es malade. »

Je n'ai pas peur de lui répondre. Je sais qu'il ne me fera pas de mal – du moins, pas encore. Il est trop vaniteux pour ça, il tient absolument à convertir un autre Loric à sa cause. Il veut que tout soit exactement comme dans mon cauchemar. Depuis que je me suis réveillée ici, il m'a collé sur le dos toute une armée de Mogadoriennes pour s'occuper de moi. Ce sont elles qui m'ont mis cette longue robe noire solennelle, très semblable à celle que je portais dans ma vision. Elle me démange sur tout le corps, et je n'arrête pas de tirer sur le col qui m'étrangle.

Je fixe le visage hideux sans ciller, et je m'en veux de chercher une ressemblance. Il a une tête pâle en forme de gros bulbe recouvert de tatouages mogadoriens complexes. Ses yeux sont noirs et vides comme ceux de tous les Mogs. Ses dents sont limées et acérées. En me concentrant bien, je discerne presque quelques vestiges de ses traits loric, comme un édifice en ruine, enseveli sous le grossier ravalement mogadorien.

Setrákus Ra lève les yeux de son assiette et son regard rencontre le mien. Me retrouver ainsi face à lui me donne toujours le frisson et je dois me forcer pour ne pas me détourner.

« Mange, répète-t-il. Tu as besoin de prendre des forces. »

J'hésite un instant, me demandant jusqu'où pousser la désobéissance – le sushi version mogadorienne me dégoûte profondément. Je lâche ostensiblement ma fourchette, qui vient percuter mon assiette dans un choc métallique, dont l'écho rebondit sous le haut plafond de la salle à manger privée de Setrákus Ra, à peine plus meublée que les autres pièces glaciales de l'*Anubis*. Les murs sont recouverts de tableaux de Mogadoriens montant à l'assaut. Le plafond est ouvert et offre une vision de la Terre à couper le souffle. Au-dessus de nous, la planète tourne imperceptiblement.

« Ne me pousse pas à bout, petite, grogne Setrákus Ra. Fais ce qu'on te dit. »

Je repousse mon assiette. « Je n'ai pas faim. »

Il me dévisage longuement d'un air condescendant, comme un parent essayant de faire la démonstration de sa patience à un enfant insolent.

« Je peux te plonger dans le coma et te nourrir avec une sonde, si tu préfères. Peut-être seras-tu mieux élevée au prochain réveil, une fois que j'aurai remporté cette guerre. Mais alors, on ne pourra pas discuter. Et tu ne profiteras pas en direct de la victoire de ton grand-père. Et puis, tu ne pourras plus ruminer tes petits plans d'évasion ridicules. »

Je déglutis avec difficulté. Je sais que nous finirons bien par retourner sur Terre. Setrákus Ra ne va pas laisser ses vaisseaux en orbite avant de s'en aller gentiment. Il prévoit une invasion. Je me suis dit qu'une fois qu'on atterrirait, j'aurais plus de chances de m'enfuir. À l'évidence, Setrákus Ra sait que je préférerais mourir plutôt que d'être sa prisonnière ou sa complice, ou je ne sais quel autre projet qu'il aurait pour moi. Mais à en juger par sa mine satisfaite, il s'en moque totalement. Peut-être a-t-il l'intention de me faire un lavage de cerveau avant que nous retournions sur Terre.

« Comment je suis censée avoir de l'appétit avec ta sale tête sous mon nez ? je lance, dans l'espoir qu'il perde de son assurance. Ça ne donne vraiment pas envie. »

Setrákus Ra me fixe avec l'air de se demander s'il va ou non me sauter à la gorge, depuis l'autre bout de la table. Puis il tend la main pour attraper sa canne, posée contre son trône. Celle-là même qu'il a utilisée pendant le combat à la Base de Dulce – sculptée de motifs compliqués, avec un œil noir et menaçant sur le manche. Je me prépare pour l'attaque.

« C'est l'œil de Thaloc, explique Setrákus Ra en me voyant fixer l'objet. Comme la Terre, il fera un jour partie de ton Héritage. »

Avant que j'aie le temps de demander des précisions, l'œil d'obsidienne de la canne lance brusquement des éclairs. Je plisse les yeux, puis comprends assez vite que je ne suis pas en danger. C'est d'ailleurs Setrákus Ra qui se met à convulser. Des bandes de lumière rouge et violette jaillissent de l'œil de Thaloc et parcourent tout le corps de mon ennemi. Je ne peux pas l'expliquer, mais je sens que l'énergie passe de sa canne à son corps, qui s'étire et change de forme, comme une bulle dans de la cire.

Lorsqu'il a terminé, Setrákus Ra a pris forme humaine. Il a même l'air d'une star de cinéma. Il a choisi l'apparence d'un beau type dans la quarantaine, avec une chevelure poivre et sel impeccablement coiffée, des yeux bleus expressifs et une légère barbe de deux jours. Il est toujours grand, mais plus au point d'être intimidant, et il porte un costume bleu chic et une chemise de soirée bien amidonnée, au col négligemment ouvert. Il ne reste de son ancienne apparence que les trois pendentifs loric, dont les joyaux cobalt sont assortis à sa chemise.

« C'est mieux, comme ça ? » Il a perdu sa voix râpeuse au profit d'un timbre mélodieux de baryton.

« Quoi ?... » Je le dévisage, éberluée. « Tu es censé être qui, exactement ?

— C'est la forme que je choisis pour les humains. Nos recherches ont prouvé qu'ils étaient naturellement attirés vers les hommes blancs d'âge moyen avec les traits physiques que tu vois. Il semblerait qu'ils les considèrent comme des meneurs dignes de confiance.

— Pourquoi... » J'essaie de rassembler mes esprits. « Comment ça, pour les humains ? »

D'un geste de la main, Setrákus Ra désigne mon assiette. « Mange, et je répondrai à tes questions. C'est raisonnable, comme marché, tu ne trouves pas ? Je crois que les humains appellent ça donnant-donnant. »

Je baisse les yeux sur mon assiette, et l'amas blafard qui m'attend. Je pense à Six, à Neuf et au reste des Gardanes et me demande ce qu'eux feraient, dans ma situation. Setrákus Ra semble prêt à vider son sac, alors je devrais sans doute sauter sur l'occasion. Peut-être que, pendant qu'il essaiera subtilement de me faire changer de camp, il laissera échapper un secret qui nous permettrait de battre les Mogadoriens. Si ce secret existe. Quoi qu'il en soit, avaler une bouchée de cette limace bouillie n'est pas cher payé, si ça me permet de réunir des informations importantes. Je ne devrais pas me considérer comme prisonnière, mais plutôt en mission derrière les lignes ennemies.

Je suis une espionne, bon sang.

Je me saisis de ma fourchette et de mon couteau, découpe un petit carré au bord de la viande, et me le fourre dans la bouche. Ça n'a pratiquement aucun goût, j'ai un peu l'impression de mâcher une boule de papier chiffonné. Ce qui me dérange le plus, c'est la texture – au contact de ma langue, la substance se met à crépiter puis à fondre, et disparaît si rapidement que je n'ai même pas le temps de mâcher. Je ne peux m'empêcher de penser à la manière dont les Mogadoriens se désintègrent quand ils sont tués, et j'ai beaucoup de mal à retenir un haut-le-cœur.

« Ce n'est pas la nourriture dont tu as l'habitude, mais c'est la meilleure que l'*Anubis* puisse produire, avec son équipement, commente Setrákus Ra en ayant presque l'air de s'excuser. Une fois que nous aurons pris la Terre, les menus s'amélioreront. »

Je ne rétorque rien, car je me moque de la gastronomie mogadorienne. « J'ai mangé. Maintenant réponds à ma question. »

Il incline la tête, visiblement charmé par ma franchise. « J'ai choisi cette forme parce que les humains la trouvent rassurante. C'est ce que je porterai pour accepter la reddition de leur planète. »

Je le fixe, bouche bée. « Jamais ils ne se rendront à toi. »

Il sourit. « Bien sûr que si. Contrairement aux Lorics, qui se battent inutilement contre une issue inévitable, les humains ont une histoire riche en capitulations. Ils savent apprécier les démonstrations de force et accepteront bien volontiers les principes du Progrès mogadorien. Et dans le cas contraire, ils périront.

— Le Progrès mogadorien. » Je crache les mots comme des fruits pourris. « Mais de quoi tu parles ? Tu veux tous les faire à ton image ? Celle d'un mon... »

Je ne termine pas ma phrase. J'allais le traiter de monstre, lorsque ma vision m'est revenue en mémoire. J'ai ordonné sans ciller l'exécution de Six sous les yeux de John, de Sam et d'une foule de gens. Et si cette horreur était déjà en train de ramper en moi ?

« Je crois qu'il y avait au moins une question, au milieu de tout ce vitriol », commente Setrákus Ra. Il arbore toujours ce sourire qui me rend folle de rage, encore plus exaspérant sur ce séduisant visage humain. Il désigne de nouveau mon assiette. J'engouffre une nouvelle bouchée de gelée immonde. Setrákus Ra se racle la gorge comme s'il s'apprêtait à faire un discours.

« Nous partageons le même sang, petite-fille, et c'est pour cette raison que te sera épargné le sort réservé aux Gardanes qui ont la stupidité de s'opposer à moi. Car contrairement à eux, tu es capable de changer, expliqua Setrákus Ra. J'ai peut-être été loric, jadis, mais au fil des siècles j'ai œuvré à me transformer, à m'améliorer. Une fois que je contrôlerai la Terre, je posséderai la puissance nécessaire pour changer la vie de milliards d'individus. Il leur suffira d'accepter le Progrès mogadorien. Alors mon travail portera enfin ses fruits. »

Je le dévisage en plissant les yeux. « La puissance ? Et elle viendra d'où ? »

Setrákus Ra me lance un sourire énigmatique, tout en touchant les pendentifs autour de son cou. « Tu le verras le moment venu, petite. Et alors, tu comprendras.

— Je comprends déjà. Que tu es un monstre répugnant qui rêve de génocide, planqué derrière un look mogadorien vraiment raté. »

Le sourire de Setrákus Ra vacille et l'espace d'un instant, je me demande si je n'ai pas poussé le bouchon un peu loin. Il lâche un soupir et passe les doigts en travers de sa gorge, faisant s'écarter la peau de son personnage, sous laquelle apparaît l'épaisse cicatrice violacée.

« Pittacus Lore m'a fait ce cadeau, lorsqu'il a essayé de me tuer, dit-il d'une voix froide et monocorde. J'étais l'un d'eux, mais lui et les autres Anciens m'ont rejeté. Ils m'ont banni de Lorien, à cause de mes idées.

— Quoi ? Je croyais qu'ils voulaient t'élire chef suprême, ou je ne sais quoi ? »

Setrákus Ra passe une nouvelle fois la main sur sa gorge, faisant disparaître la cicatrice.

« Ils avaient déjà un chef, réplique-t-il dans un grondement guttural, comme si ce souvenir le mettait en colère. Ils ont simplement refusé de l'admettre.

— Et c'est censé vouloir dire quoi ? »

Cette fois-ci, il ne me force pas à manger avant de me répondre. Il est sur sa lancée.

« Ma chère, les Anciens étaient dirigés par la planète elle-même. C'est Lorien qui choisissait pour eux. Qui décidait qui serait Gardane et qui serait Cêpane. Ils croyaient qu'il nous fallait vivre en gardiens de la nature, et la laisser nous dicter notre destin. J'étais en désaccord avec eux. Les Dons légués par Lorien ne sont rien d'autre que des ressources, comme tout le reste. Laisserais-tu un poisson décider qui est digne de le manger ou pas, ou bien le minerai de fer quand il doit être forgé ? Bien sûr que non. »

J'essaie de digérer toutes ces informations et de les confronter à la lettre de Crayton.

« Ce que tu voulais, c'est tout contrôler, point final, je conclus au bout d'un moment.

— Je voulais le progrès, rétorque-t-il. Les Mogadoriens l'ont compris. Contrairement aux Lorics, c'était un peuple prêt à s'élever.

— Tu es fou. » Je repousse mon assiette. Terminé, le petit jeu des questions-réponses.

« Tu n'es qu'une enfant mal éduquée, réplique-t-il avec ce ton de patience condescendante. Quand tu auras commencé à étudier, quand tu verras ce que j'ai accompli pour toi et ce que les Lorics t'ont refusé, alors tu comprendras. Tu en viendras à m'aimer et à me respecter. »

Je me lève, même si je n'ai nulle part où aller. Jusqu'ici, Setrákus Ra n'a pas été trop dur avec moi, mais il m'a été clairement dit que c'est uniquement parce qu'il m'y autorise que je peux me déplacer dans les couloirs stériles de l'*Anubis*. S'il lui prend l'envie de me séquestrer ici et de me forcer à terminer mon repas, il le fera. Il vaudrait sans doute mieux pour moi que je ne relève pas les aberrations et les mensonges qu'il raconte, mais il m'est impossible de me taire. Je pense à Neuf, à Six et aux autres – je sais qu'à aucun prix ils ne tiendraient leur langue, s'ils se retrouvaient face à face avec cette erreur de la nature.

« Tu as détruit notre planète et tout ce que tu as accompli, c'est le martyre d'un peuple, je riposte en essayant d'imiter le ton de fausse patience de mon grand-père. Tu es un monstre. Jamais je ne cesserai de te haïr. »

Setrákus Ra pousse un soupir et, sous l'effet de la consternation, ses beaux traits se froissent un instant. « La colère est le dernier refuge des ignorants, répond-il en levant la main. Laisse-moi te montrer une de ces choses qu'ils t'ont dérobée, ma petite-fille. »

Une spirale d'énergie écarlate et étincelante se met à tourner autour de sa paume. Interdite, je recule d'un pas.

« Les Anciens ont choisi qui s'échapperait de Lorien, et tu n'étais pas censée en faire partie, continue Setrákus Ra. On t'a privée des avantages accordés aux autres Gardanes. Je rectifierai cela. »

La spirale se mue en un globe crépitant devant la main de Setrákus Ra, reste quelques instants en suspens dans l'air, puis fonce droit sur moi. Je plonge sur le côté et le globe interrompt sa course, puis me vise de nouveau comme s'il pouvait me voir. Je heurte le sol froid, roule à terre et fais de mon mieux pour esquiver, mais cette boule de feu est trop puissante. Elle traverse l'ourlet de ma robe et se fixe à ma cheville.

Je pousse un hurlement. La douleur est insupportable : c'est comme si on me raclait la peau avec du fil barbelé. Je relève le genou et essaie de taper l'endroit où la boule de feu m'a frappée, comme si j'étais en flammes et que je tentais d'étouffer le brasier.

C'est alors que je la vois. La lueur rouge s'estompe, et laisse place autour de ma cheville à une cicatrice à vif et déchiquetée. Sa forme rappelle celle des tatouages anguleux que j'ai vus sur des dizaines de crânes de Mogadoriens, et ce qui me dérange, c'est qu'elle m'est étrangement familière. Cette cicatrice ressemble beaucoup à celle que les Gardanes ont, et qui est le signe du Sortilège loric.

Lorsque je relève les yeux vers Setrákus Ra, je dois me mordre la lèvre pour me retenir de hurler. Le bas de son pantalon a brûlé, et dessous apparaît sa propre cheville – ornée d'une cicatrice identique à la mienne.

« Désormais, annonce-t-il avec un sourire béat, tout comme eux, nous sommes liés. »

CHAPITRE 6

En un sens, on peut dire qu'on a kidnappé Dale. Ça n'a pas l'air de le déranger. Le péquenaud maigrichon a l'air de bien s'éclater, à l'arrière de son vieux bateau ponton – il rêvasse en sirotant sa flasque d'alcool frelaté et ne se gêne pas pour nous mater grossièrement, Marina et moi. Son bateau est une véritable poubelle qui, à certains endroits, tient littéralement avec du scotch et des bouts de ficelle, et on n'ose avancer trop vite dans les méandres du marécage, par peur que le moteur se retrouve en surchauffe. Sans compter qu'à intervalles réguliers, Neuf doit prendre un seau pour écoper l'eau boueuse avant qu'il s'en accumule trop au fond et qu'on coule. Ce n'est pas exactement ce que j'appellerais la grande classe, comme voyage, mais Marina reste convaincue que Dale est tombé sur un campement mogadorien. Donc, pour l'instant, il nous sert de guide.

Hier soir, Dale a soutenu qu'il faisait trop noir pour naviguer dans le marécage, mais il a promis de nous mener à la base désertée de la NASA au matin. Il se trouve que le barman du *Trappeur* louait les cabanons autour du bar aux clients du coin ou de passage. Il nous en a laissé un pour presque rien, nous a aussi fourni les repas, se disant sans doute que refuser de nous aider créerait plus de problèmes qu'autre chose.

Comme on ne faisait pas confiance à Dale pour rester bien sage et qu'on l'imaginait plutôt essayant de se faire la malle à la première occasion, on a monté la garde à tour de rôle. Neuf a pris le premier guet et s'est retrouvé assis avec Dale devant notre petite cabane, à écouter le récit passionnant de ses virées dans les marais, et des butins qu'il avait dégottés.

Marina et moi, on a dormi côte à côte sur un matelas miteux jeté à même le sol, avec pour seul autre mobilier une plaque chauffante, un évier criblé de trous de rouille qui semblait n'être relié à aucun tuyau, et une lampe à pétrole. Si on considère qu'on avait passé les deux jours précédents à crapahuter dans les marécages pratiquement sans se reposer, on n'avait pas été aussi bien logés depuis un bail. Et tandis qu'on était allongées là, j'ai remarqué que Marina ne dégageait plus cette aura glaciale qui l'entourait depuis que Huit a été tué. J'ai pensé que peut-être elle s'était endormie, mais c'est alors qu'elle s'est mise à murmurer dans le noir.

« Je le sens, dehors, Six.

— Qu'est-ce que tu veux dire ? j'ai répondu en chuchotant aussi, ne comprenant rien à ce qu'elle disait. Huit est… » J'ai hésité, incapable de prononcer les mots.

« Je *sais* qu'il est mort, elle a répondu en roulant sur le côté pour me faire face. Mais je sens encore son – son essence, quelque chose comme ça. Il m'appelle. J'ignore pourquoi, et comment, mais ce que je sais, c'est que c'est en train de se produire, et que c'est important. »

Je me suis tue. Je me suis remémoré l'histoire que nous avait racontée Huit, celle du vieil homme qu'il avait rencontré en Inde, alors qu'il se cachait. Devdan, je crois qu'il s'appelait. Le vieux gars lui avait enseigné l'hindouisme et les arts martiaux, puis il avait fini par repartir aussi mystérieusement qu'il était venu. Huit avait vraiment été conquis par ce qu'il avait appris de l'hindouisme – je crois que ça l'avait aidé à dépasser la mort de son Cêpane. Et puis quoi ? Ça n'est peut-être pas si farfelu, ces histoires de réincarnation. Huit était vraiment le plus spirituel d'entre nous, et si quelqu'un devait lancer un appel d'outre-tombe, ce serait sans doute lui.

« On le trouvera », j'ai répondu, sans être vraiment certaine que je pourrais tenir ma promesse. J'ai repensé à ce qu'avait dit Neuf, pendant son pétage de plomb, plus tôt ce soir-là – qu'on avait déjà perdu la guerre, et que personne n'avait pris le temps de nous l'annoncer. « Mais j'ignore ce qu'on va faire, après.

— On le saura quand l'heure viendra », a répondu Marina d'un ton paisible en serrant ma main, et c'était la Marina nourricière que j'avais connue qui refaisait surface, éclipsant l'esprit en colère et assoiffé de vengeance auprès duquel je survivais depuis quelques jours. « J'en ai la certitude. »

Et donc, ce matin, on est retournés dans les marécages. De chaque côté du flot boueux, les arbres sont épais et on doit souvent ralentir pour contourner des racines noueuses mais vigoureuses qui serpentent dans l'eau. Au-dessus de nos têtes, le dais de feuillage est dense et filtre la lumière du soleil. Des troncs pourris dérivent, et on a vite fait de confondre leur écorce avec les écailles rugueuses des alligators qui rôdent dans le coin. Au moins les insectes ne me piquent plus. Ou bien c'est que je m'y suis habituée.

Marina se tient debout à l'avant du bateau, le regard sur l'horizon, le visage et les cheveux mouillés par l'humidité de l'air. Je fixe son dos en me demandant si elle a complètement perdu les pédales, ou si son sixième sens au sujet du corps de Huit est un autre Don qui se manifeste. C'est dans des moments de ce genre qu'on aurait vraiment besoin d'un Cêpane. Marina a un mal de chien à maîtriser son Don de congélation. Neuf et moi n'avons pas encore abordé la question avec elle – il doit craindre qu'elle lui arrache la tête, quant à moi j'ai tendance à penser qu'elle saura mieux contrôler tout ça quand elle aura pris le dessus sur toute cette colère qui l'habite. Donc je ne saurais dire ce qui nous ramène dans ce fichu marécage : un nouveau Don potentiellement détraqué, une bonne vieille intuition, le chagrin ou bien un vrai contact avec le monde des esprits. Peut-être un mélange de tout ça.

Et peu importe, en fait. On y est, un point c'est tout.

Je n'arrive pas à croire que c'était il y a seulement cinq jours, que Cinq nous a entraînés là. On était plus heureux, alors – je revois Huit et Marina accrochés l'un à l'autre, le début de quelque chose entre eux, et Neuf qui faisait l'imbécile chaque fois qu'il repérait un alligator. Je me passe la main dans les cheveux – tout humides et emmêlés – et je dois me forcer à chasser toutes ces pensées. Ce n'est pas le moment de s'apitoyer. On fonce droit vers le danger, mais cette fois-ci, au moins, on est au courant.

« On est encore loin ? » je demande à Dale.

Il hausse les épaules. Visiblement, il se sent beaucoup plus à l'aise en notre compagnie, en comparaison d'hier soir, quand Marina lui a à moitié congelé le visage. C'est sans doute grâce au contenu de cette flasque.

« P't-être une heure, il finit par annoncer.

— Tu as intérêt à ne pas te foutre de nous, je le mets en garde. Si c'est des conneries, on te laisse là. »

Du coup, il se redresse un peu. « J'vous jure que c'est vrai, m'dame. J'ai vu des aliens carrément bizarres, par là-bas. J'vous jure. »

Je lui lance un regard noir. Neuf, qui a fini de pomper l'eau et de la reverser par-dessus bord, lui arrache sa flasque des mains.

« Qu'est-ce que tu as, là-dedans ? demande-t-il en reniflant le goulot. Ça sent le diluant pour peinture.

— Y'a pas *que* du diluant, riposte Dale. Vous avez qu'à goûter. »

Neuf roule les yeux et lui rend son poison, avant de se tourner vers moi.

« Sérieux ? » Il baisse la voix, non pas pour Dale, mais parce qu'il craint que Marina l'entende. « Et on fait confiance à ce gars ?

— Pas seulement à lui, je réponds en désignant le dos de Marina du regard. Elle sent quelque chose.

— Depuis quand elle… » Neuf s'interrompt, et prend pour une fois le temps de réfléchir avant de parler. « C'est juste que ça me paraît toujours un peu dingue, Six. »

Avant que j'aie pu répondre, Marina agite la main dans notre direction, pour attirer notre attention.

« Coupez le moteur ! » siffle-t-elle.

Dale sursaute et obéit, ne voulant visiblement pas énerver la petite dame. Le bateau glisse en silence.

« Qu'est-ce qu'il y a ? je demande.

— Il y a quelqu'un, devant. »

C'est alors que je l'entends, moi aussi. Un moteur – le genre qui crachote beaucoup moins que celui de Dale – qui gagne en puissance et s'approche. Mais avec le circuit en zigzag du bras de rivière entre les racines, on ne peut pas encore voir l'embarcation.

« Il y a encore des péquenauds des marais, dans le coin ? demande Neuf en se tournant vers Dale.

— Ça arrive », répond Dale. Il inspecte les environs, comme s'il venait juste d'avoir une révélation. « Eh, attendez. On est en danger, ou quoi ? Parce que j'ai pas signé pour ça.

— Tu n'as signé pour rien, lui rappelle Neuf.

— Silence, aboie Marina. Les voilà. »

Je pourrais nous rendre invisibles. Un instant, j'ai la tentation d'attraper la main de Marina et de Neuf, de me servir de mon Don, et de faire croire ainsi que Dale est tout seul. Mais je m'abstiens. D'autant plus que Marina et Neuf ne semblent pas franchement d'humeur à se prendre la main.

S'il y a des Mogadoriens par ici, on veut se battre.

Je vois une silhouette noire apparaître à travers le bouquet d'arbres et glisser sur l'eau dans notre direction. C'est un bateau ponton comme le nôtre, sauf qu'il est bien plus aérodynamique et sans doute pas percé. Dès que nous entrons dans sa ligne de mire, l'embarcation coupe son moteur à son tour. Elle flotte ainsi à une vingtaine de mètres de nous, et son sillage nous fait doucement gîter.

À son bord se trouvent trois Mogadoriens. Du fait de la chaleur, ils ont retiré leurs ridicules impers noirs en cuir et sont en débardeur, dévoilant leurs bras blêmes et luisants, et leurs canons et poignards sont bien visibles à la ceinture. Je me demande ce qu'ils font là, à découvert et en plein jour, et je comprends alors qu'ils sont sans doute à notre recherche. Après tout, les marécages sont notre dernier emplacement connu. Et ce sont ces éclaireurs malchanceux qui ont dû écoper de la patrouille en bateau.

Personne ne bouge. Nous fixons les Mogs du regard, et je me demande s'ils vont même nous reconnaître, dans notre état. Les Mogs nous dévisagent eux aussi, sans faire mine de redémarrer pour dégager le passage.

« Des amis à vous ? » s'enquiert Dale avec une diction traînante.

Le son de sa voix brise le charme. À l'unisson, deux des Mogs attrapent leurs canons, tandis que le troisième fait volte-face pour relancer le moteur. Par la télékinésie, je plonge en avant et percute leur bateau aussi fort que je le peux. La proue se soulève. Le Mog aux commandes tombe par-dessus bord et les deux autres trébuchent en arrière.

Un quart de seconde après mon offensive, Marina se penche sur le côté et plonge la main dans l'eau. Une couche de glace se forme au contact de sa peau et se répand jusqu'au bateau des Mogadoriens, dans un fracas de craquements. Ils se retrouvent coincés en plein mouvement, la coque à moitié immergée, fichée dans la glace.

Neuf bondit hors de notre bateau, court avec grâce sur la passerelle givrée et flottante de Marina et enjambe le rebord du bateau ennemi. Il saisit le premier Mog qui lui tombe sous la main, et son élan ajouté à l'inclinaison du pont les font tous deux glisser vers l'arrière. Le deuxième Mog relève son canon et vise Neuf, mais avant qu'il ait pu faire feu, Neuf réussit à s'immobiliser dans la pente et lance le premier Mog sur son congénère.

L'éclaireur tombé à l'eau tente de remonter en cherchant une prise sur la couche de glace. Grossière erreur.

Une stalagmite déchiquetée jaillit du bord et l'empale instantanément. Avant même qu'il se soit transformé en cendres, je me sers de ma télékinésie pour arracher le pic de glace, qui passe au travers de son corps et va se loger dans l'un des deux Mogs sur le bateau. Le dernier, poignard en main, charge Neuf, mais celui-ci l'attrape par le poignet, lui retourne le bras et le frappe dans l'œil avec sa propre lame.

Et brusquement, c'est terminé. Le tout aura duré moins d'une minute. On a beau avoir l'air totalement désorganisés, en ce moment, on est encore capables de mettre une raclée à des Mogs.

« Eh bien, voilà qui redonne la pêche ! » hurle Neuf depuis l'autre bout du bateau, en me souriant de toutes ses dents.

J'entends des bruits d'éclaboussures derrière moi et me retourne juste à temps pour voir Dale nager comme un fou furieux dans l'eau marron. Il a dû sauter par-dessus bord, et le voilà qui fait le petit chien, pour déguerpir aussi vite que le permettent ses bras maigrichons et son taux d'alcoolémie.

« Où tu vas comme ça, crétin ? » je lui crie.

Dale s'accroche à un amas de racines saillant de l'eau et se hisse dessus, hors d'haleine. Et là, il me dévisage avec des yeux écarquillés de fou.

« Vous êtes des monstres ! hurle-t-il.

— Ce n'est pas très gentil, de dire ça », réplique Neuf en riant, tout en retournant sur le bateau de Dale en prenant garde de ne pas faire craquer la glace qui fond déjà dans l'air étouffant de Floride.

« Et ton bateau ? je crie au fugitif. Tu comptes rentrer jusqu'au *Trappeur* à la nage ? »

Il plisse les yeux. « Je trouverai une solution, du genre où y'a pas de mutants, merci beaucoup. »

Je pousse un soupir et lève la main, dans l'intention de ramener cet idiot à bord par la télékinésie, mais Marina m'interrompt en me posant la main sur l'épaule.

« Laisse-le partir.

— Mais on a besoin de lui, pour localiser la base.

— On est tout près, on va trouver, objecte Marina en secouant la tête. Et puis…

— Oh, bordel de merde, intervient Neuf en se protégeant les yeux de la main pour scruter le ciel.

— … je crois qu'il suffit qu'on suive ce truc », conclut Marina.

Brusquement, tout s'obscurcit autour de nous. Je lève le nez au moment où une autre forme nous survole, obstruant le peu de lumière qui réussit à passer à travers la couverture de feuillage. Tout ce que j'arrive à apercevoir, c'est l'enveloppe cuirassée d'un vaisseau mogadorien en train de descendre. Rien à voir avec les gentilles soucoupes volantes que j'ai réussi à atomiser avec quelques éclairs bien placés. Cet engin-là est gigantesque, de la taille d'un porte-avions, et son flanc est hérissé de canons féroces. Tout autour, les oiseaux s'envolent en criant, fuyant ce géant terrifiant.

Instinctivement, je tends les mains pour attraper Neuf et Marina, nous rendant tous trois invisibles. Un bateau avec trois Mogadoriens, c'est une chose. Mais je ne crois pas qu'on soit prêts pour un ennemi de cette envergure. Cela dit, le vaisseau de guerre semble ne pas nous avoir repérés. Pour lui, nous sommes aussi insignifiants que des moustiques. À le regarder passer, glissant au-dessus du marécage et laissant progressivement la lumière pénétrer de nouveau sous les frondaisons, j'ai l'impression d'avoir rétréci, comme si j'avais remonté le temps.

Comme si j'étais retombée en enfance.

Et alors, je revois le dernier jour de Lorien. Nous autres, neuf petits et leurs Cêpanes, courant vers ce vaisseau qui devait nous conduire sur Terre. J'entends les cris tout autour de nous, la chaleur du brasier ravageant la ville, les tirs de canons fendant l'air. Je me rappelle avoir levé les yeux vers le ciel nocturne et avoir vu des vaisseaux identiques à celui-ci, obscurcissant les étoiles, crachant le feu par leurs canons rougeoyants, tandis que par les portes de soute béantes se déversaient des hordes de pikens assoiffées de sang. Ce qui plane au-dessus de nos têtes, c'est un bâtiment de guerre. C'est avec ça qu'ils vont envahir la Terre une bonne fois pour toutes.

« Ils sont là, j'annonce, le souffle coupé. Ça commence. »

CHAPITRE 7

Peu à peu, le décor des banlieues autour de Washington change. Les maisons deviennent plus grandes et plus espacées, jusqu'au moment où on ne les voit plus du tout de la route. Par les vitres de la camionnette défilent des prés impeccablement entretenus ou des parcs miniatures aux arbres plantés à intervalles rigoureusement réguliers, qui protègent les maisons des regards indiscrets. Les allées qui bifurquent de l'artère principale portent toutes des noms grandiloquents comme Oaken Crest Way, ou Goldtree Boulevard, et des panneaux « Propriété privée » agressifs mettent en garde les curieux.

Sur la banquette arrière, Sam lâche un sifflement. « Je n'arrive pas à croire qu'ils vivent par ici. Comme des riches.

— Sans blague », je réponds, les paumes moites sur le volant. Je suis d'accord avec Sam, mais je n'ai vraiment pas envie d'en parler, sinon je ne suis pas sûr de réussir à cacher ma jalousie. J'ai passé toute ma vie en cavale, à rêver de vivre dans des endroits de ce genre – stables et paisibles. Et voilà les Mogs qui débarquent et qui construisent une existence normale pour la classe supérieure de leurs Originels, qui vivent la belle vie sur une planète qu'ils envisagent d'exploiter et de détruire.

« L'herbe est toujours plus verte ailleurs, commente Malcolm.

— Et ils n'en profitent pas, si ça peut vous consoler », ajoute Adam à voix presque basse. Ce sont les premiers mots qu'il prononce depuis des kilomètres, tandis que nous nous rapprochons du domaine d'Ashwood, son ancien chez-lui. « On leur apprend à ne s'attacher à rien, à moins que ce ne soit à eux.

— Ça veut dire quoi, exactement ? interroge Sam. Mettons qu'un Mogadorien se balade dans un parc…

— On ne doit tirer aucune satisfaction de ce que l'on ne peut posséder, récite Adam, en réprimant un sourire narquois à la fin de la phrase. C'est extrait du Grand Livre de Setrákus Ra. Un Mogadorien se moquera de ton parc, Sam, sauf si les arbres sont à lui et qu'il compte les débiter.

— Il a en effet l'air *grandiose*, ce Grand Livre », je réplique d'un ton sec.

Je jette un regard vers Adam, sur le siège passager à ma droite. Il fixe le paysage qui défile dehors et a l'air distant. Je me demande si tout ça est étrange, pour lui – au fond, il rentre au bercail, même s'il n'est pas originaire de cette planète. Il tourne la tête, remarque que je le dévisage, et semble presque gêné. Son expression change rapidement, et il retrouve cet air que je connais bien – le masque froid du Mogadorien.

« Gare-toi ici, m'indique-t-il. On n'est plus très loin. »

Je me range sur le bas-côté et éteins le moteur. Les pépiements derrière moi paraissent encore plus bruyants.

« Bon sang, les gars, du calme », lance Sam au carton de Chimæra posé entre Malcolm et lui, sur la banquette.

Je me retourne pour regarder les Chimæra, qui ont toutes adopté une forme d'oiseau. Regal, qui a choisi l'apparence d'un faucon majestueux, est perché près d'un trio de volatiles plus banals – un pigeon, une tourterelle et un rouge-gorge. Il y a aussi une crécerelle grise au plumage soyeux qui doit être Dust et une chouette bedonnante qui est vraisemblablement Stanley. Tous ont des colliers en cuir légers autour du cou.

C'est la première étape de notre plan.

« Est-ce que tout fonctionne ? je demande à Sam, qui lève les yeux de l'ordinateur portable posé sur ses genoux pour me sourire de toutes ses dents.

— Vérifie par toi-même », répond fièrement Sam en tournant l'appareil vers moi. L'idée de se servir des Chimæra vient de lui.

À l'écran apparaissent une demi-douzaine de vidéos pixelisées, dont chacune montre mon visage sous un angle différent. Les caméras fonctionnent donc.

Sur la route entre Baltimore et Washington, on s'est arrêtés dans une petite boutique appelée SpyGuys, spécialisée dans les caméras de sécurité et le matériel de surveillance. Le vendeur n'a pas demandé à Malcolm pourquoi il avait besoin de plus d'une douzaine de caméras miniaturisées sans fil ; il avait juste l'air content de faire affaire et il nous a même montré comment installer le logiciel correspondant sur l'un de nos ordinateurs portables. Après ça, on n'a plus eu qu'à trouver des colliers dans une animalerie. Les autres ont soigneusement attaché les caméras dessus tandis que je prenais le volant vers le sud, pour nous emmener à Washington.

Les Mogadoriens se sont toujours donné tellement de mal pour nous traquer, nous surveiller. Aujourd'hui, c'est notre tour.

« Dispersez-vous autour d'Ashwood », je dis aux Chimæra en doublant mes instructions d'une image mentale des photos satellite de la propriété que j'étudie depuis hier, et que je leur envoie à toutes par télépathie. « Essayez de couvrir tous les angles possibles. Concentrez-vous sur les points où se trouvent les Mogadoriens. »

En réponse, les Chimæra lancent des cris enthousiastes et battent des ailes.

J'adresse un signe de tête à Sam, qui fait coulisser la porte arrière du fourgon. Il s'ensuit une folle effervescence, et notre demi-douzaine d'oiseaux-espions polymorphes s'envolent tous en même temps dans un tourbillon de battements d'ailes et de croassements. Nous avons beau nous trouver dans une situation grave, ce spectacle a quelque chose de réjouissant : Sam a un air ravi et même Adam se laisse aller à un petit sourire.

« Ça va marcher », nous assure Malcolm avec une tape amicale dans le dos de son fils. Sam a l'air encore plus enchanté.

À l'écran, les images sont sens dessus dessous – les Chimæra bondissent dans toutes les directions. Les premières à se poser dans les arbres prennent position juste au-dessus des grilles en fer forgé d'Ashwood. Un autre portail est enchâssé dans le mur de briques qui se prolonge sur plusieurs mètres, avant d'être remplacé par du grillage barbelé dès qu'il n'est plus visible depuis la route.

« Des gardes », j'indique à Sam en désignant un trio de Mogadoriens. Dont deux sont assis dans la guérite, et le dernier fait les cent pas devant la grille.

« C'est tout ? demande Sam. Ils ne sont que trois ? Ce n'est rien du tout.

— Ils ne s'attendent pas à une attaque frontale. Ni à aucune attaque, en fait, explique Adam. Leur but est surtout de dissuader les éventuels automobilistes qui se seraient trompés de route. »

Tandis que les autres Chimæra se posent sur des branches ou des toits, les flux vidéo deviennent subitement nets et je commence à me faire une idée plus claire de la topographie des lieux. Au-delà de la grille d'entrée serpente une courte allée d'arrivée, à découvert. Elle mène à un vaste cul-de-sac dans lequel sont nichées une vingtaine de maisons bien aménagées, disposées autour d'une aire de jeux. Il semblerait que les Mogadoriens aient des tables de pique-nique, des paniers de basket et une piscine. En somme, c'est un décor idyllique de banlieue cossue, sauf qu'il n'y a personne dans les parages.

« C'est plutôt calme, je fais remarquer en passant en revue les images. C'est toujours comme ça ?

— Non, reconnaît Adam. Il y a quelque chose qui cloche. »

L'une des Chimæra s'envole et change d'emplacement, offrant soudain une vue sur l'une des maisons qu'on ne pouvait pas voir auparavant. Un camion-benne est garé sur le trottoir, moteur coupé.

« Il y a quelqu'un », souffle Sam en agrandissant l'image.

Un Mogadorien solitaire avec une tablette tactile à la main se tient près du véhicule. Il tape quelque chose sur l'écran en ayant l'air de s'ennuyer ferme.

Adam plisse les yeux pour distinguer le tatouage sur le crâne de la créature. « C'est un ingénieur.

— Tu arrives à le voir d'ici ? je demande.

— Tout est dans les tatouages. Pour les Originels, ce sont des symboles honorifiques, qui révèlent ce qu'ils ont accompli. Les Incubés ne font inscrire que leur fonction, explique Adam. Ça facilite les choses, pour leur donner des ordres.

— Il n'est pas tout seul », intervient Sam en pointant le doigt.

Quatre soldats mogadoriens sortent de la maison, transportant du matériel informatique de la taille d'un réfrigérateur. Ils le portent jusqu'au camion, pour le déposer devant l'ingénieur, puis patientent tandis qu'il fait le tour de la machine pour l'inspecter.

« On dirait un serveur, fait observer Malcolm avant de se tourner vers Adam. Est-ce qu'ils seraient en train de remplacer les installations que tu as détruites ?

— Possible », répond Adam, sur un ton néanmoins incertain. Il désigne une maison à un étage avec véranda, non loin de celle dont sont sortis les Mogadoriens. « C'est là que j'habitais. Je sais avec certitude qu'il y a un accès vers les tunnels à l'intérieur, mais ça doit être aussi le cas pour les autres bâtiments. »

Pendant ce temps, l'ingénieur achève son inspection, secoue la tête, et les autres Mogs soulèvent l'engin, le balancent dans le camion-benne, puis retournent dans la maison.

« J'imagine qu'ils ne sont pas à fond dans le recyclage, hein ? » commente Sam.

Avant que le premier groupe de Mogs ait pu regagner la maison, une deuxième équipe en émerge. Ils trimballent ce qui ressemble à un fauteuil de coiffeur sorti d'un mauvais film de science-fiction, un truc à la fois futuriste et franchement flippant, bourré de fils qui pendent. L'ingénieur s'empresse de les rejoindre pour les aider à déposer doucement l'équipement sur l'herbe du jardin.

« Ça, je le reconnais, dit brusquement Malcolm, la voix tendue.

— La machine du Dr Anou, renchérit Adam en se tournant vers moi. C'est ce qu'ils ont utilisé sur Malcolm. Et sur moi.

— Et qu'est-ce qu'ils vont en faire, maintenant ? je demande en observant l'ingénieur qui entame son inspection.

— Ça ressemble à une équipe de récupération, explique Adam. J'ai fait des dégâts dans les tunnels, la dernière fois. À présent ils sauvent tout ce qu'ils peuvent comme équipement et se débarrassent du reste.

— Et tous les Originels qui étaient censés se trouver ici ? »

Adam grimace. « Ils ont peut-être été évacués, le temps que les installations soient remises en état. »

J'écarquille les yeux. « Tu veux dire qu'on est venus jusqu'ici pour rien ? les Originels sont déjà partis et le matériel est foutu.

— Non, objecte-t-il, et je vois bien qu'il réfléchit. Si on arrive à neutraliser cette équipe avant qu'elle envoie un appel de détresse, on aura un accès total à ce qui reste d'Ashwood. De là, on pourra pénétrer dans leur réseau…

— Et ça nous donnera quoi ?

— C'est comme si un Mogadorien réussissait à ouvrir un de vos coffres, John. On connaîtrait tous leurs secrets. Et leurs plans d'attaque.

— On aurait un coup d'avance, je complète.

— Oui. » Adam hoche la tête tout en observant l'ingénieur qui évalue la machine du Dr Anou. « Mais il faudrait qu'on entre là-dedans. Ce que cette équipe décide de détruire pourrait bien nous être utile.

— Très bien. » Je scrute à mon tour les Mogs, qui retournent une nouvelle fois dans la maison. « Bon, est-ce qu'il y a une entrée secrète, un truc dans le genre ?

— Au point où on en est, je pense qu'un assaut frontal serait notre meilleure stratégie. » Il me lance un regard. « Ça te convient ?

— Carrément ! »

Au départ, nous avions prévu d'utiliser notre réseau de surveillance Chimæra pour observer l'ennemi un moment avant de passer à l'attaque. Mais maintenant que nous sommes sur place, je me sens impatient de passer à l'action. J'ai besoin de leur faire payer tout ce qu'ils nous ont fait – l'enlèvement d'Ella, la destruction de l'appartement de Neuf, l'assassinat d'un de mes amis. Si Adam dit qu'il faut foncer, moi je suis prêt.

Malcolm attrape une boîte sous le siège avant. Il en sort deux écouteurs, un pour Adam et un pour moi.

Ils sont reliés à une paire de talkies-walkies dont Sam et lui se serviront. Je positionne mon oreillette et Adam en fait autant.

« Est-ce qu'on doit s'inquiéter des autorités locales ? interroge Malcolm. Des tirs en plein jour vont probablement attirer l'attention. »

Adam secoue la tête. « On a acheté leur silence. » Il se tourne vers moi. « Mais il faudra tout de même faire vite. Les tuer avant qu'ils appellent les renforts. Si je peux franchir cette première ligne et pénétrer dans mon ancienne maison, je devrais pouvoir couper leurs moyens de communication.

— Faire vite, ça ne me pose aucun problème », je lui assure.

J'accroche mon poignard loric à mon mollet, caché sous mon pantalon. Puis j'enfile mon bracelet rouge. En son centre, la pierre d'ambre, parée à se transformer en bouclier, scintille sous le soleil de midi. J'ai à peine refermé le bracelet qu'il m'envoie dans le bras une décharge de picotements pour me prévenir qu'il y a des Mogs dans les parages. Pas très étonnant – j'en ai un assis juste à côté de moi. La présence d'Adam va vraiment endommager mon appréhension du danger.

« Prêt ? » je demande.

À côté de moi, Adam enfile un double holster et se retrouve avec un pistolet avec silencieux sous chaque aisselle. Il hoche la tête.

« Waouh, une seconde, intervient Sam. Matez-moi ce gars. »

Avec Adam, nous nous penchons vers l'écran, où un autre Mogadorien émerge de la maison que l'équipe de récupération est en train de vider. Il est grand, carré d'épaules, plus large que la moyenne, avec un port altier. Contrairement aux autres, il porte une énorme épée en travers du dos. Nous le regardons aboyer des ordres à l'ingénieur, puis disparaître de nouveau dans le bâtiment. Je jette un regard à Adam, et son visage est plus pâle que d'habitude.

« Qu'est-ce qu'il y a ?

— Rien, répond-il trop hâtivement. Mais surveillez bien celui-ci. C'est un général originel, l'un des hommes de confiance de la garde rapprochée de Setrákus Ra. Il… » Adam hésite, les yeux fixés sur le point de l'écran où se trouvait le général il y a quelques secondes. « Il a déjà tué des Gardanes. »

Je sens une onde de chaleur fuser dans mes mains. S'il me fallait une raison supplémentaire pour aller me battre, eh bien je l'ai trouvée.

« Il est mort », je lance, et Adam esquisse à peine un hochement de tête, avant d'ouvrir sa portière pour sortir de la camionnette. Je m'adresse à Sam et Malcolm. « On approchera à pied, on réglera leur compte aux gardes, et ensuite vous nous rejoignez pour nous couvrir.

— Je sais, je sais, commente Sam. Je fixe l'écran et je vous hurle dans les oreilles dès que je vois un problème. »

Malcolm est déjà en train de sortir sa carabine à viseur infrarouge de son étui. Je l'ai vu se servir de ce truc en Arkansas – quand il m'a sauvé la vie. Pour ce qui est de surveiller mes arrières, je ne pourrais pas rêver mieux que les Goode, père et fils.

« Soyez prudents, ordonne Malcolm en levant la voix, pour qu'Adam puisse l'entendre lui aussi. Tous les deux. »

Avec Sam, on se tape dans la main. « Fais-leur en baver », lance mon ami.

Je sors de la camionnette, et fonce au pas de course en direction du bastion mogadorien. Adam court à côté de moi.

« John. » Sa voix couvre le crissement du gravier du bord de la route. « Il y a autre chose qu'il faut que tu saches. »

Eh ben voyons. Juste au moment où je commence à baisser la garde, alors qu'on va se jeter ensemble dans la bataille, c'est là qu'il a un truc à me dire.

« Qu'est-ce qu'il y a ?

— Le général… c'est mon père. »

CHAPITRE 8

Je m'arrête net, mais Adam ne ralentit pas, alors je reprends ma course pour qu'il ne me sème pas.

« Tu plaisantes.

— Non. » Adam fronce les sourcils, le regard droit sur la route. « Disons qu'on ne s'entend pas très bien.

— Est-ce que tu vas... » Je ne sais même pas comment formuler ça. « Est-ce que tu seras capable de...

— Me battre ? Le tuer ? complète Adam. Oui. N'aie aucune pitié envers lui, parce qu'il n'en aura pas pour nous. Pour aucun de nous.

— Ton propre père, vieux ? Je veux dire, même pour un Mogadorien, c'est plutôt froid, comme réaction.

— Au point où j'en suis, il n'y a que si je le vaincs au combat qu'il éprouvera la moindre fierté à mon égard, explique Adam, avant d'ajouter, d'une petite voix : Même si je m'en moque. »

Je secoue la tête. « Vous êtes vraiment complètement tarés, les gars. »

Nous faisons silence à l'approche de l'entrée d'Ashwood. Le Mogadorien qui fait les cent pas devant la grille nous repère et met la main en visière au-dessus de ses yeux pour les protéger du soleil. Nous ne ralentissons pas et ne prétendons pas nous cacher. Une quarantaine de mètres nous séparent de lui et nous avançons rapidement, mais pour le Mog nous avons sans doute l'air de deux joggeurs en balade. Il nous reste quelques secondes avant qu'il découvre les armes sous les bras d'Adam.

Alors que nous ne sommes plus qu'à vingt mètres, le Mog tourne la tête et interpelle ses deux acolytes dans la guérite. Les prévenant qu'ils ont peut-être un problème. Je les vois se lever, leurs silhouettes se découpent sur la vitre, et ils se tournent vers nous. Le Mog devant la grille recule un peu et sa main hésite à saisir le canon qu'il doit dissimuler sous son manteau. Il se dit sans doute qu'il est simplement paranoïaque.

Ils n'ont jamais vraiment cru qu'on viendrait les chercher. Ils ne sont pas préparés.

Plus que quinze mètres. J'active mon Lumen, et les flammes rugissent dans mes paumes. Près de moi, sans une hésitation, Adam dégaine ses deux armes et vise.

Le Mog le plus proche tente d'attraper son canon, mais il est beaucoup trop lent. Adam tire une fois de chaque côté, et la déflagration est assourdie par les silencieux. Frappé en pleine poitrine par les deux balles, le Mog chancelle un instant avant d'exploser dans un nuage de cendres.

Je lance une boule de feu contre la guérite. Les Mogadoriens à l'intérieur se débattent pour réagir, mais eux aussi sont pris de vitesse. La boule incendiaire traverse la vitre, faisant voler des éclats de verre partout, et l'un des Mogs s'embrase. L'autre réussit à se jeter dehors, le dos couvert de flammes dansantes. Il titube pile devant l'entrée verrouillée – par la télékinésie, j'arrache la grille de ses gonds et elle écrase le Mog dans sa chute.

« Tu penses que les autres nous ont entendus ? je demande à Adam tandis que nous enjambons la barrière couchée et pénétrons dans la propriété.

— Disons que notre entrée manque un peu de subtilité », fait-il remarquer.

Soudain, la voix de Sam grésille dans mon oreillette.

« J'en ai quatre qui remontent l'allée d'arrivée au pas de charge. Canons au poing. »

L'allée en question est une côte qui bifurque légèrement au sommet pour rejoindre le groupement de maisons. Il n'y a pratiquement pas de couverture possible, jusque-là.

« Reste derrière moi », j'ordonne à Adam.

Au même moment, les Mogs surgissent au tournant. Ils se mettent instantanément à tirer, sans aucune sommation. Adam bondit derrière moi et mon bouclier se déploie – comme un parachute explosant de mon poignet, le voile rouge et mouvant encaisse les impacts. Adam m'attrape par la chemise.

« Avance. »

Je m'exécute, et le bouclier tressaute de plus en plus sous les tirs à mesure que je progresse. Le bracelet s'est stabilisé à mon poignet et m'envoie une vibration sourde et douloureuse dans tout le bras. Adam me suit avec prudence pour esquiver les balles, et se penche brusquement sur le côté, à découvert, pour descendre deux Mogs d'un coup. Comprenant qu'ils n'auront pas le dessus, les deux qui restent essaient de battre en retraite. J'abaisse mon bouclier pour projeter une boule de feu, qui explose entre eux et les plaque au sol. Adam les achève d'un tir précis. Nous sommes temporairement hors de danger, aussi mon bouclier se rétracte-t-il dans mon bracelet.

« Pas mal, je commente.

— C'est juste un échauffement », répond Adam.

Nous nous remettons à courir en direction des habitations, et les silhouettes des luxueuses bâtisses finissent par apparaître devant nous. Il n'y a personne dehors, et pas de lumière à l'intérieur – on se croirait dans une ville fantôme. À notre droite, j'aperçois l'ancienne maison d'Adam et, à quelques dizaines de mètres de là, le camion-benne et le fauteuil high-tech que l'ingénieur passait en revue. Les équipes de récupération, l'ingénieur et le général ont disparu.

« Ils arrivent vers vous, par le jardin ! » hurle Sam.

Adam et moi faisons volte-face au moment où un escadron de soldats mog se glisse entre deux maisons. Sans nos éclaireurs perchés dans les arbres, on se serait retrouvés pris dans une embuscade bien ficelée. Quand les Mogadoriens lèvent leurs canons, Adam est paré. Il frappe le sol du pied et une onde de force roule dans leur direction, faisant onduler le trottoir et la pelouse. Les plus proches sont projetés en l'air, d'autres vacillent et l'un des soldats décharge par accident son canon dans le dos d'un de ses comparses.

« Je m'occupe de les achever ! je crie à Adam. Assure-toi qu'ils ne préviennent pas les renforts. »

Adam acquiesce d'un hochement de tête, puis pique un sprint en direction de son ancienne maison. De mon côté, près des Mogadoriens assommés, je remarque un réservoir métallique qui semble s'être décroché de son support, le long d'une maison. Grâce à mon ouïe hyperdéveloppée, je distingue un léger sifflement émanant du conteneur. J'éclate presque de rire – je n'arrive pas à croire à ma chance.

C'est une conduite de gaz.

Avant qu'ils aient pu se ressaisir, je lance une boule de feu sur les Mogs. Elle va se planter tout près de leur chef, qui m'adresse un sourire narquois, pensant que j'ai raté ma cible. Mais il n'a pas trop le temps de se réjouir, car deux secondes plus tard, la citerne de propane explose, les incinérant tous sur le coup. La déflagration fait imploser les fenêtres des deux maisons adjacentes et de larges halos calcinés défigurent les façades, devant lesquelles l'herbe brûle. Je dois me retenir de contempler toute cette destruction – c'est presque cathartique, de raser cet endroit, de ravager ce que les Mogs ont bâti, après les avoir vus tant de fois saccager mes tentatives d'avoir une vie normale.

« Bon sang, mon pote, commente Sam dans mon oreille, on l'a senti jusqu'ici. »

Je sors mon talkie-walkie de la poche arrière de mon jean. « Où on en est, Sam ?

— La zone est dégagée. C'est bizarre, j'aurais cru qu'ils seraient plus nombreux.

— Ils sont peut-être dans les tunnels », je réponds en me dirigeant vers la maison dans laquelle a disparu Adam.

Je scrute les fenêtres vides en passant, me méfiant d'éventuels Mogs embusqués. C'est bien trop calme, dans le coin.

« Et la grosse pointure, là, le général, ajoute Sam, eh bien il n'était pas parmi ceux que tu as fait sauter. »

Je suis en train de traverser la pelouse lorsque la fenêtre centrale vole en éclats, pulvérisée par le corps d'Adam. Ses jambes percutent la rambarde métallique et il roule en arrière, comme une poupée de chiffon, pour s'étaler dans le jardin. Je me précipite jusqu'à lui tandis qu'il essaie tant bien que mal de se relever.

« Qu'est-ce qui s'est passé ? je hurle.

— Mon père… n'est pas content », grogne-t-il en levant les yeux vers moi alors que je m'accroupis près de lui.

Il a un énorme morceau de verre planté dans la joue et un filet de sang noir qui lui dégouline dans le cou. Il arrache le tesson et le jette sur l'herbe.

« Tu peux te relever ? » je demande en l'attrapant par l'épaule.

Sans lui laisser le temps de répondre, une voix retentissante mugit :

« Numéro Quatre ! »

Le général sort d'un pas assuré par la grande porte, et me jauge depuis le porche. C'est une masse de muscles, il est gigantesque. Les tatouages qui s'entrelacent sur son crâne blême sont beaucoup plus compliqués que tous ceux que j'ai vus jusqu'ici, hormis sur Setrákus Ra. Je sens du mouvement derrière lui – de nouveaux Mogadoriens, mais j'ignore combien. Ils ne sortent pas de la maison. Comme si le général voulait agir seul.

Je me redresse pour lui faire face, les mains brûlantes, une boule de feu flottant au creux de ma paume.

« Tu sais qui je suis, alors ? je lui demande.

— Absolument. J'espérais cette rencontre depuis longtemps.

— Si tu sais qui je suis, alors tu sais aussi que tu n'as pas la moindre chance. » Je tends le cou pour m'adresser aux autres derrière lui. « Aucun de vous n'a la moindre chance. »

Le général sourit. « Très bien. De la bravade. Voilà qui est nouveau, et c'est plutôt une bonne surprise. Le dernier Loric que j'ai rencontré s'est enfui en courant. J'ai dû le poignarder dans le dos. »

Je décide brusquement qu'on a assez discuté, et je lance ma boule de feu. Le général la voit arriver, s'accroupit bien bas et, d'un geste étonnamment fluide, dégaine son glaive de son fourreau. Alors que la boule approche, il fend l'air de sa lame, et le métal rougeoyant absorbe mon projectile.

Pas bon.

Le général bondit du porche, brandissant son épée au-dessus de sa tête, puis l'abat vers moi en une courbe menaçante. Il est rapide – bien plus que les autres Mogs que j'ai combattus jusqu'ici – et mon bouclier a juste le temps de se déployer pour empêcher que l'arme me découpe en deux. La lame le cogne dans un fracas métallique, et la force du coup suffit à me faire décoller du sol et à me projeter en arrière.

« John ! » s'écrie Adam. Le général atterrit tout près de lui et prend le temps de frapper le visage de son fils d'un violent coup de pied. Adam roule sur le côté dans un hurlement.

« Tu es une source perpétuelle de déception, siffle le père au fils, d'une voix à peine audible. Reste à terre et j'aurai peut-être encore quelque pitié pour toi. »

Je me redresse sur les genoux et envoie un nouveau projectile enflammé. Le général pointe son épée sur moi et je ressens un appel d'air, comme si la lame aspirait l'énergie autour d'elle. Ma boule de feu crépite et rétrécit, me forçant à me concentrer plus fort pour la faire regrossir. Dans le même temps, l'herbe tout autour du général vire au brun, comme si l'épée engloutissait toute vie. Je n'ai plus vu aucun Mog doté d'une arme de ce genre depuis le combat dans les bois, près de l'école de Paradise.

« Surtout, évite qu'elle te frappe ! » me prévient Adam, en crachant du sang.

Mais ses conseils viennent trop tard. Un éclair d'énergie en forme de poignard se détache de la lame du général et pique droit sur moi dans une sorte de cri. Il en émane une énergie noire, ou plutôt totalement dépourvue de couleur, qui change la texture même de l'air qu'elle traverse, avalant toute vie et tout oxygène comme un vortex miniature.

Je n'ai aucune chance de l'esquiver. Mon bouclier se déploie tel un parapluie, mais dès que le projectile du général le touche, il vire instantanément au noir et s'effrite. Soudain figé, il se désintègre lentement, emporté par le vent comme de la vulgaire cendre mogadorienne. Des veines sombres, couleur rouille, se dessinent alors sur le bracelet même, et je le retire à la hâte avant qu'elles entrent en contact avec ma peau. Lorsqu'il touche le sol, le bijou se casse en deux.

Le général me sourit de nouveau avant de demander : « Et maintenant, vas-tu courir ? »

CHAPITRE 9

Les Mogadoriens qui s'étaient mis à couvert à l'intérieur de la maison éclatent de rire. Un par un, ils apparaissent sous le porche, curieux de voir de plus près leur grand général achever un Gardane. Ils sont environ vingt-cinq, entre l'équipe de récupération, les soldats et les éclaireurs, et ce sont tous des Incubés. Pas vraiment les cibles de premier choix dont on rêvait, mais peu importe, désormais. Il n'y a que deux Mogadoriens originels, à Ashwood – l'un d'eux est Adam, et il gît dans l'herbe à quelques mètres de moi avec du sang sombre qui lui dégouline du visage.

Quant à l'autre, il pique droit sur moi.

Tandis que le général me fonce dessus, son arme à hauteur de ma gorge, je me dis que nous avons peut-être eu les yeux plus gros que le ventre, à vouloir prendre une ville mogadorienne tout entière à nous deux, Adam et moi.

C'est alors que je me rappelle que nous ne sommes pas que deux.

Dans un sifflement, Dust, toujours sous sa forme de faucon, fond en piqué sur l'ennemi. Il plante ses serres profondément dans le visage du gigantesque officier mog, lequel pousse un mugissement de douleur avant de réussir à repousser la Chimæra du dos de la main.

C'est exactement la diversion dont j'avais besoin. Je m'empresse de produire une nouvelle boule de feu, que je projette sur le Mog. Cette fois-ci, il n'a pas l'occasion de brandir son épée, et je réussis à l'atteindre en pleine poitrine. Je m'attends à le voir au moins tomber en arrière, mais il recule à peine de quelques pas. Le devant de son uniforme prend feu et sous le tissu calciné apparaît la carapace d'une armure d'obsidienne mogadorienne.

Assommé par le coup, Dust choie dans l'herbe aux pieds du général. Ce dernier abat violemment la pointe de son épée sur le faucon, qui se transforme en serpent *in extremis* et réussit à filer dans l'herbe, échappant à la lame. Le visage labouré par les traces de griffes, le général plante son regard dans le mien.

« Tu n'as pas honte de te cacher derrière tes animaux domestiques ? tonne-t-il. Combats avec honneur, jeune homme. Assez de tours de passe-passe. »

Je lève la main en souriant, tandis que des battements d'ailes résonnent de tous côtés. « Une minute. Juste un petit dernier. »

Et c'est à ce moment précis que le rhinocéros descend du ciel.

Il y a une seconde encore, cette Chimæra – je ne sais même pas laquelle c'est – n'était qu'un innocent petit rouge-gorge planant au-dessus de la tête des Mogadoriens. Et tout à coup, c'est un rhinocéros d'Afrique d'au moins une tonne qui leur tombe dessus. Quelques-uns des Mogs sous le porche sont aplatis net, et sous leurs pieds le bois se fend et éclate, et c'est toute la façade de la maison qui s'enfonce. Un autre Mog se fait ratatiner par l'animal, qui se met à tout dévaster sur son passage. Le reste du groupe ennemi se répand dans le jardin en faisant feu. Ils ne rigolent plus du tout. La noble exécution dont le général voulait qu'ils soient des témoins passifs a été ruinée par notre petite armée de Chimæra.

C'est le chaos total. Tout autour de nous, les oiseaux se muent en créatures bien plus redoutables – un ours, quelques grands félins et un énorme lézard rampant qui me semble être un dragon de Komodo – et renversent les Mogadoriens. Ces derniers tentent désespérément de se regrouper, font feu comme des forcenés et certaines Chimæra sont brûlées par endroits par leurs tirs. Elles ne pourront pas tenir très longtemps. Mais pour une fois, nous avons l'avantage de la surprise.

« On dirait que c'est *toi* qui devrais te mettre à courir », je hurle au général en me plantant en face de lui. À vrai dire, je ne sais pas trop quoi faire de lui. Après tout, il est le père d'Adam, et ce dernier a beau m'avoir dit de me montrer sans pitié, je ne me sens pas pour autant le droit de tuer un père sous les yeux de son fils, même s'ils sont tous deux Mogadoriens. Je jette un œil en direction d'Adam dans l'espoir qu'il me fasse au moins un signe qui m'aidera dans ma décision, mais il est toujours effondré dans l'herbe, à essayer de se remettre sur pied. Près de lui, sous forme de loup et lui aussi un peu ébranlé, Dust lui lèche doucement le visage.

« Mon nom est déjà inscrit dans l'histoire des tueurs de Gardanes ! vocifère le général sans se soucier du massacre de ses hommes derrière lui. Si c'est aujourd'hui que je dois mourir, je t'emmènerai avec moi. »

Il charge, l'épée brandie droit sur mon sternum. Je lève le bras, m'attendant à ce que mon bouclier se déploie et repousse l'assaut. Il me faut une demi-seconde pour me rappeler que mon poignet est nu, et mon bouclier détruit. Cet excès de confiance me vaut presque de me faire embrocher. Je suis contraint de rouler sur le côté au dernier moment, et je sens combien je suis passé près lorsque sa lame déchire le dos de ma chemise.

Son épée me rate peut-être, mais pas son coude. Il se sert de son élan pour balancer un coup, qui m'atteint droit dans la tempe. Son armure mogadorienne doit lui couvrir tout le corps, car son coude me fait l'effet d'un marteau. Je chancelle et vois trente-six chandelles. Le général frappe de nouveau et je parviens à peine à riposter par la télékinésie, repoussant l'ennemi. Il refuse de reculer et ses talons arrachent des mottes de gazon.

Au lieu de charger de nouveau, il lève son épée et un tourbillon s'enroule à la pointe de l'arme. Je suis pris de court – sans bouclier, sans couverture – et je sais que je ne survivrai pas à une décharge de cette énergie mortelle. Je me ressaisis, prêt à esquiver.

Avant que l'épée ait pu tirer, la main droite du général explose. Dans un rugissement, il lâche son arme et s'attrape la main, ébahi par le trou qui lui déchire la paume, et qui n'était pas là il y a quelques secondes.

« C'est de la part de Papa. Il dit "De rien" », gazouille la voix de Sam dans mon oreillette.

Je jette un regard par-dessus mon épaule, en direction de la fourgonnette garée sur la bretelle d'accès. Malcolm Goode se tient près de la portière côté conducteur, derrière laquelle il s'abrite tandis qu'il scrute la scène par le viseur de sa carabine.

« Maudits intrus ! » vocifère le général.

Sans laisser à Malcolm l'occasion de tirer une nouvelle fois, il détale pour se mettre à couvert derrière le camion-benne. Compte tenu de sa carrure et du poids de son armure, il est étonnamment rapide. Après tout, c'est moi qui lui ai demandé de courir.

Hanté et galvanisé par les images de ce monstre en train de traquer et d'assassiner des Gardanes, je m'élance à ses trousses. Du coin de l'œil, j'aperçois un soldat mog qui me vise avec son canon. Au moment précis où il fait feu, une Chimæra en forme de panthère noire saute sur son dos. Le tir part en l'air et vient calciner le fauteuil de torture du Dr Anou, le coupant en deux. Je sais que notre objectif était de garder intacte la technologie mog, mais brusquement, ça n'a plus aucune importance. Je vois rouge, face à une telle créature – si fière de tuer des Gardanes. De massacrer des enfants.

Je vais me charger d'écrire l'ultime chapitre de sa précieuse histoire. Sur-le-champ.

Je contourne le camion et constate que le général a réussi à atteindre le terrain de basket, et qu'il s'est immobilisé. Il me fait signe de le rejoindre. Je fonce, faisant taire la petite voix qui me dit qu'il cherche à m'attirer dans un piège. Quelles que soient ses intentions, ça ne m'arrêtera pas.

Le général gronde quelque chose en mogadorien, et ça ressemble à un ordre. Sous mes pieds, sous la couche d'asphalte, un générateur se met à vibrer.

Je ressens une onde statique monter du sol, un champ magnétique en forme de dôme s'élever au-dessus du terrain de basket pour m'encercler et me piéger avec le général. Brusquement, tout est très silencieux, et le tumulte de la bataille entre les Chimæra et les

Mogadoriens qu'elles déciment est comme bloqué par le champ de force.

Je m'éloigne du mur le plus proche, qui envoie des décharges rappelant celles que j'ai ressenties autour de la base mog, en Virginie-Occidentale. Je me rappelle combien j'ai été malade, après ça – il m'a fallu des jours pour m'en remettre – et je n'ai aucune intention de renouveler l'expérience.

Tandis que je me fais ces réflexions, une Chimæra tigre particulièrement zélée se jette sur le général. L'énergie bleue la repousse dans un électrochoc et la projette au sol où elle est secouée de convulsions, à plusieurs mètres du champ magnétique.

« Nous organisions des combats de pikens, ici, m'explique l'officier, l'air songeur, en désignant l'espace clos. Une forme de récompense pour les Incubés. Dommage qu'ils ne soient pas plus nombreux pour assister à l'affrontement d'aujourd'hui.

— Tu voulais un petit moment en tête-à-tête avec moi, c'est ça ? je lance d'un air provocant, tout en veillant à mettre une distance raisonnable entre le champ de force et moi.

— Je veux pouvoir te tuer en paix, réplique-t-il. Sous le regard impuissant de tes nombreux amis.

— Tu peux toujours rêver. »

Sans hésitation, je charge en lançant des boules de feu dans ma course. Le général les absorbe les unes après les autres. D'énormes lambeaux de son uniforme s'embrasent, mais je ne réussis pas à faire de dégâts sur l'armure qu'il porte en dessous. Aucune douleur ne se lit sur son visage tandis qu'il bondit droit sur moi, comme pour me renverser.

Il doit bien peser cent kilos de plus que moi, avec cette armure. Mais tant pis.

La collision me coupe le souffle, mais je parviens à demeurer debout. J'appuie ma paume enflammée par le Lumen contre la joue de l'ennemi. Il laisse échapper un grognement de douleur, mais c'est sa seule réaction à la brûlure, tandis que sa peau pâle se calcine et éclate. Il enroule ses deux mains gigantesques autour de ma gorge, si massives que ses doigts se croisent sur ma nuque.

Il serre, et instantanément des points noirs me voilent la vision. Je ne peux plus respirer. De ma main libre, j'essaie d'écarter ses doigts. J'ai la sensation que ma gorge va exploser, si je ne l'empêche pas de resserrer l'étau.

Il m'est presque impossible de me concentrer pendant qu'il m'étrangle, pourtant je réussis à maintenir l'intensité de mon Lumen, et à activer ma télékinésie. J'extirpe mon poignard dissimulé sous mon pantalon, contre mon mollet. Je n'ai plus l'usage de mes mains, aussi est-ce au prix d'un gros effort que je fais appel à toute la force de la télékinésie pour projeter l'arme vers le cœur du général.

La lame ripe sur l'armure. Sans me laisser le temps de frapper de nouveau, il augmente son emprise autour de ma gorge et je perds le contrôle de ma télékinésie. Je me sens au bord de l'évanouissement, et consacre mes dernières forces à maintenir le Lumen actif pour lui brûler le visage.

« Qui mourra le premier, d'après toi, mon garçon ? » siffle le général, et la fumée émanant de sa chair calcinée se déverse de sa bouche. J'essaie de me dégager, de me libérer, mais il pèse contre moi de tout son poids et me force à tomber à genoux.

Soudain, une épée mogadorienne fonce droit sur moi. Incapable de bouger la tête, je me contente de grimacer. La pointe de la lame rougeoyante s'arrête à quelques millimètres de mon œil. Autour de mon cou, les doigts se relâchent légèrement, puis totalement. Je bascule sur le côté, hors d'haleine, sidéré par ce qui vient de se produire.

« Dans le dos. C'est ainsi que vous faites, n'est-ce pas, Père ? »

Adam tient le glaive du général à deux mains – il est presque trop lourd pour lui – et le retire de la chair de son géniteur d'un coup sec. Puis il le lui plante en pleine poitrine, et le métal perce l'armure mogadorienne comme une vulgaire feuille de papier d'aluminium. J'étais trop occupé à essayer de survivre pour remarquer que le champ de force était tombé. Par chance, le général n'a rien vu non plus. Il fixe Adam, éberlué. Il doit mesurer son erreur – tous les Mogs savent comment désactiver le champ magnétique à la voix, et il a oublié que l'un d'eux ne combat pas dans son camp.

Le général porte la main à la blessure qui lui déchire la poitrine et, l'espace d'un instant, j'ai le sentiment qu'il va s'en remettre. Mais alors il vacille, tend le bras vers Adam, presque comme s'il voulait l'étreindre. Ou l'étrangler. Difficile à dire.

Adam s'écarte d'un air détaché, et laisse son père tomber à terre, face contre le bitume. Autour du terrain, la bataille a pris fin, tous les Mogadoriens sont morts. Devant l'ancienne maison d'Adam, Sam est penché au-dessus d'une Chimæra blessée. Malcolm se tient à quelques mètres de nous, sur la ligne de touche, d'où il a assisté à toute la scène. Il semble inquiet. Je me relève tant bien que mal et me plante près d'Adam.

« Adam, est-ce que tu… »

J'ai la voix rauque, la gorge en feu. Adam lève la paume de sa main pour m'interrompre.

« Regarde », dit-il d'une voix neutre.

À nos pieds, le général commence à se désintégrer. Pas aussi vite que les éclaireurs et les soldats incubés que j'ai vus se décomposer après les avoir tués. Lui se dégrade lentement, certaines parties de son corps s'aplatissent plus rapidement que d'autres. En quelques endroits, la chair s'affaisse, mais pas l'os en dessous, laissant saillir un coude squelettique à côté de la cage thoracique, le tout encore attaché à un crâne à demi putréfié.

« On voit bien où Setrákus Ra l'a augmenté, commente Adam d'une voix presque clinique. Où il a comblé des blessures, guéri des maladies, ajouté de la force et de la rapidité. Il avait promis l'immortalité. Mais les parties non naturelles se désintègrent, comme chez les Incubés. Le peu qu'il reste, ce qui subsiste, c'est de l'Originel, de la véritable chair.

— On n'est pas obligés d'entrer dans les détails maintenant », j'interviens, la respiration toujours saccadée.

Non que ces informations ne soient pas précieuses, mais c'est juste que le père d'Adam gît mort à nos pieds et que lui est en train de me donner une leçon de génétique mogadorienne comme si de rien n'était.

« Ils sont tous tellement sous influence qu'ils ne se rendent plus compte de rien, mais c'est là le sort que Setrákus Ra offre à mon peuple. Des cendres et des pièces détachées, conclut Adam en fixant le cadavre étrange de son père. Je me demande à quoi il ressemblerait, maintenant, si le Grand Chef ne lui avait pas empoisonné le corps et l'esprit. »

Adam lâche le glaive et la lame se plante dans le sol dans un bruit mat. Je pose ma main sur son épaule, oubliant la révulsion que j'ai ressentie pour lui ces derniers jours. Il vient de me sauver la vie, qui plus est en tuant son propre père.

« Adam, ça va ? je demande, peinant à trouver les mots appropriés en pareilles circonstances.

— Je le haïssais », répond-il sans me regarder. Il contemple cet uniforme brûlé, ces tas de cendres et ces os épars qui sont tout ce qui reste du général. « Mais c'était mon père. J'aurais voulu que ça se termine autrement. Pour nous tous. »

Je m'accroupis à côté du cadavre et soulève délicatement le fourreau tout simple de cuir noir qu'il portait en travers du dos. Il est un peu abîmé mais toujours en un seul morceau. Je ramasse le glaive planté dans le sol, le rengaine puis le tends à Adam.

« Je n'en veux pas, répond-il en fixant l'arme d'un air de dégoût.

— Ça *peut* se terminer autrement. Sers-t'en comme ton père ne l'a jamais fait. Aide-nous à gagner cette guerre et à changer le destin de nos deux peuples. »

Adam hésite un instant avant d'accepter l'épée. Il prend la lame entre ses deux mains pour l'examiner. Après un long moment de contemplation, il passe la bandoulière du fourreau à son épaule. Il grogne sous le poids, mais réussit à rester droit sur ses jambes.

« Merci John, dit-il à voix basse. Je te jure que jamais plus cette lame ne sera utilisée contre un Loric. »

Sam nous rejoint. « Ça va, les gars ? »

Adam hoche la tête. Je passe la main sur ma gorge et je la sens déjà enflée, là où le général a serré les doigts.

« Ouais, ça va, je réponds, avant de jeter un regard à Adam. Mais est-ce qu'on est tirés d'affaire ? Ou bien il y en a d'autres qui vont débarquer ? »

Il secoue la tête. « J'ai coupé toutes les communications juste avant ma… juste avant que le général me rattrape. Il n'y aura pas de renforts.

— Chouette, commente Sam en scrutant les fenêtres vides d'Ashwood. Donc, en gros, on vient de prendre une base mogadorienne. »

Je n'ai pas le temps de savourer cette victoire que j'aperçois l'expression soucieuse d'Adam. Ce n'est plus son père, qu'il regarde. Il a les yeux tournés vers l'horizon, comme s'il s'attendait à voir apparaître quelque chose à tout moment.

« Qu'est-ce qu'il y a ? je demande.

— Il faut que je vous dise, annonce-t-il lentement, en pesant bien ses mots. Je n'ai été connecté à leur réseau de communications que pendant quelques instants, mais j'ai surpris une conversation. Des mouvements de troupes. Des transferts massifs d'Originels dans la forteresse de Virginie-Occidentale. Des déploiements de groupes armés dans les centres les plus peuplés.

— Waouh, deux secondes, j'interviens en levant les mains. Qu'est-ce que ça veut dire, tout ça ?

— L'invasion, répond Adam. L'invasion est imminente. »

CHAPITRE 10

Setrákus Ra ordonne à ses sous-fifres de me jeter dans une salle glaciale et sans fenêtres. J'imagine que c'en est fini des conversations polies autour d'un dîner infect. La pièce est tellement exiguë que si j'allonge les bras en me tenant au centre, je touche presque les murs du bout de mes doigts. Je remarque une petite boule saillant du milieu du plafond – une caméra, à tous les coups. Contre l'une des parois se trouve un petit bureau métallique avec une chaise qui a vraisemblablement été conçue pour être le moins confortable possible. Sur le bureau repose un exemplaire du Grand Livre du Progrès mogadorien.

Je suis censée rester assise ici à étudier le chef-d'œuvre de mon grand-père. Lire trois chapitres en consacrant au moins vingt minutes de contemplation à chacun.

Non merci.

Je ne sais pas s'il s'agit de celui que j'ai balancé à la tête de cette Mogadorienne, lors de mon premier jour ici. On en trouve des exemplaires partout, à bord de l'*Anubis*. Quoi qu'il en soit, ils ont enchaîné ce volume-ci à la table, histoire d'être bien certains que je ne m'en servirais pas comme arme. Au lieu d'étudier, je m'appuie contre le mur le plus éloigné du bureau et j'attends que les Mogs perdent patience. J'essaie d'oublier les démangeaisons de ma brûlure à la cheville, celle du sortilège mogadorien. S'ils m'observent – et je suis pratiquement certaine que c'est le cas en permanence –, je ne veux pas qu'ils perçoivent ma gêne.

En tout cas, pas question qu'ils sachent combien la simple idée d'un lien de parenté avec Setrákus Ra me dégoûte. Les Mogs ont beau haïr les Lorics, ils se mettent en quatre pour satisfaire leur « Chef Bien-aimé », bien qu'il ait été jadis l'un des nôtres. Si j'en crois ce qu'il m'a révélé au dîner, Setrákus Ra s'est transformé en une espèce hybride et monstrueuse, en combinant les Dons puissants d'un Ancien avec les avancées technologiques des Mogs. En tout cas, c'est ce qu'il prétend. Avec lui, difficile de savoir ce qui relève de la réalité ou de la fiction. Quoi qu'il soit aujourd'hui – loric, mog ou un entre-deux incertain –, Setrákus Ra a passé des siècles à faire en sorte que les Mogs le considèrent comme un sauveur. Comme un dieu. Désormais, peu leur importe d'où il vient. Et même si je sens bien quelques regards de travers de la part des officiers de l'*Anubis*, pour la majorité de l'équipage, je suis au même niveau que Setrákus Ra.

Je suis la petite-fille d'un dieu autoproclamé. Pour l'instant, cela garantit ma sécurité.

Et comme si avoir un lien de sang ne suffisait pas, nous sommes maintenant connectés par sa version du Sortilège loric. Je me rappelle combien je m'étais sentie à l'écart, en découvrant que les autres Gardanes étaient reliés entre eux, qu'ils avaient été jadis protégés par la même force. Je voulais en faire partie. Et voilà que je me retrouve avec deux grosses cicatrices affreuses autour de la cheville.

Prends garde à ce que tu souhaites, Ella.

Mon esprit s'évade, et je réfléchis à un moyen de tester le fonctionnement de ce sortilège tout en évitant de me blesser, quand un bruit strident secoue la pièce. Ça ressemble exactement à une alarme incendie. Au début, c'est comme un sifflement dans ma tête, qui s'amplifie au bout de quelques secondes au point d'étouffer toutes mes pensées. Je me plaque les paumes sur les oreilles, mais le son ne fait que croître. Il traverse les murs, en provenance de toutes les directions.

« Éteignez ça ! » je hurle aux Mogs qui doivent me surveiller. En réponse, le volume augmente encore. J'ai l'impression que mon crâne va éclater.

Je m'écarte du mur en titubant, et aussitôt le volume baisse, le hurlement assourdissant se transforme en sifflement perçant. Je fais un pas de plus en direction du Grand Livre, et le son décroît à nouveau. J'ai compris le message. Quand je finis par ouvrir le livre, je n'entends plus qu'un bourdonnement agaçant.

C'est donc ainsi que Setrákus Ra compte m'« éduquer » – en faisant en sorte que la seule liberté de penser accessible pour moi se trouve, littéralement, dans les pages de son encyclopédie mogadorienne.

Peut-être devrais-je essayer de tirer avantage de cette situation. Il se peut qu'il y ait des informations utiles dans cet ouvrage indigeste de Setrákus Ra, des éléments que je pourrais utiliser contre lui. Le feuilleter un peu ne peut pas faire de mal. De toute manière, jamais je ne croirai un seul des mensonges que j'y découvrirai.

Le son disparaît totalement dès que je me mets à lire la première page. À contrecœur, je laisse échapper un petit soupir de soulagement.

Il n'existe pas de plus grand accomplissement pour une espèce que de prendre en main sa propre destinée génétique. C'est pour cette raison que la race mogadorienne doit être considérée comme la forme de vie la plus élevée dans l'univers.

Beurk. Je n'arrive pas à croire que ce genre de discours puisse durer cinq cents pages, ni qu'il soit devenu une lecture obligatoire pour un peuple entier. Je ne trouverai rien d'utile là-dedans.

Sitôt que mes yeux quittent la page, l'odieux bourdonnement reprend, plus intense encore qu'auparavant. Je serre les dents et me penche de nouveau sur le livre. Au bout de deux phrases, une idée me vient.

J'attrape l'ouvrage par le haut, sur une trentaine de pages, et je les arrache de la couverture. Le sifflement strident dans mes oreilles devient alors aussi assourdissant qu'une sirène et je sens mes yeux se mettre à larmoyer, mais je me force à continuer. Je tiens les pages bien en vue, pour être certaine que tous les Mogadoriens qui m'espionnent les voient clairement, et alors je déchire le livre en deux, par le milieu. Puis en quatre, de plus en plus petit, jusqu'à ce que je me retrouve avec deux pleines poignées de confetti du Grand Livre à balancer en l'air.

« Et comment je vais faire pour le lire, maintenant ? » je crie.

La sirène poursuit son vacarme pendant quelques minutes. J'en ai la nuque et le cou douloureux, à force de rentrer les épaules instinctivement, comme pour couvrir mes oreilles. Je continue à déchirer tout ce que je peux. Je n'entends même plus le bruit que ça fait.

Et brusquement, sans prévenir, tout s'arrête. Les os de mon visage, mes dents, tout me fait mal. Mais je les ai battus, et le silence qui règne dans cette minuscule cellule inconfortable est la meilleure chose que j'aie ressentie jusqu'ici.

Ma récompense, c'est que j'ai droit à deux heures de solitude. Même si j'ai du mal à évaluer le temps qui passe. Je reste assise au bord de la chaise dure, pose la joue sur le bureau et essaie de dormir un peu. Dans ma tête, les pensées me paraissent plus bruyantes que d'habitude, et le sifflement dans mes oreilles m'empêche de m'endormir. Surtout ajouté à cette sensation d'être observée. Lorsque je rouvre les yeux, j'ai l'impression que la pièce a rétréci. Je sais que c'est seulement un tour que me joue mon imagination, mais je commence à paniquer un peu.

Ma cheville me démange atrocement. Je relève l'ourlet de ma robe noire mogadorienne – on m'en a apporté une nouvelle, après que Setrákus Ra a brûlé l'ancienne – et je scrute la chair à vif. J'étais bien décidée à ne rien leur montrer, mais je ne peux pas m'en empêcher. Je me penche pour masser la zone traumatisée, et laisse échapper un profond soupir. J'applique la paume sur la cicatrice avec l'espoir fou qu'elle aura disparu quand je retirerai la main. Évidemment elle est toujours là, mais au moins la moiteur de ma peau fait-elle du bien sur la chair marquée au fer rouge.

C'est alors qu'une idée me traverse l'esprit. Et si je me servais de mon Aeternus pour rajeunir ? La peau cicatriserait-elle ?

Je décide de tenter ma chance. Je ferme les yeux et m'imagine telle que j'étais, il y a deux ans. La sensation de rapetisser, c'est comme une expiration après avoir retenu son souffle. Au moins, quand j'ouvre les paupières, la pièce me paraît plus grande qu'auparavant.

En baissant les yeux, je constate que j'ai perdu une dizaine de centimètres, que je suis plus menue, et que les muscles qui se sont développés ces derniers mois sont plus plats. Et pourtant, l'immonde empreinte mogadorienne est toujours là, aussi rose et douloureuse qu'avant.

« L'Aeternus. Nous avons ça en commun. »

C'est Setrákus Ra. Il se tient dans l'embrasure de la porte de ma salle d'étude. Et il a gardé son aspect de bellâtre humain insupportable. Adossé au chambranle, il me dévisage avec un sourire désinvolte, les bras croisés en travers de la poitrine.

« Ça ne sert à rien », je riposte avec amertume en couvrant ma cheville. Je ferme les paupières et reviens à mon âge actuel. « Voilà ce que je récolte, à avoir un lien de parenté avec toi. Le Don le plus crétin qui existe.

— Ce n'est pas ce que tu diras quand tu auras mon âge, réplique Setrákus Ra sans s'offusquer de mon insulte. Si tu le souhaites, tu seras jeune et belle pour toujours. Ce sera une source d'inspiration pour tes sujets, de voir leur souveraine radieuse et intacte.

— Je n'ai pas de sujets.

— Pas encore. Mais bientôt. »

Je sais exactement ce qu'il veut dire par là, mais je refuse d'entrer dans son jeu. Je regrette de m'être servie de mon Aeternus. Maintenant il sait une chose de plus à mon sujet, il dispose d'un moyen supplémentaire d'essayer de me prouver que nous sommes pareils, lui et moi.

« Est-ce que le sortilège te dérange ? demande-t-il gentiment.

— Je vais très bien, je m'empresse de répondre. Je ne le sens même pas.

— Hmm. L'inflammation devrait disparaître d'ici un jour ou deux. » Il s'interrompt et se touche le menton d'un air pensif. « Je sais que c'est douloureux, pour l'instant, Ella. Mais avec le temps, tu en viendras à apprécier les leçons que tu apprends ici. Tu me remercieras pour ma bienveillance. »

Les sourcils froncés, je commence par ne pas prononcer un mot. Je sais que, quoi que je dise, il va poursuivre son petit laïus pendant une éternité. Alors je me contente de le fusiller du regard.

« Alors quoi ? Tu vas peut-être me dire que tu me protèges, avec ce truc ? C'est ça, ta théorie ?

— Je ne veux pas qu'il t'arrive du mal, ma petite, répond Setrákus Ra.

— Est-ce que ce sortilège fonctionne comme celui qu'avaient les Gardanes ? » J'avance d'un pas vers lui, et la porte. « Si je m'enfuis d'ici en courant, et que l'un de tes sous-fifres essaie de m'en empêcher, est-ce que ce qu'il me fera le blessera lui, au lieu de moi ?

— Non. Notre sortilège ne fonctionne pas comme ça, répond-il d'un ton patient. Et c'est moi qui t'arrêterai, ma chère petite-fille. Pas un de mes... sous-fifres, comme tu dis. »

Je fais un pas de plus en me demandant s'il va reculer. Il ne bouge pas. « Si je m'approche trop, est-ce que le sortilège sera brisé ? »

Setrákus Ra est toujours immobile. « De même que chaque sortilège est différent, chacun a un point faible qui lui est propre. Si seulement j'avais découvert plus tôt qu'en réunissant tous les Gardanes, on annihilait le sortilège de ces pleutres d'Anciens, j'aurais déjà éliminé les Gardanes. » Il porte la main aux trois pendentifs loric autour de son cou. « Même si je dois admettre que j'ai apprécié la chasse. »

Je fais de mon mieux pour paraître détachée et sincère. « Et est-ce que je ne devrais pas savoir quelle est cette faiblesse ? Je ne voudrais pas briser notre lien par mégarde, Grand-père. »

Setrákus Ra m'adresse un sourire rayonnant. Je commence à comprendre qu'il aime ça, quand je fais preuve de duplicité. Puis son regard se pose sur les pages déchiquetées de son livre, et son sourire faiblit.

« Bientôt, peut-être, quand tu seras prête, quand tu feras confiance à la pureté de mes intentions, répond-il avant de changer abruptement de sujet. Dis-moi, petite-fille, à part ton Aeternus, quels autres Dons as-tu développés ?

— Juste celui dont je me suis servie pour t'atteindre, à la base de Dulce. » C'est un mensonge, mais j'estime qu'il est plus sûr de garder le secret, concernant la télépathie. J'ai essayé de l'utiliser pour joindre les Gardanes, mais la distance qui sépare l'*Anubis* de la Terre doit être trop importante. Je retenterai l'expérience une fois que nous aurons atterri. D'ici là, moins Setrákus Ra en saura sur moi, mieux ça vaudra. « Et celui-là, je ne peux pas le contrôler. Je ne sais même pas de quoi il s'agit.

— J'ai été salement touché, commente Setrákus Ra avec autodérision. Le reste de tes Dons ne tardera pas à apparaître, ma chère. En attendant, voudrais-tu que je te montre l'étendue de ton pouvoir ?

— Oui. »

Ma propre curiosité me surprend. Je me dis qu'il sera bien utile d'apprendre à utiliser mes Dons, même si mon professeur est le plus grand monstre de l'univers.

En réponse, Setrákus Ra sourit. Un peu comme s'il croyait avoir vu clair en moi. Ce n'est pas le cas, mais autant lui laisser s'imaginer que je suis en train de devenir une élève dévouée. D'un geste évasif, il désigne le carnage que j'ai fait avec son livre.

« Avant toute chose, commence par me nettoyer ça, ordonne-t-il. Je veillerai à ce que tu aies l'occasion de pratiquer tes Dons dès que ton promis sera arrivé. »

Mon quoi ?

CHAPITRE 11

Le coucher de soleil dans les Everglades serait ravissant, sans l'énorme vaisseau mogadorien qui obscurcit l'horizon. Je ne sais pas de quel alliage extraterrestre il est fait, mais le métal ne reflète rien, et la lumière rose et orange du crépuscule est absorbée par le fuselage. Le monstre ne se pose pas – il n'y a pas assez d'espace dégagé dans le marécage, à moins qu'il tienne à écraser sous lui les vaisseaux mog plus petits garés sur la bretelle étroite. Mais l'engin continue à planer, pendant que des passerelles métalliques surgissent de son flanc et se déroulent jusqu'au sol. Des Mogadoriens fourmillent sur les rampes pour charger de l'équipement.

« On devrait les atomiser », suggère Marina d'un ton neutre.

Neuf la dévisage d'un air ébahi.

« Tu plaisantes, ou quoi ? Là je compte au moins une centaine de Mogs, et le plus gros vaisseau que j'aie jamais vu.

— Et alors ? réplique Marina. Tu aimes te battre, oui ou non ?

— Quand je peux gagner, oui, répond Neuf.

— Et quand tu ne peux pas gagner, tu fais juste le beau parleur, c'est ça ?

— Ça suffit », j'interviens avant que Neuf ait la bonne idée de répondre. Je ne sais pas combien de temps Marina va lui en vouloir comme ça, ou ce qu'il faudra pour que la tension redescende, mais ce qui est certain, c'est que ce n'est ni le lieu ni le moment de s'en occuper. « Les chamailleries ne nous mèneront nulle part. »

Nous sommes à plat ventre dans la boue, dissimulés par les hautes herbes, juste à la lisière de la clairière aménagée de main d'homme. Deux bâtiments se dressent devant nous : le premier est en verre et acier, de plain-pied, et ressemble presque à une serre. L'autre est un hangar à avions doté d'une étroite piste d'atterrissage, parfaite pour de petits engins à hélice ou des avions de transport mogadoriens en forme de soucoupes, mais impraticable pour le vaisseau qui flotte au-dessus de nos têtes. Comme nous l'a dit Dale avant de se faire la malle, on dirait que cet endroit était abandonné jusqu'à récemment. Le marécage commence à gagner sur l'asphalte et à le fissurer, la structure métallique de la serre est rouillée et le logo de la NASA sur le côté du hangar est presque effacé. Mais il paraît évident que rien de tout ça n'a arrêté les Mogs, quand ils ont décidé d'installer une petite base ici.

Même si présentement, ils ont plutôt l'air de remballer.

« Marina, est-ce que tu sens quelque chose ? » je demande. Au point où nous en sommes, nous n'avons aucune piste, si ce n'est son intuition. C'est grâce à elle que nous sommes arrivés là – au beau milieu d'un panier de crabes mogadorien. Autant continuer sur notre lancée.

« Il est ici, répond-elle. J'ignore comment je le sais, mais il est ici.

— Alors on doit entrer. Mais faisons-le de manière intelligente. »

Je tends les mains pour attraper les leurs et nous rends tous trois invisibles. Si un Mogadorien regardait dans notre direction, il ne verrait rien de plus que trois empreintes bizarres dans la boue. Nous nous levons à l'unisson, sûrs que la horde ne nous verra pas.

« Marina, c'est toi qui ouvres la marche », je chuchote.

Tandis que nous quittons le marécage, Neuf trébuche contre une racine et manque de s'étaler, brisant presque notre chaîne. Ç'aurait été la plus courte mission clandestine de l'Histoire. Je lui serre la main plus fort.

« Désolé, s'excuse-t-il à voix basse. C'est juste que ça me fait drôle de ne pas voir mes jambes.

— Que ça ne se reproduise pas.

— Je continue à penser qu'il faut le faire à la sauvage, on fonce et on les descend tous, objecte Neuf. Le côté sournois, ça n'est vraiment pas mon truc. »

Marina laisse échapper un soupir excédé, et je lui serre la main, à elle aussi.

« On doit faire preuve d'unité », je leur rappelle, les dents serrées, en espérant que nous pourrons retrouver un tant soit peu de cet esprit d'équipe qui nous a animés lors du précédent combat contre les éclaireurs mog. « Allez-y doucement, en silence, et surtout ne butez dans rien. »

Nous repartons donc au ralenti. Je ne suis pas trop inquiète quant au bruit de nos pas sur la chaussée inégale. Les Mogadoriens sont trop occupés à transférer leur équipement de la serre jusqu'au vaisseau, et les roues de leurs chariots grincent et crissent. J'ai l'habitude de me déplacer en étant invisible, en me fiant à mon instinct, mais je sais que ça peut être difficile, pour les autres. Nous approchons lentement, accrochés les uns aux autres, aussi silencieusement que possible.

Marina nous emmène d'abord en direction de la serre. Les Mogs sont concentrés dans cette zone, ils poussent leurs caddies chargés de matériel étrange, le genre d'équipement qu'on imagine chez un savant fou. J'observe l'un d'eux qui trimballe une étagère à roulettes contenant des plantes en pots – fleurs, herbe, petits arbres –, rien que des spécimens terriens, mais tous zébrés d'étranges veinules grises. Ils ont l'air mal en point, sur le point de faner, et je me demande à quel genre d'expériences les Mogs se sont livrés sur eux.

Au pied de la rampe menant au vaisseau se tient un grand Mogadorien. Son uniforme est différent de l'équipement standard du soldat – au moins ceux-là essaient de se fondre dans la masse, sur Terre, même s'ils s'habillent comme des tarés gothiques. Ce type est à l'évidence une sorte d'officier militaire, dans sa tenue solennelle et austère, recouverte de médailles étincelantes et rehaussée par des épaulettes. Les tatouages sur son crâne sont beaucoup plus élaborés que tous ceux que j'ai vus jusqu'ici. Il a une tablette informatique entre les mains, avec laquelle il effectue l'inventaire en rayant du doigt l'équipement à mesure qu'il est chargé à bord. De temps à autre, il braille un ordre aux autres dans un mogadorien brutal.

Marina essaie de nous approcher de la serre, mais je retiens sa main et reste plantée sur place. Neuf se cogne à mon dos et grommelle, mécontent qu'on se soit arrêtés. La voie jusqu'à la serre est comme une course d'obstacles mogadorienne – ils sont partout. Encore quelques pas et nous risquons que l'un d'eux nous fonce dedans. Si Huit se trouve dans ce bâtiment où ils ont entassé le matériel et se sont livrés à leurs expériences, notre seule chance de le récupérer serait un assaut frontal. Mais je ne suis pas encore prête à foncer tête baissée. Marina prend conscience de mes réticences, et dans ma main la sienne se fait plus froide.

« Pas encore, je lui siffle à voix basse. On commence par vérifier le hangar. »

Au bout d'une dizaine de mètres à peine, un grognement animal nous stoppe net. Un groupe de Mogadoriens sort alors de la serre en poussant une grosse cage. À l'intérieur se trouve une créature qui devait être une vache au départ, mais qui a depuis subi un certain nombre de transformations horribles. Elle a les yeux jaunes et humides, des cornes qui ont l'air douloureuses et ses pis sont incroyablement enflés et parcourus par les mêmes veinules grises que celles que j'ai remarquées sur les plantes. Cette pauvre bête paraît léthargique et déprimée, à l'article de la mort. Quels qu'ils soient, les essais auxquels se livrent les Mogadoriens ici sont répugnants et, tout comme Neuf, je commence à me demander si l'option de Marina, foncer dans le tas, ne serait pas finalement la meilleure – vaisseau ou pas vaisseau.

« Attends, me murmure Neuf à l'oreille. J'ai une idée. »

Exposés comme nous le sommes, je ne suis pas certaine que ce soit vraiment le moment d'écouter une de ses impulsions folles. Mais au bout de quelques secondes, la vache mutante pousse un nouveau grognement et se met maladroitement debout. Elle vacille sur le côté et appuie de tout son poids contre la paroi de la cage, menaçant de tout faire basculer, si bien que les Mogs qui la poussent se mettent à hurler pour demander de l'aide.

Puis la créature projette un de ses énormes sabots contre les barreaux, manquant d'écraser la tête d'un des Mogs.

« Je lui ai demandé de faire diversion, chuchote Neuf tandis que des renforts s'approchent de la cage pour tenter d'injecter un tranquillisant à l'animal. Cette pauvre bête était heureuse de pouvoir nous aider. »

La télépathie animale de Neuf fonctionne comme un charme. Comme si elle trouvait enfin un sens à son existence, la vache se met à s'agiter, cognant sans relâche contre les grilles de la cage, réussissant même à embrocher un Mog à l'épaule avec une de ses cornes. Le chaos qui s'ensuit nous crée une fenêtre de tir, nous nous faufilons à travers le groupe amassé devant la serre et réussissons à gagner le hangar.

Soudain, un tir de canon nous cloue sur place. Nous nous retournons et voyons l'officier rengainer son arme. La vache s'effondre dans sa cage, un trou fumant à la tête. L'officier crie des ordres et les Mogadoriens achèvent de charger la carcasse dans le vaisseau.

Je me crispe, et entends alors la voix de Neuf dans mon oreille : « C'est mieux comme ça. Elle vivait un calvaire. »

La distance qui nous sépare de la foule des Mogs est assez grande pour que je prenne le risque de répondre : « Qu'est-ce qu'ils lui faisaient ? »

Neuf marque une pause. « Je n'ai pas pu avoir une discussion à cœur ouvert avec elle, mais il semble qu'ils aient essayé de la rendre plus… performante. Ils… ils font des expériences sur l'écologie.

— Ils sont fous à lier », marmonne Marina.

Nous accélérons l'allure en direction du hangar. À notre droite, au bord de la piste, sont stationnés trois vaisseaux plus petits, en forme de soucoupes. Une équipe de maintenance de cinq Mogadoriens s'agite autour d'un des engins, sort des circuits imprimés de la carlingue et les retourne d'un air perplexe. J'imagine que même les Mogs peuvent rencontrer certaines difficultés techniques. À part ces cinq-là, la voie est libre.

Les gigantesques portes métalliques du hangar sont assez larges pour permettre le passage d'un petit avion, mais présentement elles ne sont entrebâillées que de quelques dizaines de centimètres, juste assez pour qu'une personne se glisse dans l'interstice. Il y a de la lumière à l'intérieur, mais je ne vois rien d'autre par l'ouverture.

Marina ralentit devant l'entrée, puis s'arrête pour se pencher. J'en profite pour regarder par-dessus mon épaule. Rien n'a bougé – les Mogs s'affairent toujours à charger du matériel dans le vaisseau, sans se douter le moins du monde de nos agissements.

« Alors ? » chuchote Neuf, et je sens qu'il tend le cou pour voir lui aussi ce qui nous attend dans le hangar. Avant que j'aie pu répondre, j'entends Marina pousser une exclamation à voix basse, le souffle coupé. J'ai la paume qui picote, transie de froid, comme si je me retrouvais brusquement avec un bloc de glace dans la main.

« Merde, Marina ! » je siffle, mais elle ne m'écoute pas et franchit les portes d'un bond. Vu que j'ai la moitié du bras engourdie, je dois faire appel à toute ma volonté pour ne pas la lâcher. J'entraîne Neuf à ma suite et, de l'épaule, il cogne le panneau métallique – le bruit de ferraille couvre son juron.

Le hangar est pratiquement vide, les Mogadoriens ayant visiblement déjà débarrassé l'essentiel de leur équipement. De gros projecteurs fixés aux chevrons illuminent la salle, notamment la table et la chaise en fer en son centre. C'est le seul mobilier qui reste, et les ombres projetées sont immenses sur le sol en béton.

Le corps de Huit gît sur la table.

Il est enveloppé dans une housse mortuaire de couleur noire, dont la fermeture Éclair est baissée jusqu'à la taille. Il est torse nu, et les blessures circulaires des coups de poignard que Cinq lui a portés à la poitrine sont clairement visibles. Sa peau mate est blême, mais Huit est encore très reconnaissable, comme si à tout moment il allait se téléporter pour me jouer un tour idiot. Des électrodes noires dotées de petites antennes à l'air fragile sont fixées sur ses tempes, et quelques autres le long de son sternum. Les électrodes créent une sorte de champ magnétique à peine visible à l'œil nu, comme un courant d'électricité faible mais constant lui traversant le corps. J'imagine que c'est le moyen qu'ont trouvé les Mogs pour garder intact son cadavre le temps de se livrer à leurs expériences. En plus de lui avoir mis ces électrodes, quelqu'un a nettoyé son sang et, chose étonnante, lui a laissé son pendentif loric – la pierre brille faiblement sur sa poitrine. Ça me tue de le voir comme ça, mais je dois admettre qu'il paraît presque serein.

Mais, contrairement aux apparences, ce n'est pas la présence de Huit qui a incité Marina à se jeter dans le hangar, et ce n'est pas non plus pour cette raison qu'elle est littéralement en train de me congeler la main.

Assis près de Huit, la tête dans les mains, se trouve Cinq.

Il est penché en avant, comme s'il désirait se replier sur lui-même. Il porte un épais pansement de gaze sur l'œil que Marina a crevé, dans les marais, et une tache rose claire commence à suinter à travers les fibres. Son œil valide est rougi : on dirait qu'il a pleuré ou n'a pas dormi, peut-être les deux. Depuis que nous l'avons vu pour la dernière fois, il s'est rasé la tête de près, et je me demande dans combien de temps il prévoit de se faire tatouer son propre signe mogadorien sur le crâne. Il est vêtu d'une tenue mogadorienne austère, semblable à celle de l'officier qui régulait le chargement sur le vaisseau. Néanmoins, son uniforme est méchamment froissé, les boutons du col sont défaits et le tout a l'air un peu trop petit pour lui.

Il est impossible que ce traître borgne ne nous ait pas entendus entrer. Grâce à Marina, nous avons fait un boucan d'enfer en passant la porte, et le hangar vide amplifie le moindre son, au point que j'ai soudain l'impression que ma propre respiration est extrêmement bruyante. Pire encore, j'entends distinctement le grondement qui monte de la gorge de Marina, comme si elle réprimait un hurlement gigantesque et était prête à se jeter sur Cinq. Derrière moi, je sens que Neuf retient son souffle.

L'œil de Cinq regarde furtivement dans notre direction. Il nous a bel et bien entendus, mais ne nous voit pas. Il y a peut-être un espoir qu'il croie que le bruit provient des Mogs à l'extérieur. Moi aussi je ne demande qu'à prendre ma revanche contre ce renégat – et cette fois, je ne le laisserai pas m'assommer d'un coup de poing avant même le début du combat –, mais nous devons établir des priorités. Affronter Cinq dans un espace clos, avec un vaisseau de guerre mogadorien au-dessus de nos têtes, ce n'est pas la bataille de nos rêves. Il va nous falloir trouver un autre moyen de récupérer le corps de Huit.

Je tire Marina par le bras, malgré l'ankylose qui a maintenant gagné toute ma main, et j'essaie de lui faire comprendre combien passer à l'attaque serait désastreux. Elle résiste quelques instants, puis je sens qu'elle se calme, et j'en ai confirmation lorsque mes doigts commencent à se réchauffer.

Mais au moment où Marina laisse échapper un profond soupir, je vois de la buée se former devant sa bouche, dans l'air trop froid qui l'entoure. Un nuage flottant devant une fille invisible, dans la lumière crue et blafarde du hangar.

Cinq le voit et plisse la paupière. Il se lève de sa chaise et fixe du regard l'endroit précis où nous nous tenons.

« Je ne voulais pas faire ça », dit-il.

CHAPITRE 12

Je serre les mains de Neuf et de Marina, espérant les dissuader de répondre à Cinq, ce qui achèverait de nous trahir. Je ne suis pas encore prête à perdre notre seul avantage – l'invisibilité. Heureusement, ils arrivent tous deux à se maîtriser, et à laisser la provocation de Cinq sans réponse.

« Je sais que vous ne me croirez pas, continue ce dernier, mais personne n'était censé être tué. »

Son regard implorant est toujours dirigé droit sur nous, aussi je décide de nous faire lentement dévier sur le côté. Nous nous déplaçons centimètre par centimètre, en faisant bloc et en prenant soin de ne produire aucun bruit. Peu à peu, nous glissons hors de la ligne de mire de Cinq pour nous positionner à côté de lui. À présent il scrute le vide, à attendre une réponse d'un air stupide.

Avec un grognement, le traître se détourne, comme s'il ne nous avait jamais adressé la parole. Et il se met à parler directement au corps de Huit.

« Tu n'aurais jamais dû faire ça, plonger devant Neuf. » Il lui fait la leçon, d'une voix presque nostalgique. « C'était par héroïsme, j'imagine. Je dois dire que j'admire ça, chez toi, vraiment. Mais ça ne valait pas la peine. Les Mogadoriens gagneront de toute manière, tu sais ? Un type comme toi, avec la tête sur les épaules, aurait eu toute sa place.

Tu aurais pu aider à la reconstruction et à l'unification. Alors que Neuf… Il est trop demeuré pour se rendre compte qu'il est foutu. Il n'apporte rien à personne. »

Je sens les muscles du bras de Neuf se contracter, mais pour l'instant il résiste à la tentation de se jeter à la gorge de Cinq. Voilà qui est bon signe – au moins, il apprend. Ou peut-être que, tout comme moi, il est simplement hébété par cette situation, de voir Cinq délirer de cette manière, comme si on n'était pas là.

Cinq pose doucement la main sur l'épaule de Huit. La manche de son uniforme remonte légèrement et je remarque l'étui en cuir autour de son bras, celui qui abrite le poignard télescopique en forme d'aiguille avec lequel il a tué notre ami.

« Il m'a dit… » La voix de Cinq se brise. « Il m'avait dit que j'aurais l'occasion d'essayer de vous convaincre de vous joindre à nous. Que personne n'aurait à être blessé, à condition que vous acceptiez le Progrès mogadorien. Il a tenu parole, par le passé. D'ailleurs j'en suis la preuve vivante, non ? Quand le Sortilège a été rompu, il aurait pu me tuer, mais il ne l'a pas fait. »

Cinq doit parler de Setrákus Ra, d'un marché qu'il a conclu avec le chef mogadorien. Il fait le tour de la table, nous tournant le dos. Marina avance d'un pas, mais je l'arrête dans son élan. Je ne sais pas pourquoi Cinq se montre si bavard, mais il a forcément conscience de notre présence. J'ignore si c'est un piège, s'il se sert de Huit comme appât, mais toujours est-il que je veux écouter ce qu'il a à dire.

« Je ne m'attendais pas à ce que vous ayez tous subi un lavage de cerveau pareil », continue Cinq, penché au-dessus de Huit – son dos fait d'ailleurs une cible parfaite.

« Que pour vous ce serait tout noir ou tout blanc, avec les gentils et les méchants. »

Il se penche pour soulever le pendentif de Huit, et serre la pierre au creux de son poing. Son Don – l'Externa, comme il l'appelle, qui fait prendre à sa peau les caractéristiques de ce qu'il touche – s'active, et la peau de Cinq se met à briller fugitivement, du bleu miroitant de la Loralite. Au bout d'un moment, Cinq lâche le bijou dans un soupir et sa chair reprend son apparence normale.

« Mais c'est peut-être moi, qui suis conditionné, pas vrai ? C'est pas ce que vous avez essayé de me dire ? » Il laisse échapper un rire de gorge, puis porte la main à son œil ravagé pour remettre le pansement en place. « Ils vous bourrent le crâne avec toute cette merde – les Anciens, le Grand Livre. Toutes ces règles qui nous dictent qui on est censé être. Mais je m'en fiche, de tout ça. Tout ce qui compte, pour moi, c'est de survivre. »

Je sens dans ma main la paume moite de Neuf. Il doit lutter pour se retenir d'attaquer. Marina, quant à elle, n'émet plus le froid glacial de tout à l'heure, sans doute parce que la scène qui se déroule sous nos yeux est avant tout déplacée, et pathétique. Si le discours de Cinq – et c'est clairement pour nous qu'il s'exprime – nous apprend une chose, c'est bien qu'il a perdu la tête.

Il essuie doucement une poussière sur le front de Huit, puis secoue la tête.

« Bref, ce que je voulais dire, c'est que je suis désolé, Huit, conclut-il, toujours avec ce ton de je-sais-tout, mais mêlé cette fois à un fond de sincérité. Je suis au courant que ça ne veut rien dire. Je serai un lâche, un traître, un meurtrier jusqu'à la fin de mes jours. Rien ne viendra changer ça. Mais je veux que tu saches que j'aurais aimé que les choses tournent différemment. »

Derrière nous, quelqu'un se racle la gorge. Nous sommes tous tellement fascinés par le monologue de Cinq – lui y compris – que nous ne voyons pas entrer l'officier mogadorien. Il fixe Cinq d'un regard prudent, et sa posture est rigide et formelle. En le voyant se tenir là comme un soldat au rapport, je me dis brusquement qu'il est peut-être sous les ordres de Cinq. Si tel est le cas, il a l'air dégoûté par la situation.

« Nous avons terminé le chargement du vaisseau », annonce l'officier.

Il attend que Cinq accuse réception de l'information, mais ce dernier ne dit mot pendant un long moment, créant un certain malaise. Il reste penché au-dessus du corps de Huit, à respirer lentement. Je sens la tension monter en moi, et je me demande si ce n'est pas la fin de ce jeu étrange, et s'il n'envisage pas de donner l'alerte.

L'officier mogadorien a beaucoup de mal à dissimuler combien le silence de Cinq le perturbe. « L'une des équipes de chasseurs n'est pas revenue au rapport, poursuit-il, et les mécaniciens ne parviennent pas à réparer une des navettes éclaireurs. »

Cinq pousse un soupir. « Très bien. Nous les abandonnerons sur place.

— Oui, ce sont les ordres que j'avais, répond l'officier en tentant de réaffirmer son pouvoir – sans grande subtilité. Êtes-vous prêt à partir ? »

Cinq se tourne vers lui, et je remarque une lueur malicieuse dans son œil. « Ouais. Dégageons d'ici. »

Il se dirige vers les portes coulissantes du hangar, dans un ralenti comique. Nous ne bougeons pas, témoins muets de la scène. L'officier hausse un sourcil et reste planté dans la trajectoire de Cinq.

« Vous n'oubliez pas quelque chose ? » interroge le Mogadorien lorsque Cinq se trouve pratiquement en face de lui. Ce dernier se gratte la tête. « Hein ?

— Le cadavre, répond l'officier, agacé. Vous avez reçu comme instructions de ramener le corps du Loric. Et le pendentif.

— Ah, ça, commente Cinq en se retournant vers la table métallique où repose Huit. Le corps a disparu, commandant. Les Gardanes ont dû s'introduire ici pour le récupérer. C'est la seule explication possible. »

L'autre est sans voix. Il tend le cou derrière Cinq en en faisant des tonnes, puis le dévisage d'un air impatient, les yeux plissés.

« Est-ce que c'est un jeu, le Loric ? siffle le commandant. Ou bien es-tu aveugle des deux yeux, maintenant ? Le Gardane est *juste là*. »

Cinq ignore l'insulte et secoue la tête en regardant l'officier, avant de faire claquer sa langue.

« Dire que c'est arrivé sous votre garde. Vous les avez laissés voler une prise de guerre, et sous votre nez, encore. Techniquement, c'est de la haute trahison, mon vieux. Et vous savez quelle est la punition, pour ce genre de crime. »

Le Mogadorien ouvre la bouche pour protester une nouvelle fois. Mais il est interrompu par un chuintement métallique – la lame de Cinq jaillit de sous sa manche. Sans hésiter, il la plante sous la mâchoire de l'officier, et la pointe remonte droit jusqu'au cerveau. Avant que le soldat commence à se désintégrer, un air de surprise totale passe sur son visage. Lorsqu'il se transforme en cendres, Cinq ne bouge pas. L'officier se désintègre plus lentement que la plupart des Mogs que j'ai vus, et je remarque des os saillant de son uniforme fripé. Cinq fait se rétracter la lame dans l'étui de son avant-bras et d'un coup de pied, écarte les restes du Mogadorien qui bloquent la porte. Puis il époussette précautionneusement son propre uniforme et tire sur les pans de sa veste.

De là où nous sommes, nous voyons Cinq de profil, et seulement son œil recouvert de gaze. Il nous est donc difficile de déchiffrer son expression.

« Bonne chance », lance-t-il avant de franchir les portes du hangar et de les refermer derrière lui.

Aucun de nous ne dit rien ni n'ose bouger pendant une bonne minute, craignant de voir débouler un escadron de Mogs en armes. Neuf finit par libérer sa main de la mienne, réapparaissant du même coup dans le monde visible.

« OK… C'était quoi, ce *délire* ? s'exclame-t-il. Est-ce que ce gosse essaie de faire ami-ami avec nous, ou est-ce qu'il est juste complètement barré ?

— Peu importe, je fais remarquer. On a Huit, c'est tout ce qui compte. On s'occupera du cas de Cinq une prochaine fois.

— Il est seul et perdu », ajoute Marina d'une voix douce en lâchant à son tour ma main.

En voyant que je frotte mes paumes l'une contre l'autre pour faire disparaître le frisson qui subsiste, elle fronce les sourcils. « Désolée, Six. C'est lui qui m'a provoquée. »

Je la rassure d'un geste – je n'ai aucune envie pour l'instant de me lancer dans un débat du genre « Comment maîtriser son Don en trois leçons ». À pas de loup, je m'approche des portes du hangar et les entrouvre de quelques centimètres. J'ai juste le temps de voir Cinq disparaître en haut de la rampe d'accès du vaisseau mogadorien – il est le dernier à embarquer. Une fois qu'il se trouve à l'intérieur, la rampe se replie sous le vaisseau et le gigantesque engin s'élève lentement, dans un ronronnement de moteurs incroyablement discret pour une machine de cette taille. Arrivé à une certaine hauteur, le vaisseau se met à papilloter et j'ai soudain des difficultés à en distinguer les contours, sur fond de nuages violets. Massif, pratiquement silencieux, et équipé d'un système de camouflage imparable – comment on est censés se battre contre un truc pareil ?

« À t'entendre, on dirait que tu le plains, fait remarquer Neuf à Marina.

— Je ne le plains pas », réplique-t-elle d'un ton cassant, mais je perçois le doute qui s'immisce dans sa voix, la fissure dans son armure de fille dure. « Je… Tu as vu son œil ?

— Ce que j'ai vu, c'est un trou dans sa tête, recouvert d'un bandage, répond Neuf. Ce mec a bien mérité ce qui lui est arrivé. C'était même pas cher payé.

— Tu crois vraiment que c'est ce que Huit voudrait ? je demande en me posant honnêtement la question. Il est mort en essayant de nous empêcher de nous entretuer. »

Le vaisseau a disparu au-dessus de nos têtes, et je me tourne vers les deux autres. Neuf se mord la lèvre en fixant le sol, l'air de réfléchir à ce que je viens de dire. Quant à Marina, elle s'est assise sur la chaise où Cinq était prostré il y a encore quelques minutes, au côté de Huit. D'une main hésitante, elle touche les électrodes et agite les doigts à travers le champ énergétique. Voyant que rien ne se passe, elle se met à caresser délicatement la chevelure bouclée de Huit. Elle a les yeux miroitants de larmes, mais elle tient bon.

« Je savais que je te retrouverais, murmure-t-elle. Je suis désolée de t'avoir abandonné. »

Je vais la rejoindre et pose le regard sur Huit. C'est sans doute mon imagination qui me joue des tours, mais on dirait qu'il a un petit sourire aux lèvres.

« Je regrette de ne pas t'avoir mieux connu, je dis à Huit en posant la main sur son épaule. J'aurais voulu qu'on ait une autre vie. »

Neuf hésite, puis finit par s'approcher à son tour. Au début, il n'arrive pas à regarder Huit, allongé sur cette table. Il a les lèvres serrées, et les muscles de son cou tressautent comme s'il essayait de soulever une lourde masse. C'est alors que je comprends qu'il a honte. Au prix de gros efforts, Neuf réussit au bout d'un moment à regarder le corps de Huit. Il se penche immédiatement pour remonter la fermeture Éclair de la housse de quelques centimètres, afin de cacher la blessure de notre ami.

« Oh, mon vieux… dit-il à voix presque basse. Je suis désolé pour… » Neuf secoue la tête et se passe la main dans les cheveux. « Je veux dire, merci de m'avoir sauvé la vie. Cinq avait raison, peut-être que tu n'aurais pas dû. Si seulement je l'avais fermée, tu serais sûrement encore… merde, je te demande pardon, Huit. Je suis tellement désolé. »

Neuf inspire à fond en tremblant, retenant visiblement ses larmes. Marina lui pose doucement la main dans le dos et s'appuie contre lui.

« Il t'aurait pardonné, dit-elle d'une voix douce, avant d'ajouter : Je te pardonne. »

Neuf passe le bras autour des épaules de Marina, l'attire contre lui et la serre si fort qu'elle en pousse un petit couinement de souris. Il enfouit le visage dans ses cheveux pour cacher ses larmes. J'ai beau passer mon temps à m'inquiéter – à me demander où se trouvent John, Sam et les autres, comment nous allons réussir à les retrouver, s'ils sont même encore vivants, et libres –, à voir Marina et Neuf ainsi, décidés à soigner leurs griefs, je sens l'espoir revenir. Nous sommes un peuple fort. Nous pouvons tout dépasser.

« Il faut qu'on bouge d'ici », je dis doucement, réticente à mettre fin à ce moment, mais sachant qu'il n'y a pas d'autre moyen.

Neuf finit par lâcher Marina, et je remonte précautionneusement la fermeture Éclair de la housse mortuaire. Neuf se penche et, tout aussi délicatement, prend le corps de Huit dans ses bras.

Au moment précis où nous nous tournons vers les portes coulissantes, elles s'ouvrent à la volée.

Les Mogadoriens qui travaillaient sur le vaisseau éclaireur. Je les avais complètement oubliés. Ils se tiennent dans l'embrasure, par laquelle ils comptaient faire passer leur engin en panne pour le parquer dans le hangar. Ils ont l'air aussi surpris que nous par ce face-à-face.

Avant que nous ayons pu bouger, le vaisseau laisse échapper un bruit d'engrenage métallique. L'avant – ou du moins le côté dirigé vers nous – s'ouvre, une tourelle de tir apparaît dans un fracas métallique et se met en marche en grésillant. Il doit y avoir un Mog à l'intérieur.

« Baissez-vous ! » hurle Neuf.

Aucune couverture possible dans le hangar vide en dehors de la table, et il est trop tard pour se rendre invisibles. Marina retourne la table, Neuf s'accroupit derrière sans lâcher Huit et je plonge sur le côté, dans l'espoir que nous prendrons de vitesse le canon qui fait feu.

CHAPITRE 13

« Est-ce que le nom Grahish Sharma te dit quelque chose ? » veut savoir Sarah.

J'y réfléchis un moment, fouillant ma mémoire pour essayer de me rappeler où j'ai entendu ce nom. « Vaguement, oui. Pourquoi ? »

Je me tiens sur la pelouse devant l'ancienne maison d'Adam, et la voix de Sarah me parvient de loin, sur le portable à carte. Au-delà des terrains de basket déserts, le soleil commence tout juste à décliner sous la ligne d'horizon. Un grand oiseau traverse le ciel orange et je me demande si c'est l'un des nôtres – nous avons placé les Chimæra en sentinelles un peu partout sur le domaine d'Ashwood, avec l'ordre de venir nous trouver si des intrus pénétraient les lieux. Jusqu'ici, pas d'alerte. En se fiant aux apparences, on pourrait se croire dans une banlieue résidentielle étrangement calme, dont tous les résidents seraient partis travailler.

« Il est originaire d'Inde, explique Sarah. Il est le commandant du groupe rebelle nationaliste Vishnu Huit. »

Dès qu'elle mentionne Huit, ça me revient, et je claque des doigts. « Oui, ça y est. C'est le militaire qui protégeait Huit, dans l'Himalaya.

— Hum, commente Sarah. Alors son histoire est vraie. »

Je fais les cent pas sur l'herbe, imaginant Sarah, les cheveux blonds sagement coiffés en chignon retenu par des stylos, penchée sur des documents dans les nouveaux locaux d'*Ils sont parmi nous*. Peu importe que les locaux en question se situent dans un ranch abandonné à quatre-vingts kilomètres de Huntsville, dans l'Alabama. Ou que Sarah y ait été amenée par son ex-petit ami, Mark, qui s'est révélé étonnamment efficace, dans ce scénario de cape et d'épée. C'est sur l'image de Sarah que je me concentre.

« De quelle histoire tu parles ?

— Eh bien, il y a un tas de rumeurs qui courent, et des bizarreries sur Internet, et on essaie de faire le tri. Mais ce Sharma prétend avoir abattu un vaisseau extraterrestre et en avoir capturé l'équipage.

— Des Mogs à la poursuite de Huit, sans doute.

— Voilà. Il dit les avoir pris vivants. Ça a beau s'être passé en Inde, ça devrait faire les gros titres ici, or ce n'est pas le cas. Quelqu'un a étouffé l'affaire. Mark essaie d'entrer en contact avec Sharma. Il veut publier un article dans *Ils sont parmi nous*, dans l'espoir de dénoncer les Mogs au public.

— Hum. » Je réfléchis à voix haute en me frottant la nuque. « Ça pourrait toujours rallier des renforts, si ça tourne mal.

— Et ça va tourner mal à quel point, John ? »

Je déglutis avec difficulté. Je me suis servi de mon Don de guérison juste après la bataille, pourtant je sens encore l'emprise des doigts du général autour de ma gorge.

« Je ne sais pas. »

J'ignore pourquoi je cache à Sarah la théorie d'Adam sur une invasion imminente. Sans doute pour essayer de la protéger, une fois de plus. Je change rapidement de sujet.

« Et comment va Mark, au fait ?

— Bien, répond Sarah. Il a beaucoup changé.

— Comment ça ? »

Sarah hésite.

« Je… C'est difficile à expliquer. »

Je ne m'attarde pas sur l'état présent de Mark James. Ce n'est pas de ça que j'ai envie de parler. Parce qu'après avoir côtoyé la mort tout l'après-midi, la seule chose qui m'intéresse vraiment, c'est la voix de Sarah.

« Tu me manques.

— Toi aussi, tu me manques, répond-elle. Après une longue journée passée à combattre des aliens et à essayer de déjouer des conspirations internationales, je rêverais qu'on puisse se blottir l'un contre l'autre sur le vieux canapé dans mon sous-sol pour regarder un film. »

Je ne peux pas m'empêcher de laisser échapper un rire doux-amer, en m'imaginant le genre de vie normale qu'on aurait peut-être, Sarah et moi, si on ne passait pas notre temps à essayer de sauver le monde.

« Bientôt, je lui promets en dégainant mon ton le plus convaincant.

— J'espère », répond-elle.

Je sens du mouvement derrière moi. Je me retourne et trouve Sam debout sous le porche dévasté d'Adam. Il me fait signe de le rejoindre à l'intérieur.

« Sarah, il faut que j'y aille », j'annonce à contrecœur.

Comme prévu, nous avons fait le point par téléphone toutes les huit heures depuis notre départ, et je me sens soulagé, chaque fois que j'entends sa voix. Et quand je raccroche, je pense déjà à la prochaine fois, en redoutant que ce soit celle où elle ne répondra pas.

« Sois prudente, OK ? Ça risque de devenir chaud, très bientôt.

— Ah, parce que là, pour toi, ça n'est pas déjà chaud ? Sois prudent, toi aussi. Je t'aime. »

Je lui dis au revoir et adresse un signe de tête à Sam. Il a l'air presque excité, comme s'il venait de recevoir une bonne nouvelle.

« Quoi de neuf ?

— Viens voir ça. On a imaginé un truc. »

Je le rejoins sous ce qu'il reste du porche après l'affrontement d'aujourd'hui. Nous franchissons la porte à moitié arrachée pour pénétrer dans le salon. L'intérieur de la maison est au diapason de l'extérieur – la gentille banlieue résidentielle humaine –, sauf que le mobilier est disposé comme dans les pages d'un catalogue. On dirait que personne n'a jamais vécu dans cette pièce. J'essaie d'imaginer la vie qu'a dû avoir Adam, en grandissant ici, de me le représenter en train de jouer à la guerre par terre avec des petites figurines de pikens, et… je n'y arrive pas.

Au fond du salon se trouve une imposante porte métallique, verrouillée par une série de cadenas reliés à un clavier couvert de symboles mogadoriens. Cette porte est le seul élément qui vienne démentir le décor parfait qui nous entoure, et je suis plutôt surpris que les Mogs n'aient pas pris la peine de la cacher derrière une bibliothèque. J'imagine qu'ils n'ont jamais pensé que leurs ennemis arriveraient jusqu'ici. La porte est déjà ouverte, Adam s'est chargé du système de verrouillage, aussi Sam et moi nous engageons dans les tunnels qui courent sous Ashwood.

Nous suivons un long escalier en fer, et la mise en scène du rez-de-chaussée est immédiatement remplacée par de l'acier stérile et de l'éclairage halogène grésillant. Le réseau labyrinthique dans lequel nous pénétrons correspond beaucoup plus à l'idée que je me fais des Mogadoriens – froid et fonctionnel. Ce n'est pas aussi tentaculaire qu'en Virginie-Occidentale, mais clairement, en comparaison, la Base de Dulce n'était qu'une aire de jeux. Je me demande combien de temps il leur a fallu pour creuser tout ça, et j'imagine les Mogs en train de progresser sous terre pendant toutes ces années où j'étais en cavale avec Henri, en train d'avancer sournoisement sous nos pieds sans qu'on s'en doute une seconde.

À mi-chemin de l'escalier, une longue fissure en zigzag zèbre la paroi, et se poursuit le long des tunnels. Sam passe la main sur la lézarde et se retrouve les doigts couverts de poudre de ciment.

« On est bien certains que ce truc ne va pas s'écrouler ? » Je préfère vérifier.

« Adam dit qu'on ne risque rien », répond Sam. Il fait claquer ses paumes pour en chasser la poussière, et l'écho résonne dans les galeries. « Mais cet endroit me fait flipper. Je vire franchement claustrophobe.

— Ne t'inquiète pas. On ne va pas rester longtemps. »

En parcourant les passages sinueux, nous constatons d'autres fissures, des endroits où les fondations ont bougé, des blocs de ciment brisés qui ne s'ajustent plus entre eux. Les dégâts ont été causés par Adam, lorsqu'il a déclenché son Don de séisme pour libérer Malcolm. Dans certains couloirs, le plafond est totalement effondré.

Plus bas, nous passons devant une vaste salle très éclairée qui a dû être un laboratoire, remplie de paillasses dotées de becs et de manettes, mais sans plus aucun équipement. Tout a sans doute été détruit dans l'attaque d'Adam et l'équipe de récupération mog n'a jamais eu l'occasion de le remplacer. À côté du labo, nous trouvons une enfilade de pièces exiguës closes par des portes en verre blindé. Des cellules. Toutes présentement inoccupées.

« Les archives sont là-haut, m'indique Sam. Papa n'en est pas sorti. Les Mogs enregistraient *tout.* »

Nous nous arrêtons à l'entrée d'une petite salle qui ressemble presque à un bureau, truffée de moniteurs. Malcolm est assis devant l'unique terminal informatique, les yeux rougis à force de regarder défiler des heures et des heures de vidéos. Sur l'écran, un éclaireur mogadorien parle directement à la caméra.

« Il s'est écoulé trois jours depuis que nous avons fait courir des bruits de présence gardane à Buenos Aires, rapporte-t-il. Pour l'instant, aucun signe des Gardanes sur place, mais la surveillance se poursuit. »

En nous apercevant, Malcolm met le film sur pause et se frotte les paupières.

« Vous avez trouvé quelque chose d'intéressant ? » je demande.

Il secoue la tête et fait remonter une liste de dossiers sur l'ordinateur. Du doigt il fait défiler les caractères sur l'écran tactile, et tous les titres sont en mogadorien.

« D'après mes calculs, il y a là pratiquement cinq années d'informations mogadoriennes, explique Malcolm. Et j'aurais besoin d'une équipe entière pour les passer en revue. Même si Adam me traduit tous ces titres, qui se résument à des dates et des horaires, il est presque impossible de savoir par où commencer.

— On pourrait peut-être engager des stagiaires, suggère Sam avant de me tirer par la manche. Viens, il faut qu'on voie Adam.

— Faites ce que vous pouvez, je dis à Malcolm avant que Sam me traîne dehors. Le moindre détail pourrait s'avérer utile. »

Quelques mètres plus loin, nous atteignons la salle qu'Adam a décrite comme le centre de contrôle. Elle est pratiquement intacte, aussi décidons-nous d'y établir notre quartier général. Les murs sont recouverts de moniteurs, dont certains diffusent des vidéos de sécurité de la propriété, mais aussi d'autres endroits, notamment du John Hancock Center barricadé – une caméra de rue détournée. En dessous des écrans se trouve une rangée d'ordinateurs qui n'encouragent pas vraiment à s'en servir car toutes les touches sont en mogadorien.

Les mains sur les hanches, je passe en revue la salle, tous ces écrans qui, il n'y a pas si longtemps, diffusaient encore des images de moi. C'est une drôle de sensation, de se trouver de l'autre côté. Tout comme Sam, cet endroit me met mal à l'aise.

« Est-ce qu'on est en sécurité, ici ? je demande. Toutes ces caméras… Comment savoir s'il n'y en a pas qui nous filment, nous aussi ?

— Je les ai désactivées », répond Adam. Il est assis dans un fauteuil pivotant, et tape sur l'un des claviers. Il fait tourner son siège pour me faire face. « En me servant du passe du général, j'ai renvoyé un code en Virginie-Occidentale pour les informer que l'équipe de récupération avait détecté une fuite chimique toxique. Il faudra un moment pour nettoyer. Ils croiront les caméras hors service à cause de cet incident.

— Combien de temps ça nous donne ?

— Quelques jours ? Une semaine, peut-être ? répond Adam. Ils commenceront à se poser des questions sans nouvelles directes du général pendant plusieurs jours, mais d'ici là on devrait passer entre les gouttes.

— Et en attendant, qu'est-ce qu'on cherche, exactement ?

— Vos amis. En fait, je crois les avoir déjà trouvés.

— Ouais, en Floride, je confirme. Ça on le sait déjà.

— Non, il les a *trouvés*. Je veux dire, précisément, rectifie Sam, tout sourire. C'est pour ça que je suis venu te chercher. Regarde un peu ça. »

Sam désigne l'un des écrans, qui diffuse une carte des États-Unis. La carte est constellée de triangles de tailles diverses, dont un petit là où nous nous trouvons, et d'autres similaires éparpillés à travers tout le pays. J'en vois de plus gros qui pulsent au-dessus des grands centres de population. New York, Chicago, Los Angeles, Houston – toutes ces villes apparaissent sur la carte. Le plus gros triangle se situe à l'ouest de notre emplacement actuel, dans la zone où nous avons découvert la base des Mogs, dans les montagnes de Virginie-Occidentale.

« C'est, euh… » Sam jette un regard à Adam. « Comment tu appelles ça, déjà ?

— Le panorama des sites tactiques, répond Adam. Ça montre les emplacements des opérations mogadoriennes en cours.

— Ils se massent dans les villes principales, je constate en étudiant la carte.

— Oui, confirme Adam d'un air sombre. En préparation de l'invasion.

— Essayons de ne pas nous concentrer sur cette idée réjouissante aujourd'hui, OK ? intervient Sam. Regardez ça. »

Sam a connecté à l'un des ordinateurs la tablette localisant les autres Gardanes. Il me la tend et mon regard file instantanément vers la Floride. Je sens mon cœur tressauter : il n'y a qu'un point clignotant sur la carte. Il me faut un moment pour comprendre que les quatre points symbolisant les Gardanes restants sont tellement rapprochés qu'ils se chevauchent parfaitement.

« Ils sont pratiquement les uns sur les autres, je fais remarquer. Tous les quatre.

— Ouaip, acquiesce Sam en reprenant la tablette. Et mate un peu ça. »

Il approche la tablette de la carte de l'activité mogadorienne. Les quatre points s'alignent parfaitement avec l'un des petits triangles orange en Floride.

« Les Mogs les tiennent, je lâche, la mâchoire serrée. Adam, est-ce que ce triangle désigne une base ?

— Une station de recherche. Les fichiers montrent qu'il y a eu des expériences en génétique, là-bas. Ce n'est pas le genre d'endroit où on garderait des prisonniers, en temps normal. Surtout pas des Gardanes.

— Et puis, pourquoi faire des prisonniers, à ce stade ? s'interroge Sam. Je veux dire, je comprends que Setrákus Ra ait des projets tordus pour Ella. Mais les autres…

— Ils ne sont pas prisonniers. » Dans mon excitation, je donne un petit coup dans l'épaule de Sam. « Ils mijotent quelque chose. Ils sont en mode attaque.

— J'essaie d'obtenir un visuel de la base, explique Adam, dont les doigts filent sur le clavier.

— Comment tu vas faire ça ? »

Je m'assieds dans le fauteuil pivotant près du sien et le regarde taper à toute vitesse. J'ignore ce qu'il est en train de faire, mais, visiblement, il est expert en la matière.

« J'ai verrouillé une navette éclaireur pour qu'ils ne puissent pas la faire repartir. C'était la partie facile. Localiser précisément son système de surveillance interne tout en maintenant l'appareil hors d'état se révèle un peu plus complexe. »

Sam se penche au-dessus de l'épaule d'Adam.

« Tu veux dire que tu es en train de pirater un de leurs vaisseaux ? »

En face d'Adam, l'écran crépite.

« En quoi ça peut nous aider ?

— Cette salle de contrôle est un centre névralgique, John, explique Adam en levant la main du clavier pour englober la pièce d'un geste. Les renseignements concernant toutes les autres bases sont centralisés ici. La seule difficulté, c'est d'y accéder.

— Y accéder comment ?

— Le fait de traquer les Lorics pendant si longtemps a rendu mon peuple paranoïaque, leur terreur étant de rater une piste potentielle. Toutes les opérations sont enregistrées. La surveillance est partout. » Adam appuie sur une touche d'un geste triomphant. « Même à bord de nos propres vaisseaux. »

Les moniteurs au-dessus de nous clignotent brièvement, puis apparaît l'image mal définie d'une piste au milieu d'un marécage.

« Si les Gardanes sont dans le coin, on devrait pouvoir les voir, explique Adam.

— À condition qu'ils ne soient pas invisibles », j'objecte en fixant le moniteur et en plissant les paupières.

Devant la caméra, une poignée de Mogadoriens à l'air frustré retirent des pièces du moteur de la navette. Ils les nettoient, les remettent en place puis, lorsque rien ne se passe, se mettent à en extraire d'autres.

« Qu'est-ce qu'ils font ? s'interroge Sam.

— Ils essaient de réparer ce que j'ai fait, répond Adam, tout excité, visiblement ravi de les avoir bien piégés. Ils supposent que c'est une avarie du moteur, et pas du système automatisé. Il va leur falloir un moment pour piger. »

Un autre Mogadorien, vêtu quant à lui d'un uniforme impressionnant semblable à celui du général, s'approche d'eux. Il hurle quelque chose aux mécaniciens, puis sort du champ d'un air vexé.

« Est-ce que la caméra est mobile ? je demande.

— Bien sûr. »

Adam appuie sur un bouton et la caméra fait le point sur le côté, suivant l'officier mogadorien. Au début, on ne voit pas grand-chose d'autre que la chaussée et, au loin, encore des marais. Mais après une petite marche, le Mogadorien disparaît dans un hangar à avions.

« Tu penses qu'ils sont là-dedans ? je souffle.

— Cette caméra devrait être équipée de vision à infrarouges, il faut juste que je trouve comment l'activer. » Il tape sur quelques touches d'un air incertain.

C'est alors que Cinq apparaît, franchissant les portes du hangar. J'avais beau avoir deviné que c'était un traître depuis la vision d'Ella, je gardais l'espoir un peu idiot que ce n'était pas vrai. Ou bien, si glauque que ça puisse paraître, que ce soit lui qui se soit fait tuer au combat. Mais le voici, dans un uniforme mogadorien tout fripé, l'œil droit recouvert d'un pansement. J'entends Sam pousser une exclamation : il est abasourdi. La seule chose que je n'avais pas dite, au sujet de cette vision, c'est que Cinq y était – je ne voulais pas salir son nom, au cas où je me serais trompé.

« Il est… » Sam secoue la tête. « Ce salopard est un traître. C'est lui qui a dû donner aux Mogs notre planque de Chicago.

— Un des nôtres, murmure Adam. Voilà qui est inattendu. »

Je détourne le regard de l'image avant de perdre mon sang-froid. « Tu n'étais pas au courant ? » Je me tourne vers Adam, la mâchoire crispée.

« Non. » Il secoue la tête. « Je vous l'aurais dit. Setrákus Ra lui-même a dû garder cette carte secrète. »

Je me force à regarder de nouveau l'écran. Avec calme, j'examine mon nouvel ennemi : ses épaules voûtées, sa tête fraîchement rasée, le regard noir dans son unique œil. Qu'est-ce qui a bien pu pousser l'un des nôtres à tomber si bas ?

« Je savais bien qu'il y avait quelque chose qui clochait, chez ce con, lâche Sam en faisant les cent pas. John, mon vieux, qu'est-ce qu'on va faire de lui ? »

Je ne réponds rien, en partie parce que la seule solution à laquelle je pense, en voyant Cinq dans son uniforme ennemi, c'est de le tuer. « Où il va ? Suis-le », j'ordonne à Adam.

Il s'exécute. La caméra suit Cinq. Il traverse la piste puis atteint une rampe d'embarquement, qui mène au vaisseau le plus énorme que j'aie vu de ma vie, tellement gigantesque qu'il ne tient pas dans le cadre.

« Bon sang. » J'écarquille les yeux. « Mais qu'est-ce que c'est que cette chose ?

— Un vaisseau amiral, dit Adam, avec une pointe d'admiration mêlée d'effroi, tandis qu'il se penche vers l'écran pour examiner l'engin de plus près. Je n'arrive pas à voir lequel.

— *Lequel* ? s'exclame Sam. Combien ils en ont, au juste ?

— Des dizaines, je dirais ? Je ne peux pas te dire précisément. Ils marchent au vieux carburant de Mogadore, et à ce que mon peuple a réussi à récolter sur Lorien. Ce n'est pas ce qu'il y a de plus efficace. Et c'est lent, comme vaisseau. Enfant, quand je m'attirais des ennuis, ma mère me menaçait de m'interdire de voler jusqu'au retour de la flotte… » Se rendant compte qu'il s'égare, il se reprend et lève les yeux vers nous. « Mais vous vous en fichez, pas vrai ?

— Ce n'est peut-être pas le meilleur moment pour la nostalgie, je réponds en regardant Cinq monter à bord du vaisseau. Mais que peux-tu nous dire d'autre, au sujet de la flotte ?

— Elle est en mission depuis la chute de Lorien, poursuit Adam. Les stratèges mog estiment qu'il leur reste assez de puissance de feu pour un ultime siège.

— La Terre, je complète.

— Ouais. Ensuite mon peuple s'installera ici. Et reconstruira peut-être la flotte, si Setrákus Ra trouve une raison de le faire.

— Tu veux dire : s'il reste dans l'univers une forme de vie qu'il puisse conquérir », je clarifie.

Sam secoue la tête, toujours abasourdi par la taille du vaisseau. « Mais ils ont une faiblesse cachée, pas vrai ? Du genre : on tire sur le noyau de l'Étoile de la Mort et tout ce truc explose ? »

Adam fronce les sourcils. « C'est quoi, une Étoile de la Mort ? »

Sam écarte les mains d'un air impuissant. « On est fichus.

— S'ils ont été faits prisonniers et se trouvent à bord de cette chose… »

Je ne termine pas ma phrase, car honnêtement je ne sais pas bien quelle stratégie adopter. Prendre une base mogadorienne à moitié déserte est une chose. Trouver un moyen d'embarquer sur un vaisseau amiral géant en est une autre.

Surtout quand le vaisseau en question s'élève lentement dans le ciel. Peut-être que Sam a raison, et qu'on est fichus.

En silence, nous regardons tous les trois l'engin monter. Avant qu'il ait complètement disparu, la carapace se met à trembloter et le vaisseau disparaît. Pas totalement – on perçoit encore vaguement sa silhouette, et tout autour la lumière miroite étrangement, créant une distorsion comme quand on regarde un objet immergé sous l'eau.

« Le camouflage, explique Adam. Tous nos vaisseaux de guerre l'ont.

— Hé, regardez un peu la tablette, lance Sam. Tout n'est peut-être pas perdu, après tout. »

Alors que le vaisseau invisible prend de la hauteur, l'un des points sur la tablette s'éloigne lentement des autres. Celui de Cinq. Au bout de quelques secondes, il se met à clignoter en tous sens à travers l'écran. Nous nous retrouvons avec deux indicateurs de Gardanes qui bondissent fébrilement aux quatre coins de la carte.

« Exactement comme Ella, commente Sam en fronçant les sourcils.

— Le vaisseau retourne probablement en orbite, suggère Adam. Ce qui signifie…

— Qu'Ella est déjà à bord d'un de ces engins, je complète. Ils l'ont emmenée au cœur de la flotte.

— Et comment on va pouvoir aller là-haut ? s'inquiète Sam.

— On n'aura pas à le faire, rétorque Adam. C'est la flotte qui viendra à nous.

— Ah oui, c'est vrai, grommelle Sam. L'invasion mondiale. Donc le plan, c'est juste d'attendre que ça arrive ? »

Je pose le bout du doigt sur la tablette et passe en revue les trois points en Floride. « Le plan, c'est de rejoindre les autres. Ils sont toujours là-bas. Tout ce qu'on a à faire… » Je m'interromps en posant les yeux sur l'écran de l'ordinateur. La piste se met à tanguer.

« Je croyais que tu avais immobilisé la navette. Pourquoi on bouge ? »

Adam recommence à taper frénétiquement sur le clavier, et la caméra pointe vers le bas. De cet angle, nous voyons les techniciens mogadoriens pousser manuellement l'engin vers le hangar en grimaçant.

« J'imagine qu'ils ont abandonné l'idée de la faire démarrer », conclut Sam.

L'un des Mogs court devant pour faire coulisser les portes métalliques et là, au beau milieu du hangar, se trouvent Neuf, Marina et Six. Sam laisse échapper un cri d'excitation qu'il étouffe presque aussitôt – le calcul est vite fait, ils sont trois au lieu de quatre, et Neuf porte dans les bras ce qui est à l'évidence une housse mortuaire.

« Huit, murmure Sam en déglutissant bruyamment. Merde. »

Je me tourne vers Adam. Je ne suis pas encore prêt pour le deuil.

« Cette navette que tu as piratée, elle est armée ? »

CHAPITRE 14

Après un tir de barrage assourdissant dans le hangar, un silence lugubre retombe autour du vaisseau éclaireur. Marina et moi sommes accroupies l'une à côté de l'autre, recroquevillées derrière la table renversée. Nous échangeons un regard – notre bouclier n'a pas essuyé un seul impact. Pour tout dire, il semblerait que la tourelle de tir nous ait ratées de très loin.

« Bien visé, tas de merde ! » hurle Neuf. Il est aplati par terre à côté de la table, couvrant le corps de Huit du sien.

Je passe la tête par-dessus le panneau. Entre nous et la navette sont éparpillés une dizaine de tas de cendres, feu les mécaniciens mog. Le canon du vaisseau fume toujours mais est parfaitement immobile, et visiblement pas du tout intéressé par nous. Je me lève avec précaution. Marina se joint à moi.

« Mais qu'est-ce qui se passe, ici, bon sang ? je demande.

— Qu'est-ce que ça peut faire ? répond Neuf en soulevant le corps de Huit. Dégageons d'ici.

— Peut-être un dysfonctionnement ? » suggère Marina en s'approchant de la navette qui bloque toujours le passage. Nous nous dispersons, en prenant bien soin de ne pas croiser la ligne de mire du canon.

« S'il ne descend que les Mogs, c'est bien pratique, comme dysfonctionnement. »

Nous sursautons lorsque le cockpit s'ouvre dans un chuintement hydraulique. Un micro se met à grésiller à l'intérieur, et soudain, une voix familière retentit.

« Les amis ? Vous m'entendez ?

— John ! » je m'exclame, n'en croyant pas mes oreilles.

La dernière fois que je l'ai vu, il était dans le coma, de même qu'Ella. Je me précipite vers le vaisseau et saute sur la carlingue. Je me penche au-dessus du cockpit ouvert pour mieux l'entendre.

« C'est bien moi, Six, dit John. C'est bon de te revoir.

— Tu me vois ? » Et soudain je remarque la petite caméra dans l'habitacle. Elle s'agite, un peu comme pour dire bonjour.

« Eh, vieux, qu'est-ce qui s'est passé ? » Neuf scrute le cockpit d'un air sceptique. « Est-ce que ton cerveau est, euh, prisonnier d'un vaisseau mogadorien ?

— Quoi ? Non ! T'es bête ou quoi ? répond John, et j'imagine très bien cet air à la fois amusé et agacé qu'il a. On a pris une base mogadorienne et on s'est servis de leur technologie pour pirater cette navette.

— Sympa », commente Neuf, comme si cette réponse suffisait.

D'un bond souple et sans lâcher Huit, il saute dans l'habitacle pour atterrir près de moi. Notre côté de l'engin penche sous le poids avant de se rétablir, et le train d'atterrissage gémit. Neuf balance un coup de pied dans la carlingue, histoire de la tester. « Alors, c'est notre caisse ? »

En réponse, le moteur du vaisseau se met à vibrer sous nos pieds. Je passe le cockpit en revue – six sièges en plastique moulé, un tableau de bord clignotant recouvert de symboles mogadoriens, et des commandes qui ressemblent à celles qu'on trouverait dans un avion. Même si je n'en ai jamais piloté de ma vie, encore moins fabriqué par les Mogs.

« On a vu ce qui est arrivé à Chicago, intervient Marina en grimpant à son tour sur la carlingue. Tout le monde va bien ?

— Ouais, répond John hâtivement, avant d'ajouter : Ils ont emmené Ella, mais je ne crois pas qu'elle soit en danger, pour l'instant. »

Marina hausse les sourcils d'un air inquiet, et je sens le froid émaner de nouveau d'elle. « Comment ça, ils l'ont *emmenée* ?

— Je vous expliquerai tout une fois que vous serez en l'air. Pour l'instant, on doit vous sortir de là.

— Ça me va, conclut Neuf en allant poser délicatement le corps de Huit en travers de deux sièges.

— Euh, John, on a un problème, je fais remarquer en suivant Huit dans le vaisseau sentant l'antiseptique. Comment on est censés faire voler ce truc ? »

Il y a une pause à l'autre bout de la ligne, puis c'est une autre voix qui répond, avec un accent saccadé qui me met immédiatement sur mes gardes.

« Je peux vous guider d'ici, mais j'ai peur qu'en piratant l'ordinateur du vaisseau j'aie endommagé les protocoles de navigation automatique. Ce sera plus sûr si c'est vous qui pilotez, en vous conformant à mes instructions », explique le Mogadorien. Puis il ajoute, comme s'il se rendait brusquement compte de ce que la situation peut avoir de flippant pour nous : « Salut. Je suis Adam.

— Le type dont Malcolm nous a parlé, je complète, me remémorant ce dîner.

— Ne t'inquiète pas, Six, intervient Sam à l'autre bout, et je ne peux m'empêcher de sourire en entendant sa voix, il est dans notre camp.

— Oh, dans ce cas, eh bien, volons », commente Neuf d'un ton sarcastique, tout en s'installant dans un des sièges durs.

Je prends la place de pilote. Marina hésite une seconde en scrutant d'un air suspicieux la console d'où est sortie cette voix mog.

« Comment pouvez-vous être sûrs que c'est bien John ? demande-t-elle. Setrákus Ra est capable de changer de forme. C'est peut-être un piège. »

Dans mon excitation d'entendre John et Sam, je n'ai même pas considéré la possibilité que ce soit un leurre. Derrière moi, Neuf crie quelque chose en direction du micro.

« Eh, Johnny, tu te rappelles, à Chicago ? Quand tu prétendais être Pittacus Lore et qu'on a débattu sur le fait d'aller ou pas au Nouveau-Mexique ?

— Ouais. » À sa voix, on dirait que John serre les dents.

« Comment on a réglé ça ? »

John pousse un soupir.

« Tu m'as suspendu au-dessus du vide. Sur le toit. »

Ravi de son effet, Neuf sourit de toutes ses dents. « C'est bien lui, pas de doutes.

— Marina, l'interrompt John, considérant sans doute que le test n'est pas suffisant. La première fois qu'on s'est rencontrés, tu as soigné deux blessures par balle que j'avais reçues à la cheville. Et on a bien failli se prendre un missile. »

Un sourire se dessine sur les lèvres de Marina, le premier depuis des jours.

« Je trouvais que tu étais vraiment le gars le plus cool que j'aie jamais rencontré, John Smith. »

Neuf lâche un rire ironique et secoue la tête. Marina monte à bord. Elle choisit un siège près du corps de Huit et pose une main protectrice sur la housse mortuaire.

« Attention à vos têtes », prévient Adam tandis que le cockpit se referme dans un sifflement. J'ai un moment de panique à l'idée de me retrouver enfermée dans un vaisseau mogadorien, mais je me ressaisis et attrape les manettes devant moi d'une main ferme. Les vitres du cockpit sont teintées et il fait sombre, à l'intérieur. Des données en mogadorien se projettent directement sur le verre, et seul un pilote mog pourrait en tirer quoi que ce soit.

« Très bien. Je fais quoi, maintenant ?

— Attends, intervient Neuf en se penchant en avant. Pourquoi c'est toi qui conduis, déjà ? »

La voix d'Adam résonne clairement, empreinte de patience mais aussi d'une pointe d'autorité.

« Tourne le volant en face de toi. Ça fera pivoter le vaisseau. »

Je suis ses instructions. Le volant répond aussitôt et la partie inférieure du vaisseau pivote à 180 ° sans que les roues bougent. J'attends que nous soyons pointés en direction des portes pour lâcher les commandes.

« Bien, commente Adam. Maintenant, la manette à ta gauche actionne les roues. »

Je l'attrape et la pousse en avant de quelques centimètres. Presque instantanément, le vaisseau bondit. Les commandes sont sensibles et il suffit d'une petite pression pour que nous roulions lentement vers la sortie.

« Mets les gaz, Six, bon sang, se plaint Neuf. Pilote-le comme si on l'avait volé.

— Ne l'écoute pas, conseille Marina en serrant les bras autour d'elle.

— Si vous êtes sortis du hangar, tu peux t'arrêter », reprend Adam.

En levant les yeux, je ne vois que du ciel à travers la vitre du cockpit, et je lâche la manette. Le vaisseau s'immobilise dans un grincement.

« OK. Maintenant, saisis le volant face à toi à trois et neuf heures. Tu sens les amorces ? »

Je m'exécute et cherche les deux boutons situés en dessous. « Ça y est », je réponds en essayant celui de gauche. Aussitôt, la vibration du moteur va crescendo et le vaisseau s'élève en vrombissant.

« Oh, merde ! » s'écrie Neuf.

Près de moi, Marina s'étreint un peu plus fort et ferme les yeux. « Fais attention, Six », murmure-t-elle.

Je relâche le bouton et l'engin maintient sans difficulté son altitude. Nous flottons à une vingtaine de mètres du sol.

« Tu n'étais pas censée faire ça, me réprimande Adam.

— Euh, ouais, désolée. C'est la première fois que je pilote un vaisseau spatial.

— Pas grave. L'amorce de gauche augmente l'altitude. Celle de droite la diminue.

— À gauche ça monte, à droite ça descend. Pigé.

— Ah, j'oubliais, ajoute Adam. Vous vous trouvez dans ce qu'on appelle chez moi un Patrouilleur. Cet engin n'a pas été conçu pour les trajets interplanétaires, donc ce n'est pas à proprement parler un vaisseau *spatial.* »

Neuf laisse échapper un ronflement sonore. « Est-ce que ce gars va nous faire une conférence sur l'aviation mogadorienne ? Sérieux ?

— Tu sais que je t'entends, pas vrai ? répond Adam dans le micro. Et : non, pas de conférence.

— Désolée, Neuf est comme ça, j'interviens en lançant un regard noir à l'intéressé par-dessus mon épaule. Est-ce qu'il y a des sièges éjectables, dans ce truc ?

— Eh bien, pour tout te dire, oui, acquiesce Adam.

— Ouh là, riposte Neuf en se penchant en avant comme pour se lever. Ne pose pas des questions de ce genre, Six. »

Je fais taire Neuf en entendant des coups métalliques résonner sous nos pieds.

« Qu'est-ce que c'est ?

— Ne t'inquiète pas, me rassure Adam. Je viens juste de rentrer le train d'atterrissage. »

Le bruit s'arrête et, sur le volant, deux petits panneaux coulissent sur le côté, révélant des boutons positionnés de telle manière qu'on puisse les actionner en même temps que la commande de l'altitude.

« Tu devrais voir des touches apparaître, poursuit Adam. Il suffit d'appuyer dessus pour accélérer. Tu les relâches simplement pour freiner. »

J'agrippe le volant avec plus de précautions que la première fois et appuie doucement sur les boutons, en prenant garde de ne pas toucher les amorces sous le volant. Le Patrouilleur bondit vers l'avant, puis s'immobilise brutalement quand je relâche la pression.

« C'est comme un jeu vidéo, fait remarquer Neuf en se penchant au-dessus de mon épaule. N'importe quel demeuré pourrait faire voler ce machin. Sans vouloir te vexer, le Mog.

— Pas de problème. »

Je mets un peu plus de force sur l'accélérateur et le vaisseau fonce droit devant. Sur l'écran, un avertissement dans une langue inconnue se met à clignoter juste avant que j'érafle le bas du Patrouilleur sur le sommet d'un arbre. J'entends des branches se briser et, en tendant le cou, je les vois tomber au sol.

« Oups. » Je lance un regard de côté à Marina.

« Six, je te jure, dit-elle, une pointe de panique dans la voix.

— Il faut que tu prennes un peu d'altitude, conseille Adam. Et, euh, que tu envisages de te servir du volant. »

Neuf éclate de rire et se recule dans son siège. Je tire sur l'amorce qui contrôle la verticalité, et nous remontons. Bientôt, nous émergeons de la végétation dense du marécage et l'horizon devient visible. Une ligne laser en pointillé apparaît en surimpression sur la vitre du cockpit, comme un chemin.

« J'ai enregistré votre itinéraire, explique Adam. Tu n'as qu'à suivre la ligne. »

Je hoche la tête et mets les gaz, direction le nord.

« Très bien, les gars, j'annonce. On arrive. »

Depuis la Floride, il nous faut environ deux heures pour rejoindre Washington. Sur les instructions d'Adam, je veille à voler bas – pas question de se faire repérer par des satellites ou de croiser accidentellement des avions –, mais suffisamment haut tout de même pour éviter que tout le littoral Est se mette à voir des OVNI en plein jour. Néanmoins, vu l'imminence de l'invasion totale par les Mogadoriens, peut-être qu'il serait plus judicieux au contraire de montrer notre vaisseau volé, de lancer des fusées d'alerte – bref, de prévenir la population.

La joie d'entendre John et Sam et d'apprendre que nos amis sont bien vivants est de courte durée, et bientôt la conversation se fait plus sombre. Toujours au micro, ils nous expliquent ce qui s'est passé au John Hancock Center, puis John nous raconte ce qu'il a vu dans le cauchemar partagé avec Ella, et la raison pour laquelle il ne croit pas que Setrákus Ra veuille lui faire du mal. Il a même élaboré une théorie selon laquelle Ella et Setrákus Ra auraient un lien de parenté, et le chef suprême mogadorien serait en fait un Loric passé à l'ennemi, le dixième Ancien banni par ses pairs, celui dont parlait Crayton dans sa lettre. Je ne me sens pas prête à assimiler tout ça d'un coup.

Une fois que John a terminé son histoire, c'est notre tour de le mettre au courant de nos déboires en Floride. Même à distance, j'entends bien qu'il essaie de ne pas trop nous mettre sous pression. J'imagine ce qu'il a dû vivre, avec cette nouvelle cicatrice à la cheville, à se demander lequel d'entre nous ne reviendrait pas – et bien que ce soit douloureux d'en parler, il mérite de savoir ce qui est arrivé à Huit. Mais comme ni Marina ni Neuf ne se montrent très bavards, c'est à moi qu'il revient de raconter que Cinq nous a trahis, qu'il a tué Huit – par accident, certes, mais tout de même parce qu'il essayait de tuer Neuf. J'étais inconsciente pendant la majeure partie du combat, c'est pourquoi je veille à rester sobre dans mon récit, à m'en tenir aux faits sans rien enjoliver. Je décris ensuite le sauvetage de la dépouille de Huit, et aussi comment Cinq a éliminé son copain mog. Puis le silence retombe et une ambiance sinistre s'installe dans le vaisseau. Nous progressons sans un mot jusqu'aux abords de Washington.

Je pose la navette au centre d'un terrain de basket. Nous nous trouvons dans une propriété résidentielle super chic, et le décor donne franchement la chair de poule – il n'y a pas un chat en vue, pas une fenêtre éclairée. Le cockpit s'ouvre tout seul et Marina se lève en me lançant un regard soulagé. Doucement, Neuf soulève le corps de Huit et descend du vaisseau. Marina ne le quitte pas d'une semelle, la main posée sur son coude pour s'assurer que Huit ne soit pas trop secoué. J'ai encore du mal à admettre que notre ami soit enfermé dans cette housse, et je culpabilise de le bouger sans arrêt. Marina doit ressentir la même chose, car je l'entends murmurer à l'oreille de Huit. « Tu seras bientôt arrivé. »

Nous sautons toutes les deux hors du vaisseau, avant de nous tourner vers Neuf pour l'aider à sortir le corps de Huit. Mais notre ami reste immobile, à scruter l'obscurité autour de nous.

« Waouh. Il y a toutes sortes de créatures qui nous observent.

— Des créatures ? »

Je lève les yeux vers lui. Il a une expression vide – je veux dire, plus vide que d'habitude –, comme quand il se sert de la télépathie animale.

« Oh, j'ai oublié de vous dire qu'on s'est trouvé de nouveaux amis ! »

C'est John. Il sort d'une maison qui a l'air à moitié effondrée – un peu comme si la terre avait essayé de l'avaler et s'était arrêtée en cours de route – et se dirige vers nous au pas de course. Sam le suit de près et me fixe avec un énorme sourire. Puis il remarque que je l'ai vu, et il met la béatitude en sourdine, histoire d'avoir l'air un peu moins... passionné. Derrière eux, poussant un lit à roulettes, j'aperçois Malcolm, et un grand type maigre et très pâle qui doit être Adam. Avec ses cheveux noirs qui lui tombent sur la figure, il est à mi-chemin entre le Mog et le chanteur punk hardcore.

« Toutes ces Chimæra, s'émerveille Neuf en scrutant la pénombre. C'est génial.

— On a donné ton nom à l'une d'entre elles, répond Sam. Potelée, et feignante.

— Moins génial. »

John nous rejoint et serre Marina fort contre lui. Il a beau faire sombre, je vois les cernes que des journées entières d'inquiétude lui ont creusés sous les yeux. Je me le remémore la première fois que je l'ai rencontré, dans son école, quand il n'était qu'un gosse à l'air effaré qui se battait pour la première fois contre les Mogadoriens, et je me demande si John se sent à nouveau dans cet état, avec l'impression d'être seul au monde. On devrait tous se montrer soulagés d'être réunis, mais l'un de nous manque à l'appel, et je connais assez John pour savoir qu'il se reproche cette perte depuis des jours.

« Tu as réussi ! » me lance-t-il après avoir lâché Marina. Il me prend ensuite dans ses bras et me parle à voix basse. « Je ne sais pas ce que j'aurais fait si...

— Tu n'as pas à dire quoi que ce soit, je réponds en l'étreignant à mon tour. On est là, maintenant. On va se battre. Et on va gagner. »

John recule d'un pas et une expression de soulagement passe fugitivement sur son visage, comme s'il avait besoin que quelqu'un lui remonte le moral. Il m'adresse un signe de tête puis se dirige vers le vaisseau, où il prend le corps de Huit dans ses bras afin que Neuf puisse sauter à terre. Tout le monde fait silence tandis que Malcolm pousse le brancard jusqu'à John pour qu'il y dépose le cadavre.

« Les Mogs ont mis quelque chose sur lui, dit Marina en bondissant presque vers le lit. Un champ électrique. »

Adam s'avance d'un pas à son tour et se racle la gorge. « Avec des électrodes ? Sur le cœur ? Et les tempes ?

— Oui, répond Marina sans le regarder, les yeux rivés sur la masse allongée.

— Les Mogs se servent de ça pour, euh... » Adam marque une pause, avant d'ajouter, d'un air maladroit : « Pour garder les spécimens frais. Ça n'abîmera pas la dépouille, ça la préservera.

— Les spécimens, répète Neuf d'un ton sec.

— Je suis désolé pour votre ami, assure Adam en se passant la main dans les cheveux. Je me disais juste qu'il fallait que vous sachiez...

— Tu as bien fait. Merci, Adam », le rassure John. Il pose la main sur l'épaule de Marina. « Viens. Emmenons-le à l'intérieur.

— Qu'est-ce que... » Marina s'étrangle et doit inspirer à fond. « Qu'est-ce que vous allez faire de lui ?

— Nous avons préparé une pièce au calme, répond Malcolm d'une voix douce. Je ne sais pas quelles sont les coutumes des Lorics pour les obsèques... »

Je me tourne d'abord vers John, qui visiblement réfléchit intensément à une réponse, puis vers Neuf, complètement déconcerté.

« On ne sait pas non plus, j'interviens. C'était quand, la dernière fois qu'on a eu l'occasion d'honorer un de nos morts comme il se doit ?

— En tout cas, on ne peut pas l'enterrer ici, fait remarquer Marina. C'est un lieu mog. »

Malcolm acquiesce et lui effleure l'épaule. « Tu veux bien m'aider à l'emmener à l'intérieur ? »

Marina hoche la tête. Ensemble, Malcolm et elle poussent le lit vers la maison à demi écroulée. Adam les suit à distance respectueuse, les mains dans le dos, se sentant visiblement mal à l'aise. C'est Neuf qui finit par faire retomber la tension, en donnant une grande claque dans le dos de John.

« Est-ce que j'ai mal compris, ou bien tu as envoyé ta petite amie en mission super sexy avec son ex ?

— On est en guerre, je te rappelle, Neuf. Ce n'est pas une blague », répond John d'un air sévère. Après un silence gêné, il sourit malgré lui. « Et puis, ferme-la. Cette mission n'a rien de "super sexy". Ça veut dire quoi, d'ailleurs ?

— Waouh, heureusement que je suis rentré pour te donner quelques conseils, réplique Neuf en lui passant le bras autour des épaules et en l'emmenant en direction de la maison. Viens, je vais t'expliquer ce que signifie "sexy".

— Je sais ce que ça... Pourquoi je discute de ça avec toi, tu peux me dire ? » John repousse Neuf d'un air agacé, mais Neuf s'accroche à son cou. « Lâche-moi, imbécile.

— Allez, quoi, Johnny, tu as besoin de mon affection, surtout maintenant. »

Je lève les yeux au ciel et les regarde se diriger vers la maison, savourant leur instant de complicité fraternelle.

Je reste donc seule avec Sam, qui se tient à quelques mètres, à me dévisager d'un regard intense. Je vois bien qu'il cherche quoi dire, ou plutôt le courage de le dire. Il a dû répéter ce moment pendant des heures, ressasser son discours fabuleux pour une fille qu'il n'était même pas sûr de revoir.

« Salut, finit-il par dire.

— Salut aussi. » Et sans le laisser prononcer un mot de plus, je lui saute au cou et l'embrasse de toutes mes forces, lui coupant sans doute le souffle. Il a d'abord l'air abasourdi, mais très vite il me rend mon baiser, en essayant d'y mettre autant d'ardeur. Je l'attrape par la chemise et l'attire vers moi, si bien que nous nous retrouvons plaqués contre le Patrouilleur – pas franchement le décor le plus romantique du monde, mais je fais avec. Je lui saisis les mains pour les poser sur mes hanches, puis lui prends le visage et glisse mes doigts dans ses cheveux, et toute l'énergie du désespoir enfermée en moi se déverse dans ce baiser.

Au bout de quelques dizaines de secondes, Sam se recule, hors d'haleine. « Six, ouah, qu'est-ce qui se passe ? »

Je ne m'attendais pas à ça. Il a l'air ému et fébrile, certes, mais aussi surpris et inquiet. Au point que je détourne le regard. Je choisis de dire la vérité.

« C'est juste que j'en avais vraiment envie. Je ne savais pas si j'aurais une autre chance de le faire. »

Je pose la tête dans le cou de Sam et sens son pouls contre ma joue. Depuis des jours, je fais de mon mieux pour sauver la face, pour tenir bon devant Marina et Neuf qui sont sur le point de s'écrouler. Et là, du moins tant que nous sommes tous les deux dans le noir, je peux enfin me laisser aller un peu. Sam me tient par la taille et je me serre contre lui, je me repose sur sa force et inspire profondément dans son cou.

« Tout peut se terminer tellement vite… je murmure en reculant légèrement la tête pour que nos regards se croisent. Et je ne voudrais pas avoir raté cette occasion-ci, tu comprends ? Je m'en fiche, si ça complique les choses.

— Moi aussi, répond Sam. Évidemment. »

Nous nous embrassons de nouveau, plus doucement cette fois, et les mains de Sam caressent lentement mes hanches. Lorsque le loup se met à hurler – un cri sonore, tout près –, mon premier instinct est de penser que c'est Neuf qui nous espionne depuis la maison en faisant des bruitages stupides. Mais c'est alors qu'un deuxième puis un troisième animal se joignent au premier et je dévisage Sam d'un air interrogateur.

« Qu'est-ce que c'est que ça, bon sang ? Des loups en banlieue ?

— Je ne sais pas… » Soudain, ses yeux s'écarquillent. « Les Chimæra. Elles veulent nous mettre en garde. »

Une seconde plus tard, j'entends le *flap-flap-flap* d'au moins trois hélicoptères en train de descendre sur nous. En plissant les paupières, je vois leurs silhouettes à l'approche dans le ciel nocturne. Puis ce sont les gyrophares bleus en provenance de la seule route d'accès à la propriété et, au milieu de toute cette agitation, une caravane de SUV noirs, fonçant droit dans notre direction.

CHAPITRE 15

Au son des crissements de pneus et des rotors d'hélicoptères, Neuf et moi bondissons à l'extérieur, enjambons le porche écroulé et atterrissons sur la pelouse. Nous arrivons juste à temps pour voir la foudre frapper deux fois, grâce aux talents de Six. C'est un tir de sommation : l'éclair fait sauter un gros morceau d'asphalte pile devant un des véhicules qui foncent sur la route d'accès, lui faisant faire une embardée.

« Qu'est-ce que c'est que ça ? gronde Neuf. Je croyais qu'on s'était débarrassés des fédéraux.

— Adam disait qu'ils étaient censés ne pas s'approcher de la propriété. Ils ont conclu un marché avec les Mogs.

— J'imagine qu'en les descendant tous, vous avez mis fin au contrat, non ? »

Au-dessus de nos têtes, trois hélicos volent en cercle comme des vautours. Ils échangent vraisemblablement un signal quelconque, car brusquement les trois projecteurs pivotent à l'unisson. L'un d'eux se fixe sur Neuf et moi, un autre sur l'entrée de la maison derrière nous, et le troisième sur Six et Sam. Dans la lumière aveuglante, je vois ce dernier, sans arme, bondir dans le Patrouilleur pour se mettre à l'abri. Les mains tendues vers le ciel, Six est en train d'invoquer les puissances de la météo pour qu'elles se déchaînent contre nos hôtes indésirables, et se rend invisible sans laisser au projecteur le temps de se verrouiller sur elle.

Pendant ce temps, visiblement peu impressionné par l'éclair de Six, un défilé de SUV noirs déboule par la bretelle d'accès, leurs pare-brise illuminés par les gyrophares. Ils s'arrêtent les uns auprès des autres en formation serrée, créant ainsi une barricade de verre blindé et de carrosserie étincelante. Les portières s'ouvrent à la volée et un groupe d'agents en coupe-vent bleu marine identiques sautent hors des véhicules. Certains hurlent dans des talkies-walkies, d'autres nous tiennent déjà en joue, accroupis derrière les portières. En moins d'une minute, nous sommes acculés.

« Et ils croient vraiment qu'ils vont nous arrêter avec ça ? » Neuf s'approche d'un pas, comme pour provoquer les agents armés.

« J'ignore ce qu'ils croient, mais ce qui est sûr, c'est qu'ils ne sont pas au courant qu'on a des Chimæra. »

Je les sens qui rampent dans l'ombre, à proximité de la route. Ces types du gouvernement sont persuadés de nous avoir cernés, mais les yeux que je vois briller dans le noir promettent une autre issue à cette situation. Les Chimæra restent en position, attendant un signal.

J'entends un craquement derrière moi. Je tourne la tête et aperçois Marina sous le porche, des pics de glace jaillissant de ses paumes comme des dagues jumelles. Voilà qui est nouveau. Près d'elle, se protégeant derrière la porte d'entrée, se tient Adam, armé d'un canon mogadorien.

« Qu'est-ce qu'on fait ? » demande Marina.

Je remarque de gros nuages gris qui s'amoncellent au-dessus de nous. En cas de besoin, Six est prête à passer à l'attaque. Mais jusqu'ici, à part beaucoup de bruit, les gars du gouvernement n'ont pas fait grand-chose. Ils n'ont pas ouvert le feu, et c'est la seule raison pour laquelle je n'ai pas activé mon Lumen.

« Je ne veux pas m'en prendre à eux si ce n'est pas nécessaire, j'annonce. Mais on n'a pas de temps à perdre à déconner. Et ce qui est sûr, c'est que je ne vais pas les laisser m'embarquer pour un interrogatoire. »

Visiblement, Neuf interprète mes paroles comme une invitation à passer à l'action. Il se dirige droit sur le siège du Dr Anou, qui a été fendu en deux pendant la bataille de cet après-midi. Ce truc doit peser pas loin de cent kilos, mais il le soulève du sol sans aucune difficulté, et il l'agite en l'air pour bien se faire comprendre.

« Vous vous trouvez actuellement sur une propriété privée ! hurle-t-il. Et je ne vous vois pas sortir de mandats ! »

Avant que j'aie pu réagir, Neuf lance l'engin en l'air, l'envoyant à quelques centimètres du nez d'un des hélicoptères. De là où je suis, il est évident qu'à aucun moment il ne met le pilote en danger, mais ce dernier ne doit pas avoir l'habitude qu'un extraterrestre lui balance un quintal de ferraille à la tête. Il tire la manette vers lui, l'hélico prend de l'altitude en se balançant, et le faisceau erratique de son projecteur balaie la pelouse. Dans un grand fracas, le siège retombe au milieu de la route.

« Ce n'était pas nécessaire, fait remarquer Adam depuis la porte.

— Eh, à chacun sa méthode », réplique Neuf.

Alors qu'il se penche pour ramasser un autre morceau de métal, j'entends les déclics révélateurs – derrière les portières des SUV, on arme les pistolets. De là où elle est, Six a dû les entendre elle aussi, car une nappe de brouillard se met brusquement à tourbillonner sur les pelouses d'Ashwood, faisant de nous des cibles beaucoup plus hasardeuses.

J'actionne le Lumen et m'avance pour me positionner entre Neuf et les véhicules. Je lève les mains afin que les agents voient bien qu'elles sont enveloppées par les flammes.

« J'ignore pourquoi vous êtes ici, je crie dans leur direction, mais vous faites une grossière erreur. C'est un combat que vous ne pouvez pas gagner. Ce que vous avez de mieux à faire, c'est rentrer dire à vos patrons que vous n'avez rien trouvé ici. »

Pour ponctuer ce discours, j'envoie un ordre télépathique aux Chimæra. Des hurlements résonnent aussitôt dans l'ombre pour encercler les voitures. Soudain pris de panique, certains des agents visent à l'aveuglette, et l'un des hélicos sillonne de son projecteur les champs entourant la route. Nous avons réussi à leur faire peur.

« Dernier avertissement ! » je braille, en faisant flotter une boule de feu de la taille d'un ballon de basket au-dessus de ma paume ouverte.

« Bon Dieu ! s'écrie une voix derrière la ligne de portières. Tout le monde baisse les armes ! »

Un par un, les agents s'exécutent. L'un d'eux se glisse entre deux véhicules et s'avance vers nous, les mains levées en signe de reddition. À travers le brouillard, je reconnais sa posture rigide et sa queue-de-cheval austère.

« Agent Walker ? C'est vous ? »

À côté de moi, Neuf éclate de rire. « C'est une blague. Vous allez *encore* essayer de nous arrêter ? »

Walker fait la grimace. Une fois qu'elle est plus près, je lui trouve les traits plus marqués que dans mon souvenir. Elle est pâle et une mèche grise alarmante traverse sa chevelure rousse. J'essaie de me rappeler si elle avait été grièvement blessée à la Base de Dulce. Est-ce qu'elle ne s'en est toujours pas remise ?

Alors qu'elle se trouve encore à quelques mètres, Six apparaît derrière elle et l'attrape par les cheveux.

« On ne bouge plus », lui gronde-t-elle à l'oreille.

Les yeux écarquillés, Walker s'immobilise. Six se penche pour prendre l'arme qu'elle porte à la hanche et la laisse tomber dans l'herbe.

« Désolée pour tout ce cirque, dit Walker, la tête maintenue en arrière par Six et la voix un peu étranglée. Mes agents ont repéré le vaisseau mogadorien, et nous avons pensé que vous étiez peut-être victimes d'une attaque. »

J'éteins le Lumen et dévisage Walker, la tête penchée sur le côté. « Attendez. Vous vous êtes précipités ici parce que vous avez cru que *nous* étions attaqués ?

— Je sais que vous n'avez aucune raison de me croire, répond-elle d'une voix rauque. Mais nous sommes ici pour vous aider. »

Neuf lâche un grognement sarcastique. Je fixe Walker d'un regard dur, attendant la chute, ou le signal secret indiquant à ses hommes d'ouvrir le feu.

« Je vous en prie, dit-elle, écoutez au moins ce que j'ai à dire. »

Je lâche un soupir et désigne la maison. « Amène-la à l'intérieur, j'ordonne à Six, avant de me tourner vers Neuf. Et si les autres tentent la moindre manœuvre suspecte…

— Oh, je sais quoi faire », conclut Neuf en faisant craquer ses jointures.

Six entraîne Walker en direction des marches du porche et elles franchissent la porte d'entrée. Je les suis quelques pas en arrière, laissant le reste de nos amis garder un œil sur cette petite armée d'agents du gouvernement.

« Est-ce que c'est un Mogadorien, que j'ai vu dehors ? demande Walker tandis que Six la pousse dans le salon. Vous avez réussi à en capturer un ?

— Il est notre allié, je rétorque. C'est *vous*, qui êtes notre prisonnière.

— Compris », répond Walker, et dans sa voix j'entends surtout de la fatigue.

Sans que Six ait à l'encourager, elle se laisse choir lourdement sur l'un des canapés. À la lumière électrique, je constate qu'il y a bien quelque chose qui ne va pas, chez elle. C'est peut-être dû à cette étrange mèche grise dans sa chevelure, mais Walker a l'air lessivée. Elle regarde avec curiosité l'entrée qui mène aux tunnels mogadoriens, mais ne semble pas particulièrement surprise ou intéressée.

« Ah, une invitée, commente Malcolm en apparaissant à la porte de la cuisine, sa carabine à l'épaule. Et elle a amené des tas d'amis. Est-ce que tout va bien ?

— Je ne sais pas encore », je réponds, de la tension dans la voix et bien décidé à ne pas baisser la garde.

Six fait le tour du canapé pour pouvoir se tenir hors de la vue de Walker.

« Hum, dit Malcolm. J'étais sur le point de faire du café. Quelqu'un d'autre en veut ? Je crois avoir aussi vu du thé, dans la cuisine. »

Un sourire tremblant se dessine sur les lèvres de Walker. « Vous comptez faire le numéro du bon flic et du mauvais flic ? » Elle dévisage Malcolm, puis moi. « C'est un de vos… comment vous les appelez ? Vos Cêpanes ? »

Six lève la main à l'intention de Malcolm.

« Je vais en prendre un, en fait. »

Je lui lance un regard agacé.

« Quoi ? Fais-moi confiance, je peux boire un café *et* descendre cette dame en même temps, en cas de besoin. »

Walker lance un regard par-dessus son épaule. « Je la crois, personnellement. »

Je vais me planter devant l'agent fédéral et claque des doigts sous son nez.

« OK, assez perdu de temps. Racontez-nous votre histoire.

— L'agent Purdy est mort, explique Walker en levant les yeux vers moi. D'une crise cardiaque, à la Base de Dulce.

— Oh, je me souviens de lui, intervient Six. Quel dommage. »

Je me rappelle moi aussi le partenaire de l'agent Walker – un vieux type, avec les cheveux blancs et le nez cassé. Je hausse les épaules. J'ai du mal à comprendre ce que sa mort a à voir avec nous.

« Mes condoléances, j'imagine. Et alors ?

— Ce type était un con, répond Walker. Ce n'est pas le fait qu'il ait passé l'arme à gauche, c'est ce qui s'est passé après. »

Walker me montre ses mains, puis les porte très lentement à la poche avant de son coupe-vent FBI. Elle en sort une enveloppe en kraft, roulée et entourée d'un élastique. Elle l'ouvre, passe la main dedans et en extrait une photo Polaroïd. Walker me la tend et je me retrouve à scruter un gros plan du cadavre de l'agent Purdy – ou de ce qu'il en reste. La moitié de son visage a fondu, désintégré en cendres sur le ciment.

« Je croyais que c'était une crise cardiaque, je fais remarquer.

— C'est le cas. Le truc, c'est que Purdy s'est mis à se dissoudre. Comme un Mogadorien. »

Je secoue la tête. « Qu'est-ce que ça signifie ? Pourquoi ?

— Il suivait des traitements. Des augmentations, comme les appellent les Mogs. La plupart des ProMog seniors reçoivent ces cures depuis des années. »

Le terme « ProMog » me rappelle quelque chose que j'ai lu dans *Ils sont parmi nous*, mais je ne sais pas quel lien ça peut avoir avec les augmentations dont Adam nous a parlé.

« Revenez en arrière, j'ordonne. Reprenez depuis le début. »

Walker touche sa mèche de cheveux gris, et l'espace d'une seconde, je me demande si elle ne va pas changer d'avis. Mais elle me tend le dossier qu'elle tient contre elle, en me regardant droit dans les yeux.

« Le premier contact remonte à dix ans. Les Mogadoriens prétendaient être à la poursuite de fugitifs. Ils voulaient utiliser notre réseau, avoir carte blanche pour se déplacer sur tout le territoire, en échange de quoi ils nous fourniraient des armes et de la technologie. À l'époque je sortais juste de l'académie, je n'ai donc pas été invitée aux réunions avec les aliens. J'imagine que personne n'a voulu se les mettre à dos, ni refuser des armes plus puissantes qu'aucune invention humaine, parce que notre gouvernement a cédé vraiment vite. Le directeur du Bureau en personne était présent lors des négociations. C'était avant sa promotion. C'est même sans doute pour ça qu'il est monté en grade, d'ailleurs.

— Laissez-moi deviner. » Je me souviens soudain du nom cité sur le site de Mark. « Cet ancien directeur, c'était Bud Sanderson. L'actuel ministre de la Défense. »

Walker est impressionnée.

« Exact. Et en remontant la chaîne, vous trouverez que bon nombre de ceux qui ont négocié avec les Mogs il y a dix ans ont très bien réussi, depuis.

— Et le président ? demande Six.

— Lui ? » Walker laisse échapper un rire sarcastique. « C'est du menu fretin. Ceux qui se font élire, qui donnent des discours à la télé – ce ne sont que de vulgaires célébrités. Le vrai pouvoir est entre les mains de ceux qui se font *nommer* à leurs postes, ceux qui agissent en coulisse. Ceux dont on n'entend jamais parler. Ce sont eux que les Mogs voulaient, eux qu'ils ont gardés sous le coude.

— Il reste le président, rétorque Six. Pourquoi ne fait-il rien ?

— Parce qu'il est maintenu dans l'ignorance. Et de toute manière, le vice-président est un ProMog. L'heure venue, ou bien le président s'affichera du côté des Mogs, ou bien il sera remplacé.

— Excusez-moi, je dis en levant la main. C'est quoi, un ProMog ?

— Le Progrès mogadorien, explique Walker. C'est comme ça qu'ils désignent, je cite, "l'intersection de nos deux espèces".

— Vous savez, si vous songez à un changement de carrière, je connais un site web pour lequel vous pourriez écrire. »

Je passe en revue les documents contenus dans son dossier. J'y trouve des caractéristiques techniques des canons mogadoriens, des retranscriptions de conversations entre hommes politiques, des photos de types du gouvernement serrant la main à des Mogs en uniformes d'officiers. C'est le genre de fuite pour laquelle un site comme *Ils sont parmi nous* serait prêt à tuer.

D'ailleurs, une majorité de ces informations se trouvaient *déjà* sur le site de Mark. Walker pourrait-elle être son indicateur ?

« Si je résume, votre patron a vendu l'humanité pour améliorer son armement ? conclut Six en se penchant sur le dossier du canapé pour jeter un regard assassin à Walker.

— C'est à peu près ça. Et nous ne sommes pas le seul pays à avoir signé, poursuit Walker d'un ton amer.

Et ils ont su comment nous maintenir en haleine. Après les armes, ils ont commencé à promettre le progrès médical. L'augmentation génétique, comme ils disaient. Ils prétendaient qu'elle pouvait tout soigner, de la grippe au cancer. En gros, ils promettaient l'immortalité. »

Je lève les yeux des papiers.

« Comment ça marche ? » je demande en tapotant la photo d'un soldat, manche relevée, les veines de son avant-bras noircies comme si son sang s'était transformé en suie.

Walker tend le cou pour voir l'image, puis plante son regard dans le mien.

« Ce que vous voyez là, c'est ce qui arrive quand on interrompt les injections génétiques mogadoriennes pendant une semaine. Voilà comment ça marche. »

Je montre la photo à Six, qui secoue la tête d'un air dégoûté.

« En somme, ils vous tuent à petit feu, conclut-elle. Ou bien ils vous transforment en Mogs.

— Nous ne savions pas dans quoi nous mettions les pieds, répond Walker. Voir Purdy se désintégrer comme ça… ça a ouvert les yeux à certains. Les Mogs ne sont pas des sauveurs. Ils font de nous quelque chose d'inhumain.

— Et pourtant, vous continuez à faire affaire avec eux, pas vrai ? je rétorque. J'ai entendu dire qu'il y avait des gens qui essayaient de révéler la capture de Mogadoriens, mais qu'on s'arrangeait pour les faire taire. »

Walker hoche la tête.

« Les Mogs prétendent que leurs augmentations génétiques s'amélioreront avec le temps. Un tas de vieux de la vieille à Washington veulent tenir bon et maintenir le programme. J'imagine qu'ils n'ont jamais vu un humain se désintégrer. Des types comme Sanderson et d'autres responsables haut placés ProMog ont déjà entamé des traitements plus avancés. Tout ce que les Mogs exigent en échange, c'est que nous poursuivions notre coopération.

— Quel genre de coopération ? »

Walker hausse les sourcils.

« Si vous ne vous êtes pas déjà fait une idée, alors j'ai choisi le mauvais camp, et on est vraiment foutus.

— Peut-être que si vous aviez choisi le bon camp il y a des années, au lieu de fournir votre aide pour traquer des enfants… » J'aperçois en coin le regard de Six et ravale ma colère. « Bref. Nous savons qu'ils arrivent. Fini de se cacher dans l'ombre, de se parquer dans des banlieues. Ils débarquent en force, exact ?

— Exact, confirme Walker. Et ils attendent de nous que nous leur donnions les clefs de la planète. »

Malcolm revient de la cuisine avec deux tasses de café. Il en tend une à Six, et l'autre à Walker, qui prend un air surpris mais reconnaissant.

« Excusez-moi, mais comment c'est censé se passer ? demande-t-il. En situation de premier contact, il est certain qu'il y aura un mouvement de panique généralisé.

— Sans compter qu'ils ont des tronches de monstres de foire, ajoute Six. Les gens vont se faire dessus.

— À votre place, je n'en serais pas si sûre », objecte Walker en désignant de sa tasse le dossier que j'ai toujours en main.

Je me remets à le feuilleter, et tombe sur une série de photos. Deux gars en costume qui déjeunent dans un restaurant chic. Le premier doit approcher les soixante-dix ans, a les cheveux gris et fins, et je reconnais son visage pour l'avoir vu sur le site de Mark : c'est Bud Sanderson, le ministre de la Défense. L'autre est un bellâtre d'une quarantaine d'années qui ressemble vaguement à une star de cinéma. Je ne l'ai jamais vu auparavant. Il a quelque chose autour du cou, dissimulé sous son costume et par l'angle sous lequel a été pris le cliché. Intrigué, je tends la photo à Walker.

« Je reconnais Sanderson. Qui est l'autre ? »

Walker hausse un sourcil. « Quoi ? Vous ne le remettez pas ? Ça ne me surprend pas. Il a un certain nombre de panoplies, apparemment. Moi, c'est à la Base de Dulce que je ne l'ai pas reconnu, quand il était en train de vous détruire. Gros comme une baraque, avec son fouet enflammé. En fait, je pense que c'est à ce moment-là que j'ai décidé que le ProMog n'était pas pour moi. »

J'écarquille les yeux et me penche de nouveau sur la photo. Les pendentifs sont camouflés sous le costume, mais ce type a bien trois chaînes autour du cou. « Vous plaisantez.

— Setrákus Ra, annonce Walker en secouant la tête. Concluant le pacte de paix entre Mogadoriens et humains. »

Six passe devant le canapé pour me prendre la photo des mains.

« Saleté de polymorphe, souffle-t-elle entre ses dents. Il a fait tout ça alors qu'on était en cavale. Il a mis tout son plan sur pied pendant qu'on rampait.

— Il a peut-être pris de l'avance, mais ce n'est pas terminé pour autant, fait remarquer Malcolm.

— Eh bien, voilà un élan d'optimisme qui fait chaud au cœur, répond Walker en sirotant son café. Mais tout sera bel et bien terminé dans deux jours.

— Et alors, qu'est-ce qui se passera ? je demande.

— L'ONU se réunira. Comme par hasard, le président ne pourra pas se libérer, aussi Sanderson se déplacera-t-il en son nom. Il en profitera pour présenter Setrákus Ra au monde. Un bon numéro de cinéma politique pour nous prouver que les gentils petits extraterrestres ne nous veulent aucun mal. Il y aura une motion pour octroyer à la flotte mogadorienne le droit de passage sur Terre, l'autorisation de s'y installer, pour devenir de bons voisins dans cette grande communauté intergalactique. Les leaders mondiaux qu'il a déjà corrompus la soutiendront. Et croyez-moi, ils ont la majorité. Une fois qu'ils seront là, qu'on les laissera entrer…

— On a vu un de leurs vaisseaux de guerre, en Floride, intervient Six en me lançant un regard inquiet. Avec une armée bien entraînée, ils seraient déjà difficiles à abattre, alors…

— Mais il n'y aura pas de bataille, j'objecte. La Terre ne se défendra pas. Et le temps qu'ils comprennent tous qu'ils ont ouvert la porte à un monstre, il sera trop tard.

— Exactement, acquiesce Walker. Tout le monde au gouvernement n'est pas du côté de Sanderson. Au FBI, à la CIA, à la NSA, dans l'armée – environ quinze pour cent des effectifs sont ProMog. Ils se sont assuré un paquet d'amis puissants, mais la plupart des gens sont totalement inconscients de ce qui se passe. J'imagine que la proportion de leurs alliés doit être équivalente dans les autres pays. Ils savent pertinemment combien d'humains il leur faut contrôler pour accomplir leur projet.

— Et vous, vous êtes quoi ? Le un pour cent qui se rebelle ? je demande.

— Moins de un pour cent. Ça fait beaucoup de travail, quand on n'a pas de superpouvoirs et – c'était quoi, d'ailleurs, votre arme secrète, dehors ? Une armée de loups ? En tout cas, mon équipe surveille Ashwood depuis un moment, en guettant l'opportunité d'attaquer ou, je ne sais pas, de faire quelque chose. Quand on a vu que vous aviez pris les lieux…

— C'est bon, Walker, j'ai pigé, je l'interromps en mettant le dossier de côté. Je vous crois, même si je ne vous fais pas vraiment confiance. Mais qu'est-ce qu'on est censés faire ? Comment on arrête tout ça ?

— En allant trouver le président ? propose Six. Lui doit pouvoir agir.

— C'est une idée, admet Walker, mais ce n'est qu'un homme, et très bien gardé. Et même en supposant que vous arriviez jusqu'à lui, que vous lui expliquiez la présence d'aliens et que vous le mettiez dans votre poche ? Il restera encore des tas de connards ProMog qui trépignent de faire un coup d'État. »

Je dévisage Walker. Je sais qu'elle a déjà un plan et qu'elle nous balade. « Crachez le morceau. Que voulez-vous qu'on fasse ?

— Nous avons besoin de rallier ceux qui ne savent encore rien. Et pour ce faire, il nous faut quelque chose de gros, explique-t-elle d'un ton désinvolte, comme si elle parlait de sortir les poubelles. Ce que je veux, c'est que vous m'accompagniez à New York, que vous assassiniez le ministre de la Défense et que vous dénonciez Setrákus Ra. »

CHAPITRE 16

Depuis le pont d'observation, je regarde le vaisseau amiral approcher. Ce n'est d'abord qu'un point sombre sur fond de Terre bleue, puis il grossit progressivement, jusqu'à masquer complètement la planète. Une fois proche de l'*Anubis*, l'engin ralentit – enfin, relativement proche, car il est sans doute encore à des kilomètres. L'immensité spatiale rend la profondeur et la distance difficiles à évaluer. Je suis loin de la Terre. Loin de mes amis. C'est la seule distance qui m'importe.

Un accès s'ouvre sur le vaisseau amiral et une petite navette apparaît. Elle est blanche, parfaitement sphérique, comme une perle flottant dans l'océan noir d'encre de l'espace. Le petit vaisseau avance en oscillant dans notre direction et j'entends distinctement le grincement d'un engrenage et le souffle de décompression – sous mes pieds, le pont d'atterrissage de l'*Anubis* se prépare à accueillir le visiteur.

« Enfin », dit Setrákus Ra en me serrant l'épaule. L'événement a l'air de l'enthousiasmer, si j'en crois le grand sourire qui se dessine sur son visage humain volé. Nous nous tenons côte à côte dans la galerie, juste au-dessus de rangées de vaisseaux éclaireurs et d'engins sphériques parqués en contrebas.

Nous attendons mon promis. Rien que le mot me donne envie de vomir. Setrákus Ra laisse reposer sa main sur mon épaule d'un air paternel, et ça ne fait qu'empirer les choses.

Je veille à garder une expression totalement neutre. Je suis de plus en plus douée, pour camoufler mes émotions. Je suis déterminée à ne plus rien montrer à ce monstre. Je fais semblant de me sentir concernée, peut-être un peu nerveuse. Autant qu'il s'imagine qu'il a réussi à m'avoir à l'usure, que j'ai laissé tomber. Qu'il croie que les leçons de Progrès mogadorien commencent à faire effet, que je deviens cette version fantomatique de moi-même que j'ai aperçue dans ma vision de l'avenir.

Tôt ou tard, je le sais, j'aurai une occasion de m'échapper. Quitte à mourir en essayant.

Je me détourne de la baie pour me pencher au-dessus du balcon d'observation et voir arriver le vaisseau sphérique à nos portes d'arrimage. Des feux se mettent à clignoter pour prévenir les Mogs à l'étage en dessous qu'ils se feront avaler par le vide sidéral s'ils n'évacuent pas les lieux. Setrákus Ra a déjà pris soin d'éloigner les techniciens, afin que nous puissions accueillir notre invité en privé. Les lourdes portes s'ouvrent et, même depuis le sas hermétique de l'observatoire, je sens l'appel de l'espace. La pression change, comme si mes oreilles se débouchaient brusquement. Puis la navette glisse à bord, les portes se referment derrière elle, et le silence retombe.

« Viens », ordonne Setrákus Ra en quittant la galerie d'un pas décidé. Le sas s'ouvre sur son passage, et il descend l'escalier métallique en colimaçon qui mène à la zone de déchargement. Je le suis de près, obéissante, et nos pas résonnent sur la tôle tandis que nous dépassons les rangées de vaisseaux éclaireurs. Avec précaution, pour ne pas avoir l'air trop intéressée, je me penche pour jeter un œil au vaisseau au moment où son accès s'ouvre. Je m'attends à voir en descendre un jeune Originel mogadorien de haut rang comme ceux que j'ai vus délivrer nerveusement des messages à leur « Chef Bien-aimé ».

J'ai beau essayer de rester stoïque, je ne peux pas m'empêcher de lâcher une exclamation de surprise en voyant Cinq émerger du vaisseau.

Setrákus Ra se tourne vers moi. « Vous vous connaissez déjà, je crois ? »

Il a un œil dissimulé derrière un pansement de gaze répugnant, avec une traînée de sang marron en son centre et de la sueur sur les bords. Cinq a l'air épuisé et sa tenue est en loques. Il pose son œil valide sur moi, et alors son échine se courbe encore plus. Le regard baissé, il s'immobilise devant Setrákus Ra.

« Qu'est-ce qu'elle fait là ? demande-t-il à voix basse.

— Nous sommes tous réunis, à présent, répond Setrákus Ra en attrapant Cinq par les épaules. Libérés, éduqués, à l'aube de l'avènement du Progrès mogadorien absolu ! Et c'est en grande partie grâce à toi, mon garçon.

— OK », grogne Cinq.

Je me rappelle alors qu'il était présent dans ma vision – il escortait Six et Sam vers leur exécution, et Six lui crachait au visage –, mais j'imagine que j'avais effacé cette partie, trop préoccupée par mon lien dérangeant avec Setrákus Ra. Et le voici, face au chef mogadorien qui lui tape dans le dos, et l'avenir est déjà en train de prendre forme. Et apparemment je lui ai été promise, et notre union sera célébrée par je ne sais quel rituel abject, à la mogadorienne. Mais pour l'instant, ce n'est pas mon souci le plus urgent. Car si Cinq est ici, avec l'air de sortir tout droit d'une bataille…

« Qu'est-ce… Qu'est-ce que tu as fait ? » Ma voix tremble un peu trop à mon goût. « Qu'est-il arrivé aux autres ? »

Cinq pose de nouveau l'œil sur moi, il retrousse les lèvres mais ne dit mot.

« Tu leur as donné une chance, n'est-ce pas ? susurre Setrákus Ra, et je vois bien que c'est à moi qu'il s'adresse, à travers lui. Tu as tenté de leur montrer la lumière.

— Ils ont refusé d'écouter, confirme Cinq. Ils ne m'ont pas laissé le choix.

— Et regarde comment ils t'ont remercié d'avoir fait preuve de miséricorde, poursuit le monstre en effleurant des doigts le pansement sur le visage de Cinq. Nous allons réparer ça sur-le-champ. »

Sous l'effet de la surprise, je fais un pas en arrière en voyant Cinq écarter la main de Setrákus Ra d'une claque. Le coup résonne sur les carlingues des vaisseaux parqués autour de nous. Je ne vois pas son visage, mais malgré sa position déjà rigide, je perçois la tension dans les muscles du dos de Setrákus Ra. De derrière, on a l'impression qu'une masse énorme est comprimée dans ce corps humain, et qu'elle n'attend que d'exploser.

« Laissez ça, répond Cinq d'une voix tremblante et à peine audible. Je veux le garder tel quel. »

La riposte de Setrákus Ra ne vient pas. Il semble totalement décontenancé par cette ferveur de Cinq à vouloir rester à moitié aveugle.

« Tu es fatigué, finit-il par conclure. Nous en discuterons quand tu te seras reposé. »

Cinq acquiesce d'un hochement de tête et contourne Setrákus Ra avec prudence, comme s'il n'était pas certain que le chef mogadorien le laisse passer. En voyant que Setrákus Ra ne l'en empêche pas, il lâche un grognement et se dirige vers la sortie en traînant les pieds.

Il est arrivé à mi-chemin lorsque Setrákus Ra le rappelle.

« Où est le corps ? demande-t-il, faisant s'arrêter Cinq net. Où est le pendentif ? »

Cinq se racle la gorge et je remarque que ses mains se mettent à trembler, jusqu'au moment où il fait un effort visible pour les contrôler. Il fait volte-face vers Setrákus Ra, qui regarde en direction du vaisseau ouvert, s'attendant vraisemblablement à en voir sortir quelque chose.

« Quel corps ? » je lance, la poitrine oppressée. Voyant qu'aucun d'eux ne compte me répondre, je lève la voix. « Quel corps ? Quel pendentif ?

— Disparus, répond simplement Cinq à Setrákus Ra.

— Je t'ai posé une question, Cinq ! je crie. Quel c... »

Sans même me regarder, Setrákus Ra agite la main dans ma direction. Mes dents claquent au moment où il me ferme la bouche par la télékinésie. C'est comme se faire gifler, et je sens le rouge de la colère me monter aux joues. Quelqu'un est mort, je le sais. Un de mes amis est mort, et ces deux salopards font comme si je n'étais pas là.

« Explique-toi », gronde Setrákus Ra à l'intention de Cinq, et même sous sa forme esthétiquement parfaite, je sens qu'il est à deux doigts de perdre patience.

Cinq pousse un soupir, comme si cet échange n'était pour lui qu'une perte de temps. « Le commandant Deltoch a décidé qu'il veillerait personnellement sur le corps, et je n'ai pas voulu aller contre ses ordres. J'ai trouvé les restes de Deltoch juste avant notre départ. Les Gardanes ont dû pénétrer incognito dans la base et s'enfuir avec leur ami.

— Tu étais censé me le ramener, siffle Setrákus Ra en fusillant Cinq du regard. Pas Deltoch. Toi.

— Je sais, répond Cinq. Il a refusé de m'écouter quand je lui ai dit que c'étaient vos ordres. Au moins, il est mort de son insubordination. »

Je vois une ombre passer sur le visage de Setrákus Ra et dans ses yeux bleus volés, et la fureur monter. Je sens son emprise télékinésique sur ma mâchoire se relâcher. Il est distrait, entièrement focalisé sur Cinq. Avant qu'il ait pu dire ou faire quoi que ce soit, je m'interpose entre lui et Cinq et hausse encore la voix. Cette fois-ci, il va bien falloir qu'ils m'écoutent.

« Quel corps ? De qui vous parlez ? »

Cinq finit par poser son œil intact sur moi. « Huit. Il est mort.

— Non. » Le mot sort tout seul, presque un chuchotement, et j'échoue à masquer ma réaction. Je sens mes jambes se dérober et le visage de Cinq se brouille quand mes yeux se remplissent de larmes.

« Si », confirme Setrákus Ra, et toute rage a disparu de sa voix, remplacée par une manipulation plus sombre et plus abjecte – un ton de fierté et d'allégresse mêlées. « Cinq y a veillé, n'est-ce pas, mon garçon ? Prêt à tout, au service du Progrès mogadorien. »

Les poings serrés, j'avance d'un pas vers Cinq. « Toi ? Tu l'as tué ?

— C'était... »

Pendant un instant, je sens Cinq sur le point de nier. Puis il lance un regard furtif à Setrákus Ra et se contente de hocher la tête.

« Oui. »

Et en un clin d'œil, tous mes efforts pour rester impassible face aux manipulations de Setrákus Ra s'écroulent. Je sens un hurlement remonter de mes entrailles. J'ai envie de sauter à la gorge de Cinq. De le déchiqueter de mes propres mains. Je sais bien que je n'ai aucune chance – j'ai vu comment il s'en est tiré, dans la salle de conférences, comment sa peau peut se transformer en métal ou en n'importe quel autre matériau qu'il touche –, mais je ferai autant de dégâts que possible avant de céder. Je me casserai les poings sur sa peau d'acier, si ça peut me permettre de le frapper ne serait-ce qu'une fois.

Setrákus Ra pose la main sur mon épaule pour m'arrêter.

« Je pense que ce serait le moment idéal pour cette leçon dont nous avons parlé, me dit-il de ce même ton factice.

— Quel genre de leçon ? » j'aboie sans quitter Cinq de mon regard assassin.

Ce dernier a l'air presque soulagé que l'attention de Setrákus Ra se porte désormais sur moi.

« Puis-je prendre congé ?

— Tu ne puis pas, non », lui répond Setrákus Ra.

Il attrape, entre deux vaisseaux, un chariot débordant d'outils – des clefs à molette, des pinces, des tournevis servant à l'entretien des navettes mogadoriennes, et assez semblables à ceux utilisés sur Terre – et le fait rouler jusqu'à nous. Il baisse les yeux sur moi et sourit.

« Ton Don, Ella, s'appelle le Dreynen. Il te donne la faculté d'annuler temporairement le Don d'un autre Gardane, m'explique Setrákus Ra d'un ton docte, les mains nouées dans le dos. C'était l'un des plus rares, sur Lorien. »

Je m'essuie les yeux sur ma manche et tente de me redresser. Je ne quitte pas Cinq des yeux, mais ma réponse s'adresse à Setrákus Ra. « Pourquoi me dis-tu ça maintenant ? Je m'en fiche.

— Il importe de connaître son histoire, répond-il sans se laisser décourager. À en croire les Anciens, les Dons ont été engendrés par Lorien pour répondre aux besoins de la société loric. Je me demande donc quel bénéfice peut être tiré d'un pouvoir qui n'est utile que contre un autre Gardane ? »

Cinq demeure parfaitement immobile et évite mon regard. Toute à ma colère, j'en oublie de mesurer mes paroles et de garder mon calme.

« Je ne sais pas, je lâche d'un air sarcastique. Peut-être Lorien a-t-elle vu des monstres comme vous deux arriver, et a su qu'il faudrait bien que quelqu'un vous arrête.

— Ah, répond Setrákus Ra, imbu de son orgueil de maître, comme si j'étais tombée tout droit dans son piège. Mais si tel est le cas, pourquoi les Anciens ne t'ont-ils pas choisie pour faire partie des jeunes Gardanes qui seraient sauvés ? Et, si c'est bien Lorien qui façonne les Dons d'une manière ou d'une autre pour répondre aux besoins de ses habitants, pourquoi en aurait-elle doté des Lorics inaptes à les utiliser ? La simple existence du Dreynen suggère une défaillance en Lorien, que les Anciens voudraient nier. C'est un chaos qui doit être dompté, pas vénéré. »

J'essaie de nouveau d'avancer vers Cinq, mais Setrákus Ra m'immobilise par la télékinésie. Je ravale ma fureur et me remémore que je suis ici une prisonnière. Je dois jouer le jeu stupide de Setrákus Ra jusqu'au moment propice. La vengeance devra attendre.

« Ella, me dit-il. Comprends-tu ce que je suis en train de te dire ? »

Je me détourne de Cinq avec un soupir et fixe Setrákus Ra d'un regard las. À l'évidence, il a planifié de longue date cette petite conférence philosophique. C'est sans doute l'un des chapitres les plus copieux de son livre. Il est vain d'essayer de débattre avec lui.

« Donc tout est aléatoire et on devrait l'exploiter, bla bla bla, je rétorque. Tu as peut-être raison, ou peut-être tort. On ne le saura jamais, puisque tu as détruit intégralement la planète.

— Qu'ai-je détruit, exactement ? Une planète, peut-être. Mais pas Lorien elle-même. » Tout en parlant, Setrákus Ra joue avec un des pendentifs accrochés autour de son cou. « C'est plus compliqué que tu ne le crois, ma chère. Bientôt, ton esprit s'ouvrira et tu comprendras. D'ici là... » Il tend le bras vers le chariot, saisit une clef à molette mogadorienne et me la lance. « Place à l'entraînement. »

J'attrape la clef au vol et la maintiens à hauteur de mon regard. Setrákus Ra porte alors son attention sur Cinq, qui se tient toujours là sans rien dire, à attendre qu'on le renvoie.

« Vole », ordonne Setrákus Ra.

Cinq le dévisage d'un air décontenancé. « Quoi ?

— Vole, répète Setrákus Ra en désignant d'un geste impatient le plafond. Aussi haut que tu le peux. »

Dans un grognement, Cinq se met à léviter lentement et monte à une douzaine de mètres, sa tête touchant la charpente métallique. « Et maintenant ? »

En guise de réponse, Setrákus Ra pivote vers moi. J'ai comme une petite idée de ce qu'il compte me faire faire. Je sens dans ma paume moite le manche froid de la clef. Setrákus Ra s'agenouille près de moi et ordonne à voix basse : « Je veux que tu refasses ce que tu as fait à la Base de Dulce.

— Je t'ai déjà dit que j'ignorais comment je m'y étais prise, je proteste.

— Je sais que tu as peur. Peur de moi, de ce qui t'attend, de cet endroit, ajoute-t-il sur un ton patient, et pendant un instant atroce, sa voix ressemble à celle de Crayton. Mais pour toi, cette peur est une arme. Ferme les yeux et laisse-la t'envahir. Ton Dreynen suivra naturellement. C'est un Don vorace, cette pulsion qui vit en toi, et il se nourrira de ce que tu redoutes. »

Je ferme les yeux de toutes mes forces. Une partie de moi ne veut pas céder, et le son de la voix de Setrákus Ra me donne la chair de poule. Mais j'ai aussi envie d'apprendre à me servir de mon Don, à n'importe quel prix. Ce n'est pas contre-nature – il y a en moi une énergie qui cherche à s'extérioriser. Mon Dreynen veut qu'on l'utilise.

Lorsque je rouvre les paupières, la clef que j'ai en main rougeoie. J'ai réussi. Exactement comme à la Base de Dulce.

« Bravo, Ella. Tu peux activer le Dreynen par le toucher ou bien, comme tu viens de le faire, charger des objets pour les attaques à distance », explique Setrákus Ra. Je braque la clef vers lui et il recule prestement d'un pas. « Doucement, ma chère. »

Avec un regard noir, je brandis la clef sans ciller, comme si c'était une torche enflammée pour repousser un animal sauvage. Je me demande si j'arriverais à le frapper avec, le priver de tous ses Dons, et ensuite lui exploser le crâne. Cinq tenterait-il de m'en empêcher ? Serais-je même capable d'y parvenir ? Je ne suis pas encore certaine de l'étendue des pouvoirs de Setrákus Ra, ni des tours qu'il a encore dans sa manche, ou encore de ce qui arriverait au sortilège qui nous lie, s'il était tué. Mais peut-être que ça vaut tout de même la peine d'être tenté.

Un sourire se dessine lentement sur les lèvres du monstre, comme s'il entendait mes calculs intérieurs et s'en réjouissait.

« Vas-y, recommande-t-il en levant les yeux vers le plafond. Tu sais ce que tu as à faire. Après tout, il a tué ton ami, n'est-ce pas ? »

Je sais que je devrais résister, ne pas céder à ce que Setrákus Ra exige de moi. Mais la clef, chargée de mon Dreymen, est comme un animal affamé dans ma main, qui veut qu'on le libère. Et alors je pense à Huit, mort quelque part sur Terre, assassiné par ce garçon potelé suspendu dans les airs juste au-dessus de ma tête, et auquel il semblerait que mon grand-père ait décidé de me marier.

Je pivote et lance la clef contre Cinq.

Je ne suis pas sûre de l'angle et de la puissance de mon tir, c'est pourquoi je lui donne un petit coup de pouce avec ma télékinésie. Cinq voit forcément l'impact arriver, pourtant il ne cherche pas à l'esquiver. C'est ce qui me fait regretter ma décision – le fait qu'il se résigne à sa punition, voire qu'il la souhaite.

La clef le frappe en plein sternum, mais sans beaucoup de force. Mais elle reste pourtant collée à lui comme si elle était magnétique. Il inspire violemment, son expression d'ennui disparaît et il s'accroche à l'outil. Cependant la lutte ne dure que quelques secondes, puis le rougeoiement de la clef s'intensifie et Cinq tombe en piqué.

L'atterrissage n'est pas beau à voir : les jambes de Cinq se dérobent sous lui, il n'arrive pas à amortir l'impact avec les mains et son épaule percute le sol dans un craquement. Il se retrouve à plat ventre, le souffle coupé. Il essaie de se relever, mais son bras ne fonctionne plus bien et il ne parvient qu'à se soulever de quelques centimètres avant de s'affaler lourdement. La clef tombe de sa poitrine, les dégâts sont faits, ses Dons ont été annihilés. Setrákus Ra me tapote le dos d'un air satisfait. C'est alors que je commence à ressentir de la culpabilité, à voir Cinq dans cet état, malgré ce qu'il a infligé à Huit. Je me dis tout à coup qu'il est peut-être aussi prisonnier que moi.

« Va à l'infirmerie, ordonne Setrákus Ra à Cinq. Je me fiche de ce que tu feras pour ton œil, mais j'ai besoin que tu sois parfaitement rétabli quand nous descendrons sur Terre.

— Oui, Chef Bien-aimé, répond Cinq d'une voix rauque en étirant le cou pour nous regarder.

— C'était un beau coup, commente Setrákus Ra en me poussant vers la sortie. Viens. Retournons à l'étude du Grand Livre. »

J'ai beau être toujours folle de rage contre Cinq, lorsque nous passons à proximité de son corps prostré, je lui adresse un message par télépathie. Je refuse de perdre le sens du Bien et du Mal tant que je serai coincée ici.

Je suis désolée, je lui dis en pensée.

Sachant que jusqu'ici il n'a même pas osé me regarder dans les yeux, je ne pense pas qu'il répondra. Mais alors que je m'apprête à rompre le lien télépathique, je l'entends.

Je vais bien. Je l'ai mérité.

Tu mérites bien pire que ça, je réplique, sans réussir pour autant à y mettre autant de méchanceté que je le voudrais. J'ai pourtant bien en mémoire des images de Huit riant et plaisantant avec Marina et moi.

Je sais. Je ne... Je suis désolé, Ella.

Ce n'est pas la seule chose que j'entends, dans son esprit. Ça ne s'est jamais produit auparavant – peut-être mon Don est-il en train de gagner en puissance. Je n'y réfléchis pas trop, car dans le même temps je visualise intérieurement le cadavre de Huit, laissé sciemment dans un camp mogadorien. J'essaie de comprendre d'où vient cette image, mais les pensées de Cinq sont bien trop embrouillées. Il y a trop d'impulsions contradictoires dans son cerveau, et je ne suis pas assez experte en tant que télépathe pour les déchiffrer toutes.

Tandis que je quitte la pièce en le laissant derrière moi, je jette un coup d'œil par-dessus mon épaule. Cinq a réussi à se hisser sur ses pieds. Il fait rouler une boule métallique entre ses doigts, attendant que ses Dons réapparaissent. Il plante son regard dans le mien.

Il faut qu'on sorte d'ici, me dit-il par la pensée.

CHAPITRE 17

Aux premières lueurs de l'aube, Ashwood est calme, nimbé d'un léger brouillard. Je n'ai pas pu fermer l'œil, ce qui n'est pas vraiment un scoop. Je suis assis à la fenêtre du salon dans l'ancienne maison d'Adam, mon téléphone portable à la main, à prendre des photos des documents que nous a fournis l'agent Walker, pour les envoyer à Sarah. Nous allons les mettre en ligne sur *Ils sont parmi nous*, pour être certains qu'au moins l'information sortira. Walker dispose d'une liste de journalistes et d'autres contacts dans les médias qu'elle croit fiables, mais elle en a également une tout aussi longue de complices des ProMog. Le seul moyen de donner de la visibilité aux preuves que nous détenons, c'est de les diffuser par nous-mêmes. La bataille sera ardue. Au cours des années que nous avons passées en cavale, les Mogadoriens ont pris trop d'avance, ils ont infiltré l'armée, le gouvernement et même les médias. Leur stratégie la plus intelligente a consisté à nous pousser à nous cacher.

À en croire Walker, il va nous falloir une vraie bombe, pour inverser la tendance. Elle veut que nous décapitions le mouvement ProMog, ce qui signifie éliminer le ministre de la Défense. Je ne vois pas bien en quoi c'est censé nous attirer le soutien de l'humanité. Walker dit que nous pouvons réaliser cet assassinat dans le secret. Je n'ai pas encore décidé si nous adopterons ou pas cette partie du plan, mais ça me convient de lui laisser croire que nous acceptons d'effectuer son sale boulot. Pour l'instant.

Plus que Sanderson, il nous faut surtout dénoncer Setrákus Ra, en retournant contre lui la séance photo entre Mogs et humains qu'il a imaginée à l'ONU. L'idée est de provoquer un esclandre tel que l'humanité verra les Mogs sous leur vrai jour et se liguera contre l'invasion. Que les peuples sortiront enfin du mensonge dans lequel on les maintient depuis dix ans. Quand les humains verront de leurs yeux qui sont ces aliens, nous espérons qu'ils prendront au sérieux un petit site confidentiel tel que *Ils sont parmi nous*. À condition, bien sûr, que nous trouvions un moyen de mettre ce plan à exécution. Sans en mourir.

Des pensées sombres m'obsèdent toujours. En admettant que nous réussissions à réunir une résistance plus nombreuse et plus forte que cette alliance bancale que nous avons conclue à Ashwood, il n'y a aucune garantie pour autant que nous puissions repousser les Mogadoriens. Depuis que je suis sur Terre, notre guerre contre eux s'est jouée dans l'ombre. Nous voici à présent sur le point d'impliquer des millions de personnes innocentes. On dirait bien que le but, c'est finalement de donner aux humains, et à nous autres Lorics encore vivants, *l'occasion* de combattre les Mogadoriens, dans une guerre longue et sanglante. Je me demande si c'est ce que les Anciens avaient prévu pour nous. Était-on censés avoir déjà vaincu les Mogs sans que l'humanité en sache rien ? Ou en nous envoyant sur Terre, étaient-ils aussi désespérés que nous le sommes maintenant ?

Pas étonnant que je n'arrive pas à fermer l'œil.

Par la fenêtre, je regarde deux agents du FBI partager une cigarette sous un porche, de l'autre côté de la rue. J'imagine que je ne suis pas le seul à avoir des problèmes d'insomnie. Nous avons laissé les troupes de Walker établir leur campement dans les maisons vides alentour. Ils ont sécurisé le périmètre et posté des gardes à l'entrée qu'Adam et moi avons atomisée en arrivant. En gros, cet endroit est devenu la base de la toute nouvelle Résistance Humaine et Loric.

Je ne fais toujours pas totalement confiance à l'agent Walker, mais cette guerre qui se profile m'a forcé à m'entourer d'alliés étranges. Jusqu'ici, tout s'est bien passé. Et si je me suis trompé en donnant leur chance à de vieux ennemis, eh bien, nous sommes condamnés de toute façon. Les situations d'exception appellent des mesures d'exception.

Derrière moi, le parquet craque et je vois Malcolm dans l'embrasure de la porte qui ouvre sur les tunnels mogadoriens. Il a les yeux lourds d'épuisement et il réprime difficilement un bâillement.

« Bonjour, je dis en refermant le dossier de Walker.

— Déjà ? répond Malcolm en secouant la tête d'un air incrédule. J'ai perdu la notion du temps, là-dessous. Sam et Adam sont venus m'aider. Je les ai forcés à prendre une pause, tout à l'heure.

— C'était il y a plusieurs heures, je rectifie. Vous avez passé la nuit entière à éplucher ces enregistrements mogadoriens ? »

Malcolm hoche la tête en silence et je me rends alors compte qu'il n'est pas seulement épuisé. Il a l'air sonné d'un homme qui a assisté à une scène éprouvante.

« Qu'avez-vous trouvé ?

— Moi, répond-il après une pause. Je me suis trouvé, moi.

— Comment ça ?

— Je pense que tu ferais mieux de réunir les autres. »

Il n'en dit pas plus avant de disparaître à nouveau dans les tunnels.

Marina dort dans l'une des chambres à l'étage, aussi est-ce elle que je réveille en premier. En descendant l'escalier, elle s'immobilise devant la porte de la chambre parentale. Elle était autrefois occupée par le général et par la mère d'Adam, mais pour l'instant elle sert de chapelle ardente pour Huit. Marina pose doucement la main sur le chambranle, en passant. Au moment de la réveiller, j'ai remarqué qu'elle avait enfilé le pendentif de Huit. Je regrette de ne pas avoir plus de temps pour pleurer notre ami avec elle.

Adam se trouve quant à lui dans la dernière chambre de l'étage, son épée posée le long de son lit, à portée de main. J'hésite une seconde avant de le réveiller, lui aussi. Il est l'un des nôtres, désormais. Il l'a prouvé hier, lorsqu'il m'a sauvé la vie en sacrifiant le général. Quoi que Malcolm ait découvert dans ces enregistrements, l'avis d'Adam en la matière pourrait se révéler précieux.

Sam et le reste des Gardanes ont dormi dans d'autres maisons d'Ashwood, et j'envoie des Chimæra les chercher. Neuf débarque au bout de quelques minutes, ses longs cheveux tout en désordre, l'air aussi fatigué que moi.

« J'ai dormi sur le toit, explique-t-il en voyant mon regard surpris.

— Euh, pourquoi ?

— Il fallait bien que quelqu'un surveille ces abrutis du gouvernement que tu fais camper dans les parages. »

Je secoue la tête et le suis dans l'escalier qui mène aux tunnels. Silencieux et mal à l'aise, Malcolm et ceux sur lesquels j'ai réussi à mettre la main sont déjà assemblés dans la salle des archives mogadoriennes, et Marina s'est assise aussi loin que possible d'Adam.

« Sam et Six ? » s'enquiert Malcolm en pénétrant dans la pièce.

Je hausse les épaules. « Les Chimæra les cherchent.

— Je les ai vus entrer dans une des maisons abandonnées », intervient Neuf avec un petit sourire entendu. Je lui lance un regard interrogateur et il agite les sourcils. « La fin du monde, tout ça, tu vois, Johnny. »

Je ne suis pas certain de comprendre ce qu'il veut dire, jusqu'au moment où Six et Sam déboulent dans la pièce. Six est impeccable, cheveux tirés en arrière, l'air d'avoir pris une douche et passé une bonne nuit de sommeil depuis son calvaire dans les marais. Sam, en revanche, est écarlate, les cheveux dans tous les sens, et la chemise mal boutonnée. En s'apercevant que je le scrute, il rougit encore plus et m'adresse un sourire penaud. Je secoue la tête d'un air incrédule et refoule le grand sourire que je sens monter malgré l'ambiance morose. Neuf siffle entre ses dents et l'ombre d'un sourire passe même sur les lèvres de Marina. Résultat, Sam pique un vrai fard et Six nous fusille tous du regard, l'air provocant.

Bien entendu, Malcolm est le seul à ne se rendre compte de rien. Il est concentré sur l'ordinateur, en train de sélectionner une vidéo.

« Bien, nous sommes tous là », constate-t-il en levant les yeux du clavier. Son regard passe tour à tour sur chacun de nous, et il a l'air nerveux. « Je me sens vraiment nul, de devoir vous montrer ça. »

Sur le visage de Sam, l'inquiétude remplace l'émoi. « Qu'est-ce que tu veux dire, Papa ?

— Je... » Malcolm secoue la tête. « Ils m'ont arraché ces informations et même maintenant, après avoir vu ce que je suis sur le point de vous montrer, je ne m'en souviens pas. J'ai failli. Je vous ai tous laissés tomber.

— Malcolm, allons, j'interviens.

— Nous avons tous fait des erreurs, renchérit Marina, et je remarque que son regard glisse vers Neuf. Des choses que nous regrettons. »

Malcolm hoche la tête.

« N'empêche. Bien que cette vidéo nous arrive très tardivement, je garde l'espoir qu'elle puisse déboucher sur une autre solution. »

Six incline la tête sur le côté. « Une autre solution que quoi ?

— Que la guerre totale, répond Malcolm. Regardez. »

Il appuie sur une touche du clavier et l'image à l'écran prend vie. Le visage d'un Mogadorien vieillissant et émacié apparaît. Sa tête étroite remplit quasiment l'écran, mais on distingue tout de même à l'arrière-plan une salle semblable à celle dans laquelle nous nous trouvons. Le Mogadorien se met à parler dans sa langue hachée, et même sans comprendre ce qu'il dit, je perçois que son ton est docte et solennel.

« Je suis censé capter ce que raconte ce taré ? demande Neuf.

— C'est le Dr Lockram Anou, intervient Adam en traduisant en simultané. Il a créé la machine mémorielle qui… enfin, tu la connais. Tu en as balancé un morceau contre un hélico, hier soir.

— Ah, ça, acquiesce Neuf, l'air ravi. C'était marrant. »

Adam poursuit.

« C'est une vieille bande, elle a été enregistrée lors des premiers essais de la machine. Il présente un cobaye, dont il dit qu'il est plus fort mentalement que les autres sur lesquels il a travaillé. Il va démontrer l'utilité de cette machine pour les interrogatoires… »

Adam se tait tandis qu'à l'image le Dr Anou fait un pas de côté, révélant un Malcolm Goode plus jeune, ligoté sur un fauteuil métallique horriblement sophistiqué. Malcolm est maigre et pâle, les muscles de son cou sont tendus à craquer, du fait de l'angle étrange dans lequel sa tête est maintenue de force. Il a les poignets attachés aux accoudoirs en titane. Une perfusion est reliée au dos de sa main, et des nutriments s'écoulent d'une poche accrochée à proximité. Une série d'électrodes sont fixées sur son visage et son torse, et reliées aux circuits imprimés de la machine du Dr Anou. Malcolm fixe la caméra, mais il a le regard flou et impassible.

« Papa, oh mon Dieu », dit Sam à voix basse.

C'est déjà éprouvant de regarder Malcolm ainsi, mais ça empire encore quand le Dr Anou commence à lui poser des questions.

« Bonjour, Malcolm. » Anou parle maintenant en anglais, d'un ton habituellement réservé aux enfants. « Êtes-vous prêt à reprendre notre conversation ?

— Oui, docteur, répond le Malcolm à l'écran, la bouche pendante, un filet de bave au coin des lèvres.

— Très bien. » Anou baisse les yeux sur le bloc-notes posé sur ses genoux. « Je veux que vous vous remémoriez votre rencontre avec Pittacus Lore. Je veux savoir ce qu'il faisait sur Terre.

— Il préparait la suite, annonce Malcolm d'une voix lointaine de robot.

— Soyez plus précis, Malcolm, insiste Anou.

— Il se préparait pour l'invasion mogadorienne et pour la renaissance de Lorien. » Malcolm prend soudain un air alarmé. Il agite les bras sous les sangles. « Ils sont déjà là, à nous pourchasser.

— Certes, mais vous êtes en sécurité, désormais, commente Anou en attendant que Malcolm se calme. Quand les Lorics ont-ils commencé à venir sur Terre ?

— Il y a des siècles. Pittacus espérait que l'humanité serait prête, quand l'heure viendrait.

— L'heure de quoi ?

— De se battre. De faire renaître Lorien. »

Anou tapote avec son stylo sur son bloc-notes, visiblement agacé par les propos vagues de Malcolm. « Comment pourront-ils faire renaître Lorien depuis la Terre, Malcolm ? Leur planète se situe à des années-lumière d'ici. Êtes-vous en train de me mentir ?

— Non, marmonne Malcolm. Lorien n'est pas seulement une planète, c'est plus que ça. Elle peut exister n'importe où, à condition que la population ait un cœur noble. Pittacus et les Anciens se sont déjà occupés des préparatifs. La Loralite court sous nos pieds en ce moment même, elle traverse la Terre de part en part. Comme le sang courant dans les veines, elle ne demande qu'un battement de cœur pour se relancer. Il suffit de la réveiller. »

Anou se penche en avant, soudain très intéressé. Je me surprends à en faire autant, à m'approcher de l'écran, la tête inclinée sur le côté.

« Et comment s'y prendront-ils ? demande Anou en essayant de contenir son excitation.

— Chacun des Gardanes possède ce que Pittacus Lore appelle des Pierres Phœnix, explique Malcolm. Quand les Gardanes atteignent la majorité, les pierres peuvent être utilisées pour recréer les caractéristiques de Lorien – la faune et la flore, la Loralite, les Chimæra.

— Mais qu'en est-il des Dons ? Des vrais présents de Lorien ?

— Eux aussi réapparaîtront quand Lorien sera réveillée. Les Pierres Phœnix, les pendentifs, tout a un but précis. Lorsqu'ils seront offerts à la Terre dans le Sanctuaire des Anciens, Lorien revivra. »

Anou lance un regard à la caméra, les yeux écarquillés. Il se ressaisit et reprend l'interrogatoire.

« Où se trouve ce Sanctuaire, Malcolm ?

— À Calakmul. Seuls les Gardanes peuvent y pénétrer. »

Malcolm interrompt la vidéo. Il passe en revue les visages autour de lui. Il a les lèvres pincées et l'air austère, mais une lueur d'espoir brille dans ses yeux, bien vivace. Nous le dévisageons tous d'un air ébahi, encore incapables d'intégrer ce que nous venons de voir.

Neuf lève la main en fronçant les sourcils. « Je ne comprends pas. Qu'est-ce que c'est que ce truc, Calakmul ?

— C'est une ancienne cité maya, située dans le sud-ouest du Mexique, l'informe Malcolm avec une pointe d'enthousiasme dans la voix.

— Pourquoi on ne savait rien de tout ça ? s'interroge Six en scrutant l'écran figé. Pourquoi les Anciens ne nous ont-ils rien dit ? Ou à nos Cêpanes ? Si c'est tellement important, pourquoi nous maintenir dans l'ignorance ? »

Malcolm se pince l'arête du nez.

« Je n'ai pas de bonne réponse à cette question, Six. L'invasion mogadorienne a pris les Anciens de court. On vous a expédiés sur Terre en toute hâte, et vos Cêpanes n'étaient pas plus préparés que vous. Votre survie était la priorité principale. J'ai tendance à penser que tous ces éléments – les Pierres Phœnix, vos pendentifs, le Sanctuaire – devaient vous être révélés à votre majorité, une fois que vous auriez tous vos Dons et seriez prêts au combat. Le savoir avant vous aurait rendus vulnérables. Même si… » Malcolm jette un regard triste en direction de l'écran. « … on voit où nous ont menés tous ces secrets.

— C'est peut-être pour cette raison qu'Henri est venu jusqu'à Paradise pour te chercher, Papa, suggère

Sam, son regard passant de son père à moi. Peut-être que l'heure était venue. »

Je réfléchis à toute vitesse. Sans même m'en rendre compte, je me mets à faire les cent pas. D'un regard, Six me signifie d'arrêter.

« J'ai toujours cru que nous gagnerions cette guerre, et qu'ensuite nous retournerions sur Lorien, j'énonce lentement, en essayant d'ordonner mes pensées. Je croyais que c'était ce que voulait dire Henri, en parlant de redonner vie à Lorien.

— Peut-être qu'il voulait dire : *ici*, fait remarquer Six. Peut-être qu'on est censés faire renaître Lorien ici.

— Qu'est-ce que ça peut bien signifier ? demande Sam. Que deviendrait la Terre ?

— Ça ne pourrait pas être pire que ce que les Mogs lui réservent, objecte Neuf. Parce que, dans mon souvenir, c'était plutôt sympa, sur Lorien. On rendrait service à la Terre.

— Dans cette vidéo, vous avez l'air de parler d'une sorte d'entité, dit Marina en regardant Malcolm.

— Je… » Ce dernier secoue la tête d'un air désolé. « J'aimerais m'en souvenir, Marina. Je n'ai pas les réponses.

— C'est peut-être comme un dieu, poursuit Marina, de la vénération dans la voix.

— Ou comme une arme massive qui surgirait de la Terre pour exterminer tous les Mogs », objecte Neuf.

Adam se racle la gorge, visiblement mal à l'aise.

« Quoi qu'il en soit, Malcolm a dit qu'on avait besoin des Pierres Phœnix pour le réveiller, je rappelle pour éviter qu'ils se dispersent.

— Et de nos pendentifs, ajoute Six, avant de pencher la tête comme si une idée lui venait. C'est peut-être pour ça que Setrákus Ra les garde. Peut-être que ce sont plus que des trophées, pour lui.

— On a passé nos coffres en revue, à Chicago, grogne Neuf, se rappelant sans doute combien cet inventaire de nos Héritages l'avait ennuyé. J'ai plein de cailloux et d'autres merdes dont je ne sais pas quoi faire.

— On devrait tout apporter, propose Marina d'un ton déterminé. Nos Héritages. Nos pendentifs. Les emporter jusqu'au Sanctuaire et les offrir à la Terre, comme a dit Malcolm. »

Ce dernier acquiesce.

« Je sais que c'est vague, mais c'est un point de départ.

— C'est peut-être l'avantage que nous cherchons, je dis d'un air songeur. Bon sang, c'est peut-être pour ça qu'on a été envoyés ici, tout simplement. »

Neuf croise les bras d'un air sceptique. « Hier, j'ai vu le plus gros vaisseau mog que j'aie croisé de ma vie. Enterrer nos trucs dans un vieux temple poussiéreux, c'était peut-être une idée cool il y a des mois de ça, mais on est *à deux doigts* de la guerre totale, je vous rappelle, et je suis sûr qu'on a quelques méchants à buter, avant ça. »

Malcolm intervient sans me laisser le temps de répondre. « Le Sanctuaire pourrait bien être notre meilleur espoir. Mais mieux vaut ne pas mettre tous nos œufs dans le même panier.

— Neuf n'a pas tort. Même si je déteste l'idée de nous séparer tous à nouveau, ajoute Six, une partie d'entre nous devrait suivre le plan de Walker et mettre une raclée aux Mogs et à leurs complices. »

Neuf brandit le poing. « Moi.

— Et d'autres devraient partir pour le Mexique, je complète.

— Je veux y aller, s'empresse de dire Marina. Je veux voir ce Sanctuaire. Si c'est un lieu pour les Lorics, un lieu où nous avons vécu, c'est sans doute là que nous devrions enterrer le corps de Huit. »

Je hoche la tête et jette un regard à Six, dans l'attente de sa décision. « Alors ? New York ou le Mexique ?

— Le Mexique, répond-elle après quelques instants de réflexion. Tu es plus doué que moi, pour les négociations avec les types du gouvernement. Et si on a besoin d'un représentant loric à l'ONU, tu es le meilleur choix.

— Merci. Enfin, si c'est un compliment.

— Elle dit ça parce que tu es le genre gentil scout », renchérit Neuf.

Je me tourne vers Sam, qui semble sur le point de parler, la bouche entrouverte. Mais Six l'en empêche d'un signe de tête discret.

« Le mieux, c'est que je reste ici, j'imagine », conclut-il après quelques secondes de gêne, l'air bien découragé. Il se force à me sourire. « Il faut bien que quelqu'un vous gère, Neuf et toi. »

Il ne reste donc plus qu'Adam. Par respect, notre allié mogadorien n'a pas dit mot depuis le début de cette réunion, ne voulant sans doute pas froisser qui que ce soit tandis que les secrets de notre civilisation étaient ainsi déballés. Lorsque je me tourne vers lui, il scrute toujours l'écran. Il paraît perdu dans ses souvenirs, peut-être ceux du Dr Anou et de sa machine. En se rendant compte que nous le dévisageons tous, il fronce les sourcils.

« Ils vont vous attendre, au Mexique, fait-il remarquer. S'il y a une source de pouvoir loric là-bas, vous savez comme moi que mon peuple aura passé ces dernières années à tenter d'y avoir accès.

— Mais seuls les Gardanes peuvent y pénétrer, pas vrai ? rappelle Sam en regardant tour à tour son père et Adam.

— C'est ce que j'ai dit, répond Malcolm, les lèvres serrées, l'air incertain.

— Ouais, et on est soi-disant les seuls à avoir des Dons, aussi, réplique Neuf avec un regard en coin vers Adam. Tu veux dire que ça pourrait être un nouveau piège, le Mog ?

— Ce n'est plus un piège, si on est prévenu », fait remarquer Adam en lui rendant un bref regard. Puis il se tourne vers Six. « Je ne sais pas exactement ce que vous trouverez là-bas, mais je peux vous assurer qu'il y aura une présence mogadorienne. Je sais mieux piloter le Patrouilleur que vous, et je serai peut-être même capable de déjouer leur surveillance, s'ils ont des vaisseaux sur place.

— Eh bien, ce qui est sûr, c'est que je n'avais pas l'intention d'aller jusqu'au Mexique à pied, répond Six sèchement. Tu fais confiance à ce gars, pas vrai ? me demande-t-elle.

— Oui. »

Elle hausse les épaules. « Alors, bienvenue au sein de l'équipe Calakmul, Adam. »

J'entends Marina inspirer fortement, mais elle ne formule aucune objection.

« Super. On envoie un Mogadorien enquêter sur un lieu sacré loric, se plaint Neuf en secouant la tête. Personne d'autre ne trouve que c'est un léger manque de respect ?

— Comme quand tu l'as qualifié de vieux temple poussiéreux, tu veux dire ? signale Sam.

— C'est un constat. Tout comme de dire que cette histoire de "bon Mog" est super spé. Sans vouloir t'offenser. »

Je mets fin à leur chamaillerie en sortant mon pendentif loric de sous mon T-shirt pour le passer pardessus ma tête. Une fois que je l'ai retiré, je sens comme un vide étrange, une froideur, au niveau du cœur. Je ne me rappelle pas la dernière fois que je l'ai enlevé. Dans le silence lourd qui est retombé dans la pièce, je tends le pendentif à Six.

« Prends-le. Fais en sorte qu'il arrive au Sanctuaire. »

Sans hésiter, Neuf retire le sien à son tour et le tend à Six.

« Ouais, tiens. Prends le bijou auquel je tiens le plus au monde… et accessoirement, le destin de deux mondes. Sans vouloir te mettre la pression.

— Aucune pression, confirme Six avec un petit sourire narquois, en acceptant les pendentifs.

— Maintenant, j'annonce en regardant autour de moi, allons gagner cette guerre et changer le monde. »

CHAPITRE 18

Nous nous disons au revoir un matin, tous réunis autour du Patrouilleur, sur le terrain de basket d'Ashwood.

C'est une sensation étrange, d'avoir trois pendentifs loric autour du cou. Marina en a pris deux, aussi ne suis-je pas seule à porter ce poids. Je ne parle pas de poids physique, évidemment – les bijoux ne sont pas lourds. Il semblerait juste qu'ils contiennent tous les Dons de Lorien. Toute la puissance de notre peuple quasiment éteint, contenue dans quelques pierres de Loralite scintillantes.

Ouais. Rien de bien grave.

« Tout est là ? » demande Marina. Elle est agenouillée devant son coffre ouvert, à tout remettre en place. Nous avons également celui de Huit. Son Héritage est verrouillé à tout jamais, probablement détruit, mais nous avons pensé que ça ne pouvait pas faire de mal de l'emporter jusqu'au Sanctuaire avec le reste.

Je n'ai pas de coffre à moi, aussi Marina a-t-elle dû entreposer tous nos Héritages dans le sien. Après notre réunion, John et Neuf ont passé leurs coffres en revue et en ont retiré tout ce qui n'était ni une arme, ni une pierre guérisseuse, ni quoi que ce soit qui puisse servir au combat. En dehors des quelques pierres précieuses loric qui seront utiles pour payer les logements et l'équipement informatique, John a donné une poignée de feuilles séchées retenues ensemble par une ficelle jaunie qui imitent le bruit du vent quand je passe les doigts dessus, et Neuf nous a confié un pochon de terre tendre et sombre. Marina a rangé précautionneusement tous ces articles dans son coffre, en compagnie d'une fiole d'eau claire comme du cristal, d'un morceau de Loralite et d'une branche d'arbre dépourvue de son écorce.

« Donc, puisqu'on ne sait pas exactement à quoi ressemblent les Pierres Phœnix, on va balancer tout ce qui pourrait s'en rapprocher, c'est bien ça ? je résume, avant de me reprendre : Je veux dire, pas balancer. *Offrir à la Terre*. C'est ce qu'a dit le Malcolm zombie. »

John laisse échapper un petit rire. « Si un meilleur plan nous vient, je te le ferai savoir.

— Papa est toujours en bas, à regarder ces vidéos, ajoute Sam. Il trouvera peut-être quelque chose d'autre.

— Pour l'instant, l'improvisation semble la seule solution. Sur pratiquement tous les fronts, explique John. Il y a autre chose que j'aimerais que tu emportes au Sanctuaire, Six. »

Il s'accroupit pour fouiller dans son coffre. Je me demandais pourquoi il l'avait pris avec lui jusqu'au terrain de basket, alors qu'on en avait déjà passé le contenu en revue. C'est lorsqu'il me tend une petite boîte que je reconnais immédiatement que je comprends.

Les cendres d'Henri.

« John… » Je ne peux pas accepter.

« Prends-les, insiste John d'une voix douce. Sa place est au Sanctuaire.

— Mais tu ne voudrais pas être présent ? Pour lui dire au revoir ?

— Bien sûr que si. Mais avec tout ce qui se passe, je ne sais pas si j'en aurai l'occasion. » Je recommence à protester, mais John m'interrompt. « Tout va bien, Six. Je me sentirai mieux de savoir qu'il est avec toi, en route pour le Sanctuaire.

— Si c'est ce que tu veux... » Je tends les mains. « Je prendrai soin de lui. Je te le promets. »

Je pose délicatement la boîte contenant les cendres d'Henri dans le coffre de Marina, avec le reste de nos objets. Nous sommes tous très silencieux, d'humeur sombre. Cela dit, ce n'est pas évident de se dire au revoir comme ça, en étant surveillés. Les agents du gouvernement ont beau se tenir à distance, nous en voyons certains, comme l'agent Walker, qui nous observent depuis le porche d'une maison.

« Ça va aller, avec eux ? » je demande à John.

Il scrute les alentours, remarque tous les regards indiscrets. « Ils sont de notre côté, maintenant, tu sais ?

— Disons qu'il faut que je me fasse régulièrement une piqûre de rappel. » Malgré moi, je jette un œil en direction du Patrouilleur. « Ça devient une habitude, chez moi, ces temps-ci. »

Adam est déjà à bord du vaisseau, ainsi que Dust, la Chimæra qui s'est attachée à lui. Je prends John au mot et décide de faire confiance au Mogadorien maigre et nerveux qui est en train de rentrer des données dans l'ordinateur du cockpit. Je ne suis pas certaine que Marina soit dans le même état d'esprit. Elle n'a rien dit ouvertement, mais dès qu'Adam s'approche, je sens l'onde froide qui émane d'elle. Avec tout ce qui s'est passé, je ne peux pas lui reprocher de se montrer méfiante. Je me suis juste résignée à claquer des dents dans ce vaisseau jusqu'à notre arrivée au Mexique.

« Faites le point régulièrement », me rappelle John en tapotant le téléphone qu'il s'est accroché à la ceinture comme un gros ringard. Marina et moi disposons désormais de téléphones satellites, trop volumineux pour être portés comme accessoires de mode, aussi sont-ils allés rejoindre le reste de notre équipement. On doit ce matériel à la générosité du gouvernement des États-Unis, ou du moins à la faction rebelle avec laquelle Walker est en lien. Adam et Malcolm ont tous deux inspecté les téléphones et nous ont assuré qu'il n'y avait pas de mouchards.

« Ouais, ouais. Toi aussi, John. Reste en contact. Reste en vie.

— Et prends soin de toutes nos affaires », grommelle Neuf. Il se tient quelques pas à l'écart, sourcils froncés, à regarder Marina fouiller dans son coffre. « Je veux récupérer une partie de ces pierres précieuses, si possible. Tu sais, pour après. Il va falloir que je me construise un autre bercail. Mes derniers locataires ont bien merdé. »

Je jette un regard noir à Neuf.

« Tu es sérieux, là ? »

Il hausse les épaules.

« Quoi ? Faut bien penser à son avenir ! »

Marina lève les yeux de son coffre et, avec un soupir, lance à Neuf une paire de gants noirs.

« Tiens. Je n'ai jamais su quoi en faire.

— Sympa », commente Neuf en les enfilant immédiatement. Il plie les doigts à l'intérieur du cuir, puis jette violemment les mains en avant, paumes ouvertes, en direction de John. « Tu as senti quelque chose, vieux ? »

John décide de ne pas relever, et se tourne vers Marina.

« Est-ce qu'on est bien certains que ce n'est pas risqué ? Et si ces gants étaient une Pierre Phœnix ?

— C'est juste des gants, Johnny, objecte Neuf sans les retirer. Tu as déjà entendu parler d'un rituel ancestral qui consiste à enterrer une paire de gants de luxe ? Allez, lâche l'affaire. »

John secoue la tête, décidant d'en rester là. Son regard s'attarde sur les cendres d'Henri, puis Marina referme son coffre, et alors John se tourne vers le Patrouilleur.

« J'aimerais pouvoir venir avec vous. Être là pour... pour eux deux. »

Le corps de Huit se trouve déjà dans le vaisseau, solidement attaché à l'un des sièges.

« Après », intervient Marina en prenant la main de John et en la serrant dans la sienne. Elle porte une grande tristesse – c'est notre cas à tous –, mais je vois des signes prometteurs. L'ancienne Marina réapparaît doucement pour faire fondre toute cette glace. « Huit comprendrait. Une fois que nous aurons gagné cette guerre, nous aurons le temps d'honorer nos morts comme il se doit. Tous ensemble. »

Neuf arrête un instant de jouer avec ses nouveaux gants et regarde Marina d'un air grave.

« Ça me plairait.

— Prête ? » je demande à Marina.

Elle hoche la tête, puis se sert de la télékinésie pour faire flotter son coffre jusque dans le Patrouilleur.

« Faites attention à vous, tous. »

Un par un, Marina prend les garçons dans ses bras, et je fais de même. Sam passe en dernier, et lorsqu'il me serre contre lui, j'éprouve ce même sentiment que pendant notre réunion dans les tunnels mog, quand tout le monde nous dévisageait en gloussant. Je me raidis un peu, mais le temps que je réagisse, l'étreinte s'éternise, et je remarque que nos amis ont reculé de quelques pas pour nous laisser un moment d'intimité.

« Six..., me murmure Sam à l'oreille, et je m'écarte pour pouvoir le regarder dans les yeux.

— Ne rends pas les choses plus difficiles, Sam », je chuchote en remettant en place une mèche de cheveux qui s'est échappée de ma queue-de-cheval, et en jetant un regard suspicieux aux autres.

Bon, on a passé la nuit ensemble. Ce n'était peut-être pas la meilleure idée que j'aie eue. J'aime Sam, à ma manière, et je ne veux pas l'enchaîner, ni le blesser dans ses sentiments. C'est juste que je ne suis pas prête à engager une relation, quelle qu'elle soit, tant qu'on n'en aura pas terminé avec les Mogs, surtout sachant comme tout était devenu bête et compliqué avec John, après notre unique baiser. Mais avec tout ce qui s'est passé en Floride, j'avais besoin de quelque chose de positif, pour une fois – de la chaleur, de la sécurité, un échange le plus normal possible –, et c'était Sam. Je croyais qu'il avait compris que je ne voulais pas me lancer dans une idylle débile à la John et Sarah, avec étoiles dans les yeux et toute la panoplie. Mais nous voilà, l'un en face de l'autre, et j'ai beau essayer de me montrer abrupte, je ne me débats pas franchement, non plus.

« Je ne rends rien difficile, répond Sam en faisant la grimace. C'est juste que... je ne comprends pas pourquoi tu n'as pas voulu que je vous accompagne.

— Tu seras plus utile ici, avec ton père. Et puis il faut que tu gères John et Neuf.

— La dernière fois que je suis parti en mission avec John, il m'a laissé à l'intérieur d'une montagne, riposte Sam, visiblement peu convaincu. Allez, Six. Dis-moi la vérité. »

Je soupire. J'ai à la fois envie de l'étrangler et de l'embrasser. L'espace d'une seconde, je ne sais pas bien laquelle des deux pulsions va l'emporter. Je veux plus, avec Sam, je crois. Mais plus tard. Ce qui est certain, c'est que je ne peux pas y réfléchir maintenant. Hier soir, c'était une chose, mais aujourd'hui, je suis repartie pour me battre, parce que c'est la guerre.

« Je ne veux pas me laisser distraire, Sam. Tu comprends ?

— Oh. » À son air, on dirait que je viens de massacrer sa fierté à coups de machette. « Tu veux dire, tu ne veux pas avoir à me sauver sans arrêt des Mogs, ou à m'empêcher de me faire empaler par un piège maya, c'est ça ? Parce que je croyais qu'on avait dépassé ça. Je peux m'occuper de moi, Six. Et je ne t'ai tiré dessus par accident qu'une seule fois, et c'était à l'entraînement, et... »

Et je l'embrasse. Surtout pour le faire taire et lui faire comprendre, mais aussi parce que je ne peux pas m'en empêcher. J'entends Neuf lâcher un « Ouhou » derrière moi et je note mentalement qu'il faudra lui mettre une raclée à la première occasion.

« C'est de cette distraction-*là*, que je parle », je chuchote à voix basse, la bouche tout près de celle de Sam.

Le rouge lui monte aux joues et il fait mine d'ajouter quelque chose. Il essaie sans doute de trouver un moyen de se séparer en douceur, mais j'en ai assez de ces au revoir à rallonge, alors je jette un dernier regard à son visage doux et effaré, et je m'en vais. Quelques secondes plus tard, je suis attachée à mon siège à côté d'Adam dans le Patrouilleur, et je fais semblant de ne pas remarquer le sourcil levé et le sourire narquois de Marina.

« On y va ? » propose Adam.

Nous acquiesçons toutes deux et Adam actionne plusieurs interrupteurs. Il faut avouer qu'il maîtrise les commandes de ce vaisseau bien mieux que moi. Tandis que nous nous élevons doucement, je regarde par la fenêtre Sam et les autres qui nous font signe. Je me demande si ces moments douloureux disparaîtront un jour de ma vie – les adieux qui nouent le ventre, avant d'aller tous risquer notre vie. John n'arrête pas de répéter qu'il a hâte de mener une vie normale et parfaitement ennuyeuse, mais est-ce que je saurais m'en satisfaire ? Nous gagnons en altitude, les arbres filent en dessous de nous, et je pense à Sam. Sans cette guerre et ce chaos permanent, on ne se serait même jamais rencontrés. Comment ça se passerait, pour nous, sans la menace effrayante de la destruction mogadorienne ?

J'aimerais bien le découvrir.

CHAPITRE 19

Neuf m'écrase de tout son poids pour se pencher vers Sam et lui murmurer en aparté : « OK, mec. C'est quoi, cette histoire entre Six et toi ? »

Sam s'obstine à regarder par la vitre du SUV. « Quoi ? Rien. »

Neuf lâche un grognement sarcastique. « Allez, mec. On en a pour trois heures, avant d'arriver à New York. Va falloir que tu donnes des détails. »

Devant nous, sur le siège passager, l'agent Walker se racle la gorge.

« J'ai beau trouver fascinante la vie sexuelle des adolescents, je pense qu'on pourrait peut-être mettre ce temps à profit pour passer en revue les paramètres de cette opération, intervient-elle d'un ton sec.

— Accordé, je réponds en repoussant vivement Neuf à sa place, histoire qu'il fiche la paix à Sam. On doit se concentrer sur la mission. »

Neuf se tourne vers moi, les sourcils froncés. « Très bien, John. Je vais être un bon garçon et arrêter de faire le con pendant le reste du trajet.

— Parfait. »

Sam m'adresse un sourire reconnaissant et je hoche la tête. Une partie de moi pense vraiment qu'on devrait réfléchir à la situation impossible qui nous attend…

mais j'avoue que je n'ai surtout pas envie d'entendre des détails sur ce qui se passe entre Sam et Six. Je suis content pour eux, j'imagine. Content qu'ils aient pu trouver du réconfort ensemble. Mais je n'arrive pas à me défaire de l'idée que Sam va finir le cœur brisé. Je me remémore ma vision de l'avenir, et le cri de Sam juste avant que les Mogs exécutent Six. Peut-être est-ce la raison pour laquelle j'ai le pressentiment que tout ça va mal finir.

Ou peut-être que je suis jaloux, tout simplement. Pas parce que Sam a mis le grappin sur Six, mais parce que l'amour de ma vie est à des milliers de kilomètres. Bien sûr, pas question que j'exprime ça devant Neuf, ou Walker, ou encore l'agent du FBI qui nous conduit en silence. Ouais, autant se concentrer sur la mission.

Nous remontons l'autoroute I-95 entre Washington et New York. Malcolm est resté à Ashwood pour finir d'éplucher les archives mogadoriennes, dans l'espoir d'y trouver quelque chose d'autre qui pourrait nous être utile. La grande majorité des agents renégats de Walker sont restés, eux aussi. Ils tiennent le fort, et s'en servent comme base d'opérations pour coordonner leurs efforts en vue d'affaiblir les ProMog. Je ne me fie pas encore complètement à eux, et je n'y arriverai sans doute jamais, après tout ce que le gouvernement nous a fait subir, aussi ai-je laissé nos cinq Chimæra sur place, avec ordre de défendre Malcolm à n'importe quel prix.

En plus de Walker et de notre chauffeur, il y a un autre SUV rempli de fédéraux qui nous suit. Ce qui fait un total de six agents, plus Neuf, Sam et moi. Un peu léger, pour une armée. Mais la guerre n'a pas encore commencé. Et si tout se passe comme je l'espère, peut-être ne commencera-t-elle pas du tout.

« Sanderson, le ministre de la Défense, est descendu dans un hôtel dans le centre de Manhattan, près de l'ONU », nous informe Walker. Elle baisse les yeux vers son téléphone, sur lequel elle a tapé des textos toute la matinée. « J'avais une taupe dans son service de sécurité, mais...

— Mais quoi ?

— Ils ont été renvoyés ce matin. Tous ses gardes du corps, remplacés par une nouvelle équipe. Des gars blafards en imperméables noirs. Ça vous rappelle quelque chose ?

— Des Mogadoriens. » Neuf s'écrase le poing dans la paume. « Ils veillent sur leur petit chien-chien avant son grand discours de capitulation.

— Je pense que ça joue plutôt en notre faveur, fait remarquer Walker en me regardant. Mes hommes ne sautaient pas de joie à l'idée de se battre contre les leurs. Parce que certains de ces types ne font que leur boulot.

— Ouais, on n'a pas pour habitude de combattre les humains, nous non plus, je renchéris avec un regard appuyé à l'intention de Walker. À moins qu'ils nous y contraignent.

— Alors, c'est quoi, le plan ? demande Sam, sceptique. On va à son hôtel, on se débarrasse d'une poignée de Mogs, et ensuite on tue ce Sanderson ?

— Oui, confirme Walker.

— Non », je rétorque.

Tous les yeux se tournent vers moi. Même notre chauffeur stoïque me dévisage dans le rétroviseur.

« Comment ça, *non* ? demande Walker en haussant les sourcils. Je croyais avoir été claire, sur le sujet.

— On ne tue pas Sanderson. Nous ne combattons pas les humains. Et ce qui est sûr, c'est qu'on ne les tue pas.

— Gamin, j'appuierai moi-même sur la détente, si tu m'amènes jusqu'à lui, lance Walker.

— Vous pourrez l'arrêter, si vous voulez. L'accuser de trahison.

— La sentence pour la trahison, c'est la *mort*, s'exclame Walker d'un air exaspéré. De toute manière, les ProMog ne laisseront personne l'arrêter. Et vous pensez vraiment que les tribunaux auront le moindre pouvoir, une fois que Setrákus Ra sera là ?

— Vous l'avez dit vous-même. C'est Setrákus Ra, qui importe.

— Exact. Au lieu de Sanderson, c'est vous autres qui serez là pour l'accueillir, à l'ONU. Nous montrerons au monde la différence entre gentils aliens et méchants aliens. Pendant ce temps, en coulisse, mes hommes démantèleront ProMog. » Walker se masse les tempes. « J'ai d'autres agents déjà en position. Au moment où nous descendrons Sanderson, une dizaine d'autres traîtres ProMog seront… »

Je l'interromps. « Si vous êtes sur le point de me parler d'autres assassinats, je ne veux rien savoir. »

Neuf lève la main. « Moi, je veux savoir.

— Ce n'est pas comme ça que nous procédons, Walker, je poursuis. Ce n'est pas ce que nous cherchons.

— Mon grand, si tu veux dénoncer les Mogs, tôt ou tard, tu devras te salir les mains.

— Et si c'est Sanderson qui les dénonce pour nous ? »

Walker me fixe du regard, les paupières plissées. « De quoi tu parles ?

— Il fait bien un discours à l'ONU, n'est-ce pas ? Pour présenter Setrákus Ra, et convaincre l'humanité qu'il est totalement sans danger d'accueillir la flotte mogadorienne. » Je hausse les épaules en jouant la nonchalance, car je fais confiance à mon plan. « Peut-être qu'il va faire un autre discours. Une mise en garde, par exemple.

— Tu parles de le *convertir* ? s'exclame Walker. Si près du but ? Tu as perdu la tête.

— Je ne crois pas, non. » Je regarde tour à tour Neuf et Sam. « Mes amis et moi, on sait se montrer très persuasifs.

— Ouais, acquiesce immédiatement Neuf avec un rictus féroce. Je suis salement convaincant, quand je veux. »

Walker me dévisage pendant un long moment, puis elle se remet à taper ses messages codés sur le clavier de son téléphone. « Je ne m'étais pas rendu compte que je faisais équipe avec des extraterrestres hippies pacifistes, soupire-t-elle. Très bien. Si tu penses réussir à faire changer Sanderson de camp devant l'ONU, vas-y. Mais je te préviens : si je ne suis pas convaincue, je le descends.

— Bien sûr, je réponds. C'est vous le chef. »

Nous nous arrêtons dans une station-service du New Jersey pour faire le plein. Comme je dispose de quelques minutes de tranquillité, je décide que c'est un bon moment pour prendre des nouvelles de Sarah. Je sors mon portable et fais les cent pas sur le parking. Je sens les yeux de Walker qui me vrillent le dos.

« Où vas-tu ? demande-t-elle derrière moi.

— Appeler ma petite amie, je réponds en brandissant mon téléphone. Vous vous souvenez d'elle ? Vous l'avez emprisonnée de manière illégale, la dernière fois.

— Oh, génial. » Je l'entends qui marmonne quelque chose au chauffeur. « On dépend d'une bande d'ados en rut pour sauver le monde. »

Il vaut mieux des gens comme nous que comme toi, je pense, tout en faisant semblant de ne pas avoir entendu sa raillerie.

Le téléphone sonne cinq fois, et à chacune mon cœur bat un peu plus vite. Sarah répond juste avant que l'appel bascule sur messagerie. « Avant que tu dises quoi que ce soit, dit-elle la voix tremblante et sans même un bonjour, je veux que tu saches que je vais bien.

— Qu'est-ce qui s'est passé ? »

J'essaie de ne pas laisser transparaître la panique qui me gagne. J'entends le bruit de la circulation derrière Sarah. Elle est à bord d'une voiture qui roule.

« On est allés en ville se ravitailler, et on a eu un accrochage avec des Mogs, raconte Sarah, le souffle encore court. J'imagine qu'ils nous ont pistés, ils n'ont pas dû tellement apprécier *Ils sont parmi nous*. Ne t'inquiète pas, on va tous bien. Bernie Kosar leur a réglé leur compte.

— Vous êtes en lieu sûr ?

— On y sera bientôt. GARDIEN, le copain *hacker* de Mark, nous a transmis les instructions pour le rejoindre chez lui, à Atlanta. »

Mark donnait des détails sur ce GARDIEN dans un de ses e-mails. C'est un autre accro à la théorie du complot, comme les types de l'ancienne version d'*Ils sont parmi nous*. Sauf qu'il est aussi un excellent *hacker* et, selon Mark, il a accès à une quantité incroyable d'informations. L'idée que Sarah et Mark partent à sa rencontre alors qu'on ignore tout de son identité me rend un peu nerveux.

« Que sait Mark, de ce type ? »

Sarah répète ma question à l'intéressé. Avec le bruit de la route, je ne distingue pas sa réponse.

« Mark dit que c'est sans doute un *geek* qui se planque dans le sous-sol de ses parents, répète Sarah d'une voix neutre. Mais que c'est "un mec fiable", et qu'on peut lui faire confiance. »

Je roule les yeux. Tu parles d'un rapport.

« Voilà qui est réconfortant. Au cas où, je vais t'envoyer par texto les coordonnées d'un lieu sûr. C'est une base que nous avons prise, à Washington. Elle grouille de gars du gouvernement qui sont de notre côté. Si vous avez besoin de vous replier en urgence, vous pouvez aller là-bas. »

J'entends deux moteurs démarrer derrière moi. Je pivote et constate que tous les agents de Walker se sont déjà entassés dans les véhicules. Neuf et Sam sont debout à côté de notre SUV, à m'attendre. Neuf m'adresse un geste impatient de la main.

« Qu'est-ce qui se passe, de ton côté ? demande Sarah. Encore une mission stupide, mais susceptible de sauver le monde ?

— C'est à peu près ça, je réponds avec un petit sourire. Tu as reçu les documents que je t'ai envoyés ?

— Oui. On aura l'occasion de les télécharger une fois arrivés à Atlanta.

— Parfait. J'ai comme l'impression qu'*Ils sont parmi nous* va rapidement voir exploser son nombre de visiteurs. » Je marque une pause. Je n'ai pas du tout envie de raccrocher. « Les autres m'attendent. Je dois y aller.

— Mark dit : *Explose-leur la tronche*. Et je t'aime. » Elle lâche un petit rire. « La dernière partie, ce n'était pas de la part de Mark. C'était de la mienne. »

Nous nous disons au revoir et je reste avec ce même sentiment de manque et de peur qui me hante après chacune de nos conversations. Je retourne au SUV en traînant les pieds. Tout le monde est déjà à bord, sauf Sam.

« Alors, tu mets tous les documents de Walker sur *Ils sont parmi nous ?* demande-t-il. C'est une bonne idée. De la propagande anti-Mogadoriens.

— C'est une mesure désespérée, voilà ce que c'est, je rectifie d'un air abattu. Personne ne va aller fouiller dans les résultats de recherches pendant que sa ville se fait bombarder.

— Voilà qui remonte le moral, commente Sam en fronçant les sourcils. Sans plaisanter, c'est plutôt lourd, comme lecture. Si tu essaies de gagner le public à ta cause, le monter contre les Mogadoriens ne suffira pas. Tu ne devrais pas essayer de faire peur aux gens. Ils seront assez paniqués comme ça. Tu dois leur donner de l'espoir.

— Qu'est-ce que tu suggères ? »

Sam prend plusieurs secondes pour réfléchir, puis hausse les épaules. « Je ne sais pas encore. Mais je vais trouver quelque chose. »

Je hoche la tête et lui donne une tape dans le dos, et nous montons tous deux en voiture. Je sais qu'il veut aider, et c'est pourquoi je ne lui dis pas que, quand il aura trouvé… il sera peut-être trop tard.

Nous arrivons à New York environ une heure plus tard. Je ne suis jamais venu dans cette ville, et Neuf et Sam non plus. J'aurais aimé que nous la visitions dans d'autres circonstances. Tandis que nous avançons pare-chocs contre pare-chocs dans une avenue bordée de gratte-ciel, je tends le cou pour en voir le maximum par la vitre de la voiture. Chicago est certes une ville gigantesque, mais le ballet frénétique des piétons sur les trottoirs de New York, c'est encore autre chose. Des enseignes lumineuses annoncent des comédies musicales, les taxis jaunes slaloment entre les véhicules, et autour de nous tout n'est qu'effervescence.

Et ces gens n'ont aucune idée de ce qui se trame.

Sur le chemin pour rejoindre l'hôtel de Sanderson, nous croisons un type portant un chapeau de cow-boy et… rien d'autre que ses sous-vêtements. Il joue de la guitare acoustique pour une foule de touristes. Neuf s'étrangle de rire.

« Regardez un peu ça, lance-t-il en secouant la tête. Ce genre de connerie ne passerait pas, à Chicago. »

Je me penche en avant pour attirer l'attention de Walker. « On est encore loin ?

— Une centaine de mètres. »

Je me baisse pour vérifier que mon poignard loric est toujours bien attaché à mon mollet. Par réflexe je me touche aussi le poignet pour ajuster mon bracelet bouclier, avant de me rappeler qu'il a disparu, détruit par le général.

« Est-ce que votre gars sur place vous a dit à combien de Mogs on devait s'attendre ?

— Une dizaine. Peut-être plus.

— C'est rien du tout », commente Neuf en enfilant les gants que Marina lui a donnés.

Il serre les poings et je m'écarte légèrement, craignant qu'il n'actionne par mégarde une arme secrète. Heureusement, rien ne se passe.

« Tu vas porter ces trucs-là au combat ? demande Sam d'un air incrédule. Tu ne sais même pas à quoi ils servent.

— C'est le meilleur moyen de le découvrir, pas vrai ? Mon vieux, ces machins loric, ils s'obstinent à ne pas t'aider, jusqu'à ce que tu aies lâché l'affaire.

— Ou peut-être qu'ils servent seulement à te tenir chaud aux mains, suggère Sam.

— Essaie juste de ne rien faire de stupide, je préviens Neuf, qui me renvoie un regard noir et prend brusquement un air grave.

— John, pour qui tu me prends ? Sérieusement. Tu peux me faire confiance. »

Je sens bien que Neuf se reproche toujours ce qui est arrivé en Floride, et qu'il est désireux de refaire ses preuves. Je me contente de hocher la tête, car je sais qu'il ne veut pas qu'on insiste sur le sujet. Je suis heureux qu'il couvre mes arrières.

Walker se retourne vers Sam. « Ces gars lancent des boules de feu et ont des gants magiques, on dirait. Mais toi, tu sais faire quoi ? »

Pendant un instant, Sam semble déstabilisé, et je le vois toucher les cicatrices à ses poignets. Après un temps de réflexion, il plante son regard dans celui de Walker.

« J'ai sans doute tué plus de Mogs que toi, ma grande. »

Neuf me décoche un coup de coude, et je ne peux pas m'empêcher de sourire. À sa décharge, on dirait que c'est la réponse qu'attendait Walker. Elle ouvre la boîte à gants et en sort un pistolet dans son holster, qu'elle tend à Sam.

« Eh bien, voilà que j'arme officiellement un mineur. Fais honneur à ton pays, Samuel. »

Une minute plus tard, le chauffeur se gare en double file sur le côté d'un immeuble plutôt tranquille de Manhattan. L'autre SUV en fait autant derrière nous. Un peu plus bas de l'autre côté de la rue se trouve l'entrée d'un hôtel chic avec marquise et tapis rouge, et un espace où les clients peuvent confier leurs clefs de voiture et déposer leurs valises sur l'un des chariots à bagages parqués à proximité.

Sauf qu'il n'y a strictement aucune activité, à l'extérieur du bâtiment. Pas de touristes sur le trottoir, pas de voiturier guettant un pourboire. Rien. Le personnel a visiblement été chassé par le trio de Mogadoriens montant la garde près de la porte, imperméables ostensiblement ouverts pour exhiber les canons qu'ils portent à la ceinture.

On dirait qu'ils ne se donnent même plus la peine de se cacher.

« Le but, c'est de faire vite et proprement, nous informe Walker en se baissant dans son siège afin de pouvoir observer les Mogs dans son rétroviseur latéral. Éliminez ces Mogs et trouvez Sanderson avant qu'ils déclenchent l'alerte, appellent des renforts, ou je ne sais quoi d'autre.

— Ouais, pigé », je m'empresse de répondre. Je remonte la capuche de mon sweat-shirt, de sorte que mon visage soit dissimulé. « Ce n'est pas notre première fois.

— Laissez mes gars passer devant, recommande Walker. On sortira nos badges, on essaiera de semer la confusion. Ensuite vous frapperez. Fort.

— C'est ça. Vous faites diversion, acquiesce Neuf. Mais ensuite, vous dégagez de notre chemin. »

Walker prend un talkie-walkie pour appeler les agents du deuxième véhicule. « Prêts, les gars ?

— Affirmatif, répond une voix masculine. Allons-y.

— C'est parti », lâche Neuf, tout excité, en tapant dans ses mains gantées.

L'explosion qui s'ensuit n'est pas exactement un bang supersonique, mais pas loin. C'est comme un coup de tonnerre sur la banquette arrière. Toutes les vitres du SUV volent en éclats, et la voiture se soulève même de quelques centimètres au-dessus du sol. Le véhicule de derrière ne s'en tire pas beaucoup mieux – ses vitres sautent également, mais vers l'intérieur, parsemant de bris de verre les agents entassés dans l'habitacle. Les vitrines des magasins alentour en font autant, et un piéton qui passait par là se retrouve projeté au sol. Près de moi, Sam se tient la tête, médusé. Pendant plusieurs secondes, je n'entends rien d'autre qu'un gazouillis strident, dont je comprends vite qu'il s'agit des alarmes qui se déclenchent tout autour de nous dans la rue.

Je me tourne vers Neuf, les yeux écarquillés. Il fixe ses mains d'un air sidéré. Je n'arrive pas à entendre ce qu'il dit, et je ne suis pas très doué pour lire sur les lèvres.

Mais je suis pratiquement certain que c'est : « Oups. »

À l'entrée de l'hôtel, un des Mogadoriens est à genoux, la tête entre les mains. Les deux autres nous ont repérés et pointent leurs canons droit sur notre SUV.

Pour l'effet de surprise, c'est raté.

CHAPITRE 20

J'ai les oreilles qui sifflent tellement que je n'entends pas vraiment la première salve de tirs mogadoriens. Mais je la sens. Le SUV bascule légèrement sous l'impact des décharges qui traversent la carrosserie blindée. Walker se réfugie derrière la portière, tête baissée. Notre chauffeur a moins de chance : un tir file en crépitant à travers sa fenêtre et le frappe au cou. La chair se calcine et l'homme est immédiatement pris de convulsions.

« Allez ! je crie, incapable de percevoir le son de ma propre voix, et pas certain que les autres me comprennent non plus. On fonce ! »

Neuf arrache la portière arrière du SUV – littéralement. Il saute hors du véhicule en tenant la porte en bouclier devant lui, pour absorber les tirs ennemis.

Je plonge sur le siège avant et appuie les deux mains sur la blessure de l'agent du FBI, laissant couler en lui le flot d'énergie guérisseuse. Lentement, la plaie commence à se refermer, et les convulsions s'arrêtent. L'agent me dévisage, les yeux écarquillés et pleins de reconnaissance.

Je perçois du mouvement à ma gauche et fais volte-face. Derrière la vitre côté conducteur, je vois le piéton qui s'est fait renverser par le coup de tonnerre de Neuf.

C'est une jolie jeune fille d'une vingtaine d'années, avec de grands yeux marron. Elle semble sous le choc et clouée sur place, mais ça ne l'a visiblement pas empêchée de dégainer son portable de son sac à main pour me filmer en train de soigner le chauffeur. Et elle tient toujours le téléphone braqué sur moi alors que je lui hurle de s'enfuir.

Une nouvelle série de tirs mog rebondit sur le capot du SUV, manquant la fille de justesse. Sam bondit de la banquette arrière pour l'attraper. Il l'attire plus bas sur le trottoir et la met à couvert derrière des voitures garées.

Il y a encore quelques mois, une vidéo de moi en train d'utiliser mes Dons aurait promis une catastrophe. Mais à présent, je m'en fiche totalement. Cela dit, on ne peut pas se permettre d'avoir des innocents qui se baladent au beau milieu de notre zone de guerre.

« Tournez la voiture ! » je crie dans l'oreille de notre chauffeur. Je ne suis pas certain qu'il m'entende, alors je lui fais signe de tourner le volant. « Bloquez la rue ! »

Il saisit le message et appuie à fond sur l'accélérateur. Je sens l'odeur de caoutchouc brûlé mais n'entends même pas les pneus gémir sur l'asphalte. Il place le véhicule à la perpendiculaire au milieu de la rue, bloquant toute circulation.

Je saute sur la chaussée et me tourne vers l'hôtel, juste à temps pour voir un Mogadorien se faire découper en deux par notre portière arrière, que Neuf a lancée façon discobole. Pendant ce temps, les agents de la seconde voiture ont réussi à se ressaisir. Comprenant notre manœuvre, leur chauffeur passe la marche arrière et fonce bloquer l'accès à l'autre extrémité de la rue.

Puis les occupants sautent à leur tour pour se mettre à couvert derrière le SUV, et font feu sur les Mogadoriens restants. J'entends à peine les déflagrations, avec mes oreilles meurtries.

L'un des Mogs tombe sous une balle bien placée au milieu du front. Débordé, le dernier Mog va se réfugier dans l'entrée de l'hôtel. Par la télékinésie, j'attrape un chariot à bagages derrière lui et le lui pousse dans les jambes. Il trébuche en avant et l'agent Walker l'achève.

Neuf me lance un regard et j'acquiesce de la tête. Ensemble, nous nous précipitons vers l'entrée. Je vérifie par-dessus mon épaule et vois Sam en train de parler à la passante, en désignant son portable à grands gestes. Ce n'est pas le moment de se préoccuper de ça.

À l'intérieur, hormis un employé terrorisé accroupi derrière le guichet de la réception, le vestibule de l'hôtel de luxe est désert. Au-delà des colonnades et des canapés en cuir, j'aperçois les ascenseurs. Bizarrement, deux sur trois sont hors-service et le dernier est bloqué au niveau terrasse. Les Mogs ne s'attendaient peut-être pas à un assaut, mais ils ont tout de même pris leurs précautions.

Je reprends mon souffle une seconde et pose les deux paumes contre mes oreilles pour permettre au flux guérisseur de pénétrer. Ça claque et ça crépite, mais le son revient progressivement, comme si on montait le bouton du volume dans ma tête. Dehors, je perçois des sirènes, des pneus qui crissent et les hommes de Walker qui braillent aux flics locaux de rester en arrière. Notre plan d'œuvrer discrètement est déjà ruiné ; maintenant, il s'agit de faire vite.

J'attrape Neuf avant qu'il atteigne les ascenseurs et lui plaque mes mains sur les oreilles, le soignant lui aussi. Une fois que j'ai terminé, il secoue la tête comme pour déloger de l'eau de son oreille interne.

« Tu es un abruti », je lui lance.

Il m'agite ses gants soniques sous le nez avant de les ranger dans la poche arrière de son jean. « Au moins, maintenant, on sait à quoi ils servent. »

Voyant que nous ne sommes pas des Mogadoriens armés, le gars à la réception sort lentement de sa cachette. Il est maigre, la quarantaine, et à voir les cernes sous ses yeux, il a l'air de passer une journée affreuse.

« Qu'est-ce… qu'est-ce qui se passe ? » nous demande-t-il.

Avant qu'on ait pu répondre, Walker débarque d'un pas décidé. Elle brandit son badge devant l'employé et s'écrie : « Sanderson ! Il est à quel étage ? »

Les yeux écarquillés, le type la dévisage, puis nous, puis de nouveau elle. « Ni-niveau terrasse, bégaie-t-il. Ces-ces *choses* que vous avez tuées sont avec lui, là-haut. Ils ont évacué tout l'hôtel ce matin. Sauf moi et quelques autres. Et je ne suis même pas *manager.* »

Neuf fixe le type du regard pour essayer de comprendre. « Pourquoi ils vous ont gardé, vous ?

— Parce qu'ils passent commande aux chambres, répond-il sans y croire lui-même, d'une voix aiguë. Ils font comme s'ils étaient les propriétaires, et nous leurs domestiques.

— Ils sont gonflés, ces cons, commente Neuf. Comme s'ils avaient déjà pris les rênes. »

Walker scrute le gars en plissant les paupières, comme si elle allait l'étrangler. Puis elle se tourne vers moi et hurle : « Bon sang. Je n'entends pas ce type. »

Je m'avance vers elle et pose les mains sur ses oreilles. Tout en soignant Walker, je m'adresse à l'employé. « Vous devriez partir. Sortez très lentement, les mains en l'air. Nous évacuerons tout le personnel que nous croiserons. »

L'homme acquiesce en silence, puis se dirige à tout petits pas vers la sortie, les mains au-dessus de la tête.

À la seconde où elle a retrouvé l'ouïe, Walker dégage sa tête. « Qu'est-ce qu'il a dit ?

— Qu'on devait monter, je réponds en désignant l'ascenseur.

— En fait, intervient Neuf, c'est eux qui descendent. »

Le seul ascenseur en état de marche s'est remis en mouvement, et les numéros lumineux défilent au-dessus de la porte. J'active le Lumen, et le souffle chaud au creux de mes paumes est réconfortant. Walker ajuste sa prise sur son arme.

« Doucement, les gars, dit Neuf. J'ai ce qu'il faut. »

Il décolle du sol un des canapés en cuir et le prend sous le bras comme un bélier. Avec Walker, nous reculons d'un pas pour lui faire de la place. Lorsque le *ding* retentit et que les portes coulissent, les quatre Mogadoriens envoyés en renforts de ceux que nous avons déjà éliminés sont accueillis par les hurlements de bête sauvage de Neuf qui leur balance un divan en pleine tête. L'un d'eux réussit à faire feu avec son canon, mais le tir touche le sol dans un grésillement inoffensif. Le groupe se retrouve propulsé au fond de l'ascenseur, et le Mog du milieu est littéralement écrasé sous le poids de Neuf. Walker contourne le sofa pour achever les Mogs restants.

« Ça ne compense toujours pas l'épisode des gants, je fais remarquer à Neuf alors qu'il lance sans peine le canapé dans le salon.

— Ça va, geint Neuf, tout sourire. C'était un accident.

— Est-ce qu'il y a d'autres gadgets extraterrestres que je devrais connaître ? s'interroge Walker tandis que nous nous entassons dans la cabine, direction la terrasse.

— Eh bien, à vrai dire, oui », confirme Neuf en sortant un chapelet de trois pierres vert émeraude de sa poche. Je me rappelle les avoir déjà vues – quand Neuf les lance, elles créent un trou noir miniature qui engloutit tout ce qui se trouve à proximité, avant de le recracher violemment. Il a dû les sortir de son coffre avant de livrer le reste de son Héritage à Marina et Six.

« Et ça a quelle fonction ? demande Walker.

— Vous verrez, je promets avec un regard vers Neuf. Tu sais qu'il y en aura d'autres qui nous attendront à la sortie de l'ascenseur, pas vrai ?

— Mais j'y compte bien », confirme Neuf, un grand rictus aux lèvres.

J'attire Walker de mon côté, tandis que Neuf se met à couvert contre le mur opposé en balançant paresseusement son chapelet de pierres, comme un bolo.

« Il va peut-être falloir que vous vous accrochiez à moi, je préviens Walker. Vous avez vu dans quel état est Neuf, dès qu'il a des gadgets sous la main.

— Eh, s'indigne ce dernier. Celui-ci, je sais vraiment m'en servir. »

Quelques secondes plus tard, les portes s'ouvrent et un tir de barrage vient perforer la paroi du fond – les Mogs ont visiblement opté pour une stratégie du genre « on tire d'abord, on pose des questions ensuite ». Sans passer la tête par l'ouverture, Neuf lance ses pierres à l'extérieur.

J'imagine que l'effet est le même que la première fois – les perles se mettent à décrire un cercle parfait à toute vitesse, puis avancent lentement en avalant tout sur leur passage. J'entends distinctement l'appel d'air, suivi de cris mogadoriens et de nombreux tirs aléatoires. Les cadres qui décorent les murs volent en éclats et les bris de verre sont aspirés dans le mini-vortex.

Neuf claque des doigts, et tout ce que contient le trou noir explose. Violemment projeté en l'air, un Mogadorien vient s'écraser à l'intérieur de l'ascenseur. Sa tête percute le fond de la cabine et il se brise le cou. Dehors, tout est calme.

Lorsque tout est fini, je passe la tête par la porte. L'air est rempli de particules de poussière en suspension – sans doute des restes mogadoriens. Un canon qui s'était retrouvé planté dans le plafond tombe à terre dans un fracas métallique. Rien dans le couloir hormis un chariot de service tout tordu qui a l'air d'être passé dans un broyeur. Il n'y a qu'une porte au bout du passage, celle qui mène à la suite-terrasse, et qui est maintenant à demi dégondée.

« Qu'est-ce que c'était que ce truc ? s'exclame Walker, perplexe.

— Les Mogs ne sont pas les seuls à avoir du matos de psychopathes, réplique Neuf en ramassant ses pierres en apparence inoffensives.

— Oubliez ça, j'ajoute en la voyant tendre le cou pour mieux voir les perles. Notre technologie n'est pas à vendre. »

Walker me regarde en fronçant les sourcils. « Ouais, eh bien, si j'en juge par l'épisode des gants, vous n'avez pas le mode d'emploi qui va avec, de toute manière. »

Derrière la porte à moitié fracassée, j'entends la télévision en bruit de fond. Les infos sur le câble, il me semble, le bulletin de la Bourse. En dehors de ça, le couloir est totalement silencieux. Aucune trace des Mogadoriens. Nous ne baissons pas la garde pour autant, et avançons prudemment vers l'accès à la terrasse.

Craignant une embuscade, je secoue la porte par la télékinésie avant qu'on soit trop près. Elle achève de se dégonder sans mal et tombe à l'intérieur de l'appartement avec un bruit mat. Le salon est plongé dans l'obscurité, tous les rideaux sont tirés, et la seule source de lumière est la lueur bleutée de l'écran de télévision.

« Entrez donc, appelle une voix râpeuse. Il n'y a personne ici susceptible de vous faire du mal.

— C'est Sanderson », nous souffle Walker.

J'échange un bref regard avec Neuf. Il hausse les épaules et désigne la porte. J'y vais en premier, Neuf sur mes talons, et Walker fermant la marche.

La première chose que je remarque, c'est l'odeur de moisi dans la chambre d'hôtel. Ça sent le pourri, avec un relent mentholé de crème pour les articulations. Une carte de New York est étalée sur la table du coin salon, avec des notes en mogadorien griffonnées aux quatre coins. Près de la table, une chaise renversée, comme si quelqu'un s'était levé à la hâte. Des canons mog sont également alignés le long d'un mur, ainsi que des sacs à dos sombres remplis de matériel – je remarque un ordinateur portable, quelques téléphones et une grosse serviette en cuir.

Mais ce qui m'intéresse vraiment, c'est le vieil homme assis au bord de l'immense lit aux draps froissés. Il fixe la télévision par la porte ouverte – sans doute est-il trop faible pour se traîner jusqu'au salon.

« Bon sang, mec, s'exclame Neuf en l'apercevant. Qu'est-ce qui cloche ? »

J'ai vu un tas de photos de Bud Sanderson, ces derniers jours. La première, c'était sur le site *Ils sont parmi nous*, Sanderson avec ses cheveux blancs et fins, avec ses bajoues et son double menton. Sur son site, dans un article genre presse à scandale, Mark James accusait Sanderson de suivre un traitement anti-âge mogadorien. La fois suivante, quand j'ai vu sa photo dans le dossier de l'agent Walker, il était en train de déjeuner avec Setrákus Ra, et il était en pleine santé, les cheveux grisonnants et épais, lissés en arrière, et on aurait volontiers cru qu'il allait enchaîner sur un petit jogging après sa salade diététique.

Le Sanderson que j'ai sous les yeux ne ressemble à aucune de ces deux versions. Avec Neuf, nous pénétrons dans la chambre pour le voir de plus près, Walker quelques pas en retrait. Le ministre de la Défense est un vieillard frêle, et son corps voûté est enveloppé dans un peignoir de l'hôtel. Le côté droit de son visage tombe mollement – il a l'orbite pendante et la ligne de la mâchoire disparaît sous des plis de peau inerte. Ses cheveux blancs sont devenus rares et les mèches rabattues sur le front dissimulent difficilement les taches de vieillesse. Il nous sourit – ou peut-être est-ce une grimace –, dévoilant ses dents jaunies qui se déchaussent. Par le col de son peignoir et le long de ses avant-bras, je remarque des veines proéminentes, d'un noir décoloré.

« Numéro Quatre et Numéro Neuf », annonce Sanderson en pointant un doigt tremblant sur moi, puis sur mon acolyte.

Il n'a pas l'air de s'offusquer de la réaction abrupte de Neuf, c'est à se demander s'il l'a entendue.

« Je vois passer vos portraits sur mon bureau depuis des années. Des captures vidéo de caméras de sécurité, ce genre de choses. Je vous ai pour ainsi dire vus grandir, mes petits. »

On dirait un vieux grand-père sénile. Je suis totalement pris de court. Je m'attendais à un homme politique fringant, à un traître qui essaierait de me vanter les mérites du ProMog à coups d'arguments spécieux. Ce type paraît à peine capable de se lever de son lit, et encore moins de prononcer un discours devant l'ONU.

« Et vous… » Sanderson incline la tête en dévisageant Walker. « Vous êtes des miens, pas vrai ?

— Agent spécial Karen Walker, réplique-t-elle en passant la porte. Je ne suis pas des vôtres, non. Je sers l'humanité, maintenant, monsieur.

— Eh bien, voilà qui est passionnant. »

Sanderson n'a pas l'air intéressé du tout par Walker. En revanche, ses yeux noirs de fouine nous scrutent, Neuf et moi, comme si nous étions des parents éloignés réunis autour de son lit de mort, et ça me met sérieusement mal à l'aise. Même Neuf s'est muré dans un silence gêné.

J'aperçois une petite trousse, sur le lit, près de Sanderson. Elle contient quelques seringues fines remplies d'un liquide sombre qui me rappelle vaguement du sang de piken.

J'avance d'un pas, et demande d'une voix grave : « Que vous ont-ils fait ?

— Rien que je n'aie souhaité, répond Sanderson d'un air triste. J'aurais voulu que vous me trouviez plus tôt. À présent, il est trop tard.

— Tu l'as dit, réplique Neuf.

— Même si vous me tuez, ça ne changera rien, explique Sanderson d'une voix rauque et résignée.

— Nous ne sommes pas ici pour vous tuer, j'objecte. Je ne sais pas ce qu'ils vous ont raconté, de quoi ils ont bourré votre corps et votre esprit, mais le combat n'est pas fini.

— Oh, mais moi, si. » Sur ces paroles, Sanderson sort un petit pistolet de la poche de son peignoir. Avant que je puisse intervenir, il le porte à sa tempe et appuie sur la détente.

CHAPITRE 21

Si j'avais pris le temps d'y réfléchir, je n'aurais sans doute pas été capable de le faire.

Il doit y avoir un millimètre de jour, entre la tempe de Bud Sanderson et le canon de son arme. C'est dans cet espace que je réussis à stopper la balle par la télékinésie. La précision qu'exige pareille manœuvre m'arrache un grognement. C'est épuisant, et chacun des muscles de mon corps est en tension maximale, depuis mes poings serrés jusqu'à mes orteils qui se crispent. C'est comme si j'avais jeté tout mon corps contre la course de cette balle.

Je n'arrive pas à croire que j'y sois arrivé. Jamais je n'avais fait preuve d'autant de minutie.

Une brûlure circulaire se forme sur la tempe de Sanderson, mais en dehors de ce détail, sa tête est parfaitement intacte. Ce n'est que lorsque le silence retombe après la détonation que le ministre de la Défense comprend que sa tentative de suicide a échoué. Il cligne ses yeux humides fixés sur moi, ne saisissant visiblement pas comment il peut encore être en vie.

« Comment… ? »

Sans lui laisser l'occasion de retenter le coup, Neuf plonge en avant et lui arrache l'arme des mains. J'expire très lentement et laisse mon corps se détendre.

« Ce n'est pas bien, me lance le vieillard d'un air accusateur, la lèvre inférieure tremblante tandis qu'il se frotte le poignet là où Neuf l'a frappé. Laissez-moi mourir, c'est tout.

— Sérieusement ! s'exclame soudain Walker en serrant son propre pistolet. Pourquoi l'avoir arrêté ? Tous nos problèmes auraient pu être résolus d'un coup.

— Ça n'aurait rien résolu du tout, j'objecte en lui lançant un regard tandis que la balle retombe mollement sur le lit défait.

— Il a raison, renchérit Sanderson, les épaules tombantes. Me tuer ne changera rien. Mais me garder en vie est de la cruauté pure.

— Ce n'est pas à vous de décider quand vous vous retirez du jeu, vieil homme, je préviens Sanderson. Quand nous aurons remporté cette guerre, nous laisserons le peuple de la Terre décider du sort qu'il réservera aux traîtres. »

Sanderson laisse échapper un gloussement lugubre. « Ah, la jeunesse, quel optimisme. »

Je m'accroupis pour le regarder droit dans les yeux. « Il est encore temps de vous racheter. D'agir pour le bien commun. »

Sanderson hausse un sourcil et ses yeux retrouvent une lueur de lucidité. Puis le côté droit de sa bouche s'affaisse et il essuie une bulle de bave avec la manche de son peignoir. L'air totalement vaincu, il détourne la tête.

« Non, répond-il à voix basse. Je ne crois pas. »

Neuf pousse un soupir d'ennui et ramasse la trousse de seringues posée à côté de Sanderson. Il étudie le dépôt brun dans l'injecteur pendant un moment, puis agite une seringue sous le nez de Sanderson.

« C'est quoi, cette merde qu'ils te donnent, hein ? C'est pour ça que tu as bradé cette planète ? »

Sanderson contemple longuement les ampoules, puis les écarte d'un geste faible.

« Ils m'ont soigné, répond-il. Plus que ça. Ils m'ont rendu ma jeunesse.

— Et regarde-toi maintenant, grogne Neuf. Frais comme une rose, pas vrai ?

— Vous savez que leur chef vit depuis des siècles ? rétorque Sanderson, son regard fou passant de Neuf à moi. Bien sûr que vous le savez. C'est ce qu'il nous a promis. L'immortalité et le pouvoir.

— Il a menti », j'objecte.

Sanderson baisse les yeux au sol. « Oui.

— Pitoyable », commente Walker, pourtant la rage en elle s'est éteinte. Tout comme moi, elle constate que Sanderson n'est pas le scélérat auquel elle s'attendait. Peut-être a-t-il été à une époque le pantin d'une conspiration internationale en faveur des Mogs, mais il s'est fait dévorer par le Progrès mogadorien. Il ne représente plus l'avantage stratégique sur lequel comptait Walker. Je m'inquiète qu'on ait gâché pour lui un temps précieux.

Sanderson ignore Neuf et Walker. Pour une raison qui m'échappe (peut-être parce que je l'ai forcé à rester en vie), il s'adresse directement à moi.

« Ces merveilles qu'ils avaient à offrir... vous les imaginez ? J'ai cru que j'entrais dans un âge d'or pour l'humanité. Comment aurais-je pu leur dire non ? Comment lui dire non, à *lui* ?

— Et maintenant vous devez continuer à prendre ce poison, pas vrai ? »

D'un mouvement de tête, je désigne les seringues emplies de ce que je soupçonne être la mixture génétique qu'utilisent les Mogs pour fabriquer leurs soldats jetables.

« Si vous arrêtez, vous vous désintégrerez, comme eux.

— Il est assez vieux pour tomber en poussière, de toute manière, grommelle Neuf.

— Cela fait deux jours, et regardez-moi… » Sanderson désigne son corps d'un geste évasif – il ressemble à une limace sur laquelle on aurait versé du sel. « Ils se sont servis de moi. Ils continuaient à me donner les traitements en échange de faveurs. Mais vous m'avez libéré. Je peux enfin mourir. »

Neuf écarte les mains et se tourne vers moi. « Mec, oublie ça. Ce type est une cause perdue. Il faut qu'on trouve un plan B. »

Je sens le désespoir monter. La piste de Walker s'est révélée être un pétard mouillé. Son ministre de la Défense n'est qu'un vieillard brisé, et on n'est pas mieux armés pour déjouer l'invasion mogadorienne imminente. Mais je ne suis pas décidé à baisser les bras. La limace assise en face de moi était autrefois un homme puissant – bon sang, les Mogs lui avaient même attribué un détachement de protection, donc il doit toujours être important. Il existe forcément un moyen de le réparer, de lui rendre la volonté de se battre. Il faut qu'il voie la lueur d'espoir.

C'est un mélange d'abattement et d'intuition qui me fait activer le Lumen. Je ne le pousse pas jusqu'au feu, mais je produis assez d'énergie pour qu'un faisceau de lumière pure jaillisse de ma main. Sanderson écarquille les yeux et il recule dans son lit.

« Je vous l'ai déjà dit, je ne vais pas vous faire de mal », je dis en me penchant vers lui.

Je dirige le rayon vers la partie affaissée de son visage, pour mieux voir à quoi je vais me confronter. La peau est grise et atone et un réseau de fines veines couleur cendre est visible en transparence. Les particules sombres sous la peau de Sanderson semblent fuir mon Lumen en flottant, comme si elles essayaient de s'enfouir plus profond.

« Je peux soigner ça », j'annonce avec fermeté.

Je ne suis pas certain que ce soit totalement vrai, mais je dois tenter le coup.

« Vous… vous pouvez réparer ce qu'ils ont fait ? »

L'espoir pointe dans la voix râpeuse de Sanderson.

« Je peux vous rendre tel que vous étiez. Pas *mieux*, pas comme ils vous l'avaient promis. Pas plus jeune. Juste… comme vous devriez être.

— Les vieux vieillissent, glisse Neuf. Il faut t'y faire. »

Sanderson me lance un regard dubitatif. Mon discours ne doit pas être très différent de celui que lui ont tenu les Mogadoriens il y a des années de ça, quand ils l'ont convaincu de rejoindre leur camp.

« Que voulez-vous, en échange ? demande-t-il, comme si un prix élevé était la seule conclusion possible.

— Rien. Vous pouvez essayer de vous tuer à nouveau, je m'en fiche. Ou vous pouvez choisir d'écouter ce qu'il vous reste de conscience et faire ce qui est juste. Ça dépendra de vous. »

Sur ces bonnes paroles, je pose la paume sur la joue de Sanderson.

En sentant le flot d'énergie passer en lui, l'homme frissonne. En temps normal, lorsque j'utilise mon pouvoir de guérison, je sens la blessure se refermer, les cellules se réagencer sous mes doigts. Dans le cas présent, j'ai la sensation qu'une force résiste à mon Don, comme des gouffres cellulaires obscurs dans lesquels ma lumière guérisseuse serait engloutie. Je perçois tout de même que l'organisme de Sanderson prend le dessus, mais le processus est lent, et je dois me concentrer beaucoup plus fort que d'habitude. Brusquement, je sens une masse crépiter et éclater, une de ses veines décolorées se cautériser. Sanderson grimace et se recule.

« Je vous ai fait mal ? » je demande, le souffle court, la main en suspens près de son visage.

Il hésite. « Non… Non, en fait je me sens mieux. Plus… plus propre. Continuez. »

Je m'exécute. Je sens la fange mogadorienne creuser les tissus, cherchant à échapper à mon Don. J'intensifie mes efforts et la pourchasse dans les veines. L'épuisement me fait plisser les paupières et une sueur froide me trempe le dos. Je suis tellement concentré sur la nécessité de vaincre ces ténèbres qui envahissent le corps de Sanderson que je perds toute notion du temps, comme si j'étais plongé dans une sorte de transe.

Lorsque j'ai enfin terminé, je recule en vacillant, les jambes flageolantes, et me cogne contre Sam. Je ne l'ai pas entendu monter. Il tend un téléphone devant lui

– peut-être l'a-t-il volé à cette passante que nous avons renversée ? – et il est en train de filmer la séance de guérison. Il interrompt l'enregistrement lorsque je lui rentre dedans et, pendant quelques secondes, il me sert d'appui et m'empêche de tomber.

« C'était génial, dit-il. Tu… Tu *irradiais*. Ça va ? »

Je me ressaisis avec difficulté – malgré mon épuisement total, je refuse de montrer le moindre signe de faiblesse devant Walker ou Sanderson. « Ouais, ça va. »

Je perçois le regard de Walker – c'est le même mélange d'effroi et d'admiration que j'ai lu dans les yeux du chauffeur, quand j'ai guéri son cou. Toujours assis en face de moi, Sanderson a l'air au bord des larmes. Les toiles d'araignée noires qui couraient sous sa peau ont disparu. Son visage ne tombe plus, les muscles ne sont plus atrophiés. Il reste un homme âgé, le visage très ridé, mais au moins a-t-il l'air *réel*, et pas sur le point de se décomposer.

Il a retrouvé figure humaine.

« Merci », finit-il par chuchoter d'une voix à peine audible.

Neuf me lance un regard pour vérifier mon état, puis se tourne vers Sanderson et lâche un grognement sarcastique. « Ça n'aura servi à rien, grand-père, si tu laisses ces gros cons livides atterrir ici.

— J'ai honte de ce que j'ai fait, de ce que je suis devenu… » Sanderson a le regard suppliant, et perdu. « Mais je ne comprends pas ce que vous espérez de moi. Les *laisser* atterrir ? Mais comment pourrais-je les arrêter ?

— Nous n'attendons pas de vous que vous les arrêtiez, je précise. Simplement que vous les retardiez.

Vous devez rallier le public à votre cause. Dans votre discours de demain devant l'ONU, vous devez dire très clairement que la flotte mogadorienne ne peut pas être autorisée à atterrir sur Terre. »

Sanderson me dévisage d'un air perplexe, puis son regard dérive lentement vers Walker. « C'est ce que votre taupe vous a raconté ? C'est ce que vous croyez qui arrivera demain ?

— Je *sais* ce qui se passe, corrige Walker, toujours aussi caustique bien que Sanderson semble vouloir rejoindre notre camp. Vous et les autres dirigeants que les Mogs ont corrompus allez monter sur scène pour convaincre le monde que nous pouvons tous cohabiter en paix.

— Ce qui, en gros, revient à une reddition, résume Neuf.

— Oui, c'est ce qui est prévu pour demain, admet Sanderson avec un rire lugubre. Mais vous vous trompez dans la chronologie. Vous croyez vraiment que je vais faire mon petit discours, et qu'*ensuite* leur Chef Bien-aimé fera atterrir ses vaisseaux ? Vous pensez qu'il se soucie des rouages paresseux de la politique humaine ? Il n'attend pas notre *permission*. L'ONU cédera pour des vies, pour apaiser la population terrorisée, parce que toute résistance militaire est vouée à l'échec, face à *ça*... »

D'un geste excédé, il désigne la télévision dans l'autre pièce. Tour à tour, nous pivotons lentement et nous dirigeons vers le salon, attirés par le visage blême d'une présentatrice sur le câble. Elle tente d'expliquer en bafouillant que des objets volants non identifiés sont en train de se manifester au-dessus de dizaines de grandes villes. La réception est aléatoire, les parasites envahissent l'écran toutes les deux ou trois secondes, comme si une interférence venait troubler le signal.

« … témoins, ces vaisseaux ont été aperçus également à l'étranger, à Londres, Paris et Shanghai, ajoute la présentatrice, les yeux écarquillés, lisant visiblement le texte sur son prompteur. Si vous nous rejoignez seulement, sachez qu'il est en train de se produire des événements surréalistes. Des vaisseaux d'origine extraterrestre sont apparus au-dessus de Los Angeles, Washington…

— C'est en marche, balbutie Sam, ébahi, et il se tourne vers moi en espérant des conseils. Les vaisseaux amiraux sont en train de descendre. Ils passent à l'action. »

Je ne sais quoi lui répondre. Des images de mauvaise qualité d'un gigantesque vaisseau de guerre mogadorien surgissant des nuages au-dessus de Los Angeles apparaissent à l'écran. Tout ce que je redoute le plus au monde est en train d'advenir. La flotte mogadorienne glisse lentement vers la planète Terre totalement prise au dépourvu. C'est la chute de Lorien, une seconde fois.

« C'est ce que j'essayais de vous dire, nous crie Sanderson depuis son lit. Il est bien trop tard. Ils ont déjà gagné. Il ne nous reste plus que la reddition. »

CHAPITRE 22

« J'en ai assez de faire ce qu'ils m'ordonnent. Qui qu'ils soient. »

J'ouvre brusquement les yeux. J'étais plongée dans un sommeil beaucoup plus profond que je l'aurais cru possible, dans mon lit mogadorien géant avec ses draps bizarres et glissants. Je commence à me faire à la vie à bord de l'*Anubis*, et cette pensée me dérange. J'ai cru entendre une voix, dans mes songes, mais peut-être n'était-ce que mon imagination, ou les derniers instants d'un rêve. Pour ne pas prendre de risques, je reste complètement immobile, la respiration régulière, comme si je dormais toujours. S'il y a un intrus, je ne veux pas qu'il sache que je suis réveillée.

Pendant quelques secondes, seul le bourdonnement incessant des moteurs vient briser le silence, puis une voix se manifeste de nouveau.

« D'un côté, on nous largue sur cette planète étrange en nous forçant en gros à nous battre pour rester en vie. De l'autre, on nous parle de paix par le progrès, mais c'est juste du bla-bla, parce que l'idée c'est de tuer tous ceux qui s'y opposeront. »

C'est Cinq. Il est quelque part dans ma chambre. Dans l'obscurité, impossible de le localiser. À entendre ses marmonnements à mi-voix, je ne suis même pas certaine qu'il s'adresse bien à moi.

« Tous, ils voulaient juste se servir de nous, siffle-t-il. Mais je ne vais pas les laisser faire. Pas question de me battre dans leur guerre stupide. »

Il change de position, et je réussis enfin à distinguer sa silhouette. Il est assis au bord de mon lit et sa peau a revêtu la texture sombre et luisante de mes draps. Il se fond dans mes couvertures, sans doute parce qu'il est en contact avec elles et a activé son Externa. Ce qui signifie que ses Dons sont revenus. Et aussi qu'il me fiche franchement la trouille, comme un monstre rampant qui serait sorti de sous mon lit.

« Je sais que tu es réveillée, me dit-il sans tourner la tête. Le vaisseau est en train de descendre, on n'est plus en orbite. Si tu veux partir, c'est le moment. »

Je me redresse en serrant les couvertures contre moi. L'espace d'une seconde, je songe à rendre Cinq impuissant en chargeant les draps avec mon Dreynen. Mais qu'est-ce que ça m'apporterait ? Je décide de ne pas l'attaquer. Pour le moment.

« Je croyais que tu étais dans leur camp, je fais remarquer. Pourquoi voudrais-tu m'aider ?

— Je ne suis dans aucun camp. J'en ai terminé avec toutes ces salades.

— Comment ça, terminé ?

— Pendant une période, après la mort de mon Cêpane, j'étais seul. Ce n'était pas si mal. J'aimerais bien remettre ça. Tu sais combien de petites îles il y a, dans les océans ? Je vais en choisir une et rester là-bas jusqu'à ce que tout soit fini. Je m'en fous complètement, de qui gagne, du moment qu'ils font ça loin de moi.

— C'est lâche, je réponds en secouant la tête. Je ne t'accompagnerai pas sur une île déserte.

— Je ne t'ai pas invitée, Ella, grogne Cinq d'un ton sarcastique. Je vais débarquer de ce vaisseau et j'ai pensé que tu aimerais peut-être venir. Ça ne va pas plus loin. »

J'envisage la probabilité qu'il s'agisse d'un test élaboré par Setrákus Ra. Mais à la lumière du comportement de Cinq un peu plus tôt, je décide de prendre le risque de le croire. Je saute à bas du lit et enfile mes pantoufles mogadoriennes à fine semelle.

« D'accord. Quel est ton plan ? »

Cinq se lève et sa peau redevient normale. Lorsque l'éclairage automatique de ma chambre se déclenche, je peux enfin voir son visage. Il a changé le pansement de son œil, et celui-ci n'est plus souillé de sang séché, mais il ne s'est toujours pas fait soigner. Son œil valide scintille d'excitation, comme si Cinq avait hâte de s'attirer des ennuis. Cette vision me fait presque regretter ma décision de m'allier à lui.

« Je vais ouvrir un des sas et sauter à l'extérieur, annonce Cinq pour illustrer son brillant projet.

— Tant mieux pour toi, vu que tu sais voler. Et moi, je suis censée faire quoi ? »

Il porte la main à sa poche arrière et en sort nonchalamment un objet rond qu'il me lance. J'attrape la pierre et la loge au creux de ma paume. Je me rappelle l'avoir vue dans le coffre de John.

« Une pierre de Xitharis. Je l'ai, euh, empruntée à nos amis.

— Tu l'as volée. »

Il hausse les épaules. « Je l'ai chargée avec mon Don. Sers-t'en pour t'envoler et aller sauver la planète. »

Je cache la pierre à l'intérieur de ma robe, puis lève les yeux vers Cinq. « Alors, c'est tout ? Tu crois vraiment qu'on va juste sortir tranquillement de ce vaisseau ? »

Il me dévisage en haussant les sourcils. Je remarque qu'il ne porte ni chaussures ni chaussettes, sans doute pour que ses pieds nus soient en contact constant avec le revêtement métallique de l'*Anubis*. Accroché à son avant-bras, j'aperçois un système rétractable qui pourrait bien être une arme.

« Ils ne seront pas capables de m'arrêter », m'assure-t-il, la voix empreinte d'une confiance maléfique.

Ce n'est pas franchement enthousiasmant, mais c'est le dernier espoir que j'aie.

« OK. C'est toi qui ouvres la marche. »

La porte de ma chambre coulisse au passage de Cinq. Il passe la tête par l'ouverture pour vérifier que la voie est libre. Visiblement satisfait, il se précipite dans le couloir en me faisant signe de le suivre. Nous longeons les murs labyrinthiques de l'*Anubis* au pas de course.

« Fais comme si de rien n'était, ordonne Cinq à voix basse. Il a des éclaireurs qui nous surveillent en permanence. Mais ils ont aussi peur de nous. De toi, en particulier, parce qu'on est censé te traiter comme un membre de la famille royale. Ils n'interviendront pas, du moment qu'on n'a pas l'air suspects. Et même s'ils se doutent que quelque chose cloche, le temps que l'un d'eux trouve le cran d'aller en parler au Chef chéri, on sera loin... »

Il parle trop. Ce qui me fait penser qu'il est nerveux. Sans y réfléchir – sinon je risquerais de laisser le dégoût l'emporter –, je lui prends la main.

« Nous sommes juste un jeune couple récemment fiancé, apprenant à se connaître, j'explique. Profitant d'une charmante petite promenade dans les couloirs coquets d'un vaisseau de guerre géant. »

La paume de Cinq est moite et froide. Son premier instinct est d'éviter tout contact et il essaie d'abord de se dégager, mais il finit par se calmer et me laisse tenir le poisson mort qui lui sert de main.

« Fiancé ? grogne-t-il. Setrákus Ra veut qu'on se marie ?

— C'est ce qu'il m'a dit.

— Il dit un tas de choses. » Cinq a viré à l'écarlate, jusqu'au cuir chevelu. Je ne sais pas s'il est gêné, en colère, ou bien un mélange des deux. « Je n'ai pas donné mon accord. Tu es une enfant.

— Autant te dire que je n'ai pas donné mon accord non plus. Tu es un barjo grossier et un meurtrier…

— La ferme », siffle Cinq, et pendant un instant je crois l'avoir vraiment offensé.

Mais c'est alors que je me rends compte que nous passons devant l'entrée de la galerie d'observation.

Tandis que nous nous faufilons discrètement, je ne peux m'empêcher de ralentir le pas. Les ténèbres vides auxquelles je m'étais habituée ont été remplacées par l'atmosphère bleu vif et familière de la Terre. L'*Anubis* est toujours en descente, mais les premiers signes de civilisation sont d'ores et déjà visibles, des routes traversant des champs verdoyants, des banlieues composées de minuscules maisons disposées en figures géométriques parfaites. Des dizaines de Mogadoriens se sont massés là pour voir la Terre grossir et l'effervescence est palpable tandis qu'ils se parlent en chuchotant, sans doute des zones qu'ils comptent piller en premier.

Cinq m'entraîne à l'écart, et en tournant dans le couloir suivant, nous heurtons deux Mogs qui accouraient vers le pont. En nous voyant, l'un d'eux a un sourire de dédain.

« Qu'est-ce que vous faites, tous les deux ? » demande-t-il.

En guise de réponse, je me redresse et bombe le torse, prenant l'air aussi hautain que je le peux. Le rictus du Mog s'efface presque aussitôt – sans doute au moment où il se remémore que je ne suis pas seulement une Loric quelconque, mais une parente de son Chef Bien-aimé – et il baisse les yeux au sol. Il se met à bredouiller des excuses, soudainement interrompues par un chuintement métallique.

Une lame fine comme une aiguille surgit de l'étui en cuir attaché à l'avant-bras de Cinq. Ce dernier la plante au milieu du front du premier Mog, qui se désintègre instantanément. L'autre écarquille les yeux d'horreur et tente de fuir. Un rictus ravi apparaît sur les lèvres de Cinq. Avant que le Mog ait pu faire plus de trois pas dans le couloir, Cinq donne à son autre bras la consistance du caoutchouc et rattrape le fuyard. Il enroule le lasso autour de son cou, le tire brutalement en arrière et l'achève avec sa lame.

Le tout n'aura pas pris plus de dix secondes.

« Je croyais qu'on était censés faire comme si de rien n'était », je rappelle à Cinq dans un chuchotement agacé, veillant à n'alerter personne dans la salle d'observation bondée.

Cinq me regarde en clignant les paupières, l'air de se demander ce qui lui a pris. Avec précaution, il repousse la lame dans son fourreau.

« J'ai perdu mon sang-froid, d'accord ? dit-il en se frottant nerveusement le crâne. Peu importe, de toute façon. On est presque arrivés. »

Je dévisage ce monstre débridé qui se tient en face de moi. Il inspire plusieurs fois à fond, les épaules tremblantes, les poings serrés sous l'effet de l'excitation. Il y a quelques minutes à peine, il paraissait presque fragile, à radoter à mi-voix dans l'obscurité de ma chambre. Il est brisé, complètement paumé. Je dois me répéter qu'il a tué Huit pour réprimer la pulsion de compassion que je ressens à son égard.

De compassion, certes, mais aussi de peur. Il est passé à l'attaque sans aucune provocation, et il a eu l'air presque content de tuer ces Mogs.

Et ce traître déjanté, violent et lâche est mon seul véritable espoir de m'évader de l'*Anubis*. Je secoue la tête.

« Allons-y », je lâche dans un soupir.

Cinq acquiesce et nous repartons au pas de course, oubliant notre stratégie de balade main dans la main. Le but, c'est de foncer vers notre destination. Dans ma course, je remarque que Cinq serre et desserre les poings. Ses mains sont vides.

« Comment tu as fait ça, avec ton bras ? je demande, en me remémorant ces balles de métal et de caoutchouc grâce auxquelles il avait changé l'apparence de sa peau, dans la salle de conférences. Je croyais que tu avais besoin de toucher quelque chose... »

Il tourne la tête pour pouvoir me regarder avec son œil intact. Il porte la main à son pansement.

« Perdre un œil m'a ouvert de nouvelles, euh... perspectives de stockage, explique-t-il.

— Beurk. » L'image mentale d'une balle en caoutchouc fourrée dans l'orbite de Cinq est pour le moins répugnante. « Comment tu l'as perdu, au fait ?

— Marina, répond-il simplement, sans aucune méchanceté dans la voix. Je l'avais cherché.

— Je n'en doute pas. »

Nous tournons au coin suivant et le couloir s'ouvre soudain. Le plafond s'élève et nous pénétrons sur un gigantesque pont-hangar. Le ciel bleu et vif apparaît par les hublots et les rayons du soleil se déversent sur des dizaines de navettes éclaireurs mogadoriennes à l'arrêt. En dehors des engins, la zone est déserte. Les pilotes et les mécaniciens doivent tous être rassemblés sur la passerelle d'observation, en train de scruter le monde qu'ils s'apprêtent à envahir.

« Attends, je dis. Si on ouvre le sas, est-ce qu'on va être aspirés dehors immédiatement ?

— On est dans l'atmosphère, et plus dans l'espace », répond Cinq d'un ton impatient. Il se penche sur un panneau de commandes pour en étudier l'interface. « Il y aura du vent. Tu ne vas pas te dégonfler, quand même ?

— Non. » Je scrute les alentours. « Tu penses qu'on pourrait faire exploser un de ces machins ? Pour descendre l'*Anubis* avant qu'il puisse faire quoi que ce soit ? »

Cinq se tourne vers moi, l'air un peu impressionné. « Tu as des Dons d'explosion ?

— Non.

— Moi non plus. Tu sais fabriquer une bombe ?

— Euh, non.

— Alors on va devoir s'en tenir à l'évasion. »

Il appuie sur un bouton de la console et une lourde porte métallique se referme derrière nous dans un bruit mat. C'est le sas – assez robuste pour protéger le vaisseau de l'appel du vide spatial. Dans les faits, la cloison nous coupe hermétiquement du reste de l'engin.

« Ça les ralentira, explique Cinq, faisant référence à nos futurs poursuivants.

— Bien vu », je reconnais en jetant un coup d'œil par la petite fenêtre du sas, m'attendant à voir les Mogs se ruer vers nous à tout moment.

Cinq tape encore sur le clavier, et dans un gémissement hydraulique accompagné d'une bouffée d'air glacé, les portes tout au bout du pont-hangar s'ouvrent. Le vent m'attire vers la sortie et je laisse échapper un profond soupir de soulagement. Je plonge la main dans ma robe, en extirpe la pierre de Xitharis et m'y cramponne. Lentement, j'avance vers les portes en me demandant quel effet ça fera de se jeter dans le ciel bleu et immense. Ce sera forcément mieux que de croupir sur l'*Anubis*. J'adresse un regard à Cinq par-dessus mon épaule.

« Donc je m'accroche juste à cette pierre et je vole ?

— C'est comme ça que c'est censé marcher. Imagine que ton corps est léger comme une plume qui flotte dans l'air. C'est comme ça que j'ai appris à utiliser mon Don, en tout cas. »

Je contemple le ciel sans nuages qui m'attend.

« Et si ça ne fonctionne pas ? »

Cinq s'approche d'un pas en soupirant. « Allez, viens. On va y aller ensemble.

— Vous n'irez nulle part. »

Setrákus Ra surgit d'entre deux navettes. J'ignore s'il est là depuis le début, à nous attendre, ou s'il vient de se téléporter. Mais peu importe. Nous sommes pris en flagrant délit. Setrákus Ra a conservé sa forme humaine et il se tient entre nous et le vide dehors. Le vent fait onduler sa chevelure châtain impeccable et les revers de sa veste de costume. Il tient à la main sa canne dorée – l'œil de Thaloc.

Cinq pose la main sur mon épaule et tente de me pousser derrière lui. Je me dégage d'un mouvement brusque. Nous affronterons Setrákus Ra côte à côte.

« Écarte-toi de notre chemin, le vieux », gronde Cinq. Il essaie de se donner un air dur, mais en réalité il est incapable de soutenir le regard de Setrákus Ra.

« Pas question, répond le monstre, la voix empreinte de mépris et de déception. Je m'attendais à ce genre de comportement de ta part, Ella. Tu ne nous as rejoints que récemment et il faudra du temps pour annihiler le lavage de cerveau que tu as subi entre les mains des Gardanes. Mais Cinq, mon garçon, après tout ce que j'ai fait pour toi...

— La ferme, rétorque Cinq sur un ton presque suppliant. Tu parles et tu parles et tu parles, mais rien n'est vrai !

— Ma vérité est la seule qui existe, le contredit Setrákus Ra d'un ton sévère. Tu seras puni pour ton insolence. »

Cinq ne parvient toujours pas à regarder son ancien maître, mais je vois aux mouvements saccadés de ses épaules que sa respiration s'accélère, comme dans le couloir, avec les soldats mogadoriens. Dans sa poitrine, un long râle résonne, comme une bouilloire qui chauffe. Je fais un petit pas de côté, craignant que Cinq explose, littéralement.

« Ça suffit, avec ces idioties, les enfants », siffle Setrákus Ra, mais sa voix est en partie couverte par le hurlement enragé qui s'échappe des poumons de Cinq.

Et c'est alors qu'il charge.

Ses pieds nus claquent d'abord sur le pont en métal puis, au bout de quelques mètres, les bruits de pas se transforment en fracas métallique lorsque son Externa s'active et que sa peau prend la texture du sol. Setrákus Ra lève à peine un sourcil, visiblement pas du tout intimidé.

Je ne reste pas plantée là à regarder. Pendant que Cinq monte à l'assaut, je me précipite sur un des chariots de réparation – si j'arrive à m'emparer d'une clef ou de tout autre objet à charger avec mon Dreynen, peut-être pourrai-je reproduire la leçon d'hier. Sauf que cette fois-ci, ma cible sera Setrákus Ra.

Mais mon plan tout comme celui de Cinq sont réduits à néant dès que l'ennemi balaie l'air de son bras. Un champ de force télékinésique nous frappe de front, me jetant à terre et éparpillant tous les outils contre le mur du fond. Sa télékinésie est si puissante que plusieurs navettes penchent même sur le côté en grinçant.

J'atterris violemment sur le flanc, et roule immédiatement sur le ventre pour reprendre mes marques. Cinq a lui aussi été éjecté par l'impact, mais il s'est rétabli grâce à son Don de vol. Il flotte dans l'air, à quelques mètres de Setrákus Ra. Sa peau n'a plus la teinte grise du sol du pont-hangar. Elle est désormais luisante et chromée, comme la boule que je l'ai déjà vu manipuler. Et qu'il a aussi dû se fourrer dans l'orbite.

« Arrête immédiatement », le met en garde Setrákus Ra, mais Cinq n'est plus en état d'écouter quoi que ce soit.

Il pique droit sur l'ennemi en brandissant les poings, dans le but de labourer son joli petit visage humain. Setrákus Ra esquive sans mal les coups avec sa canne, mais la furie de Cinq suffit à le faire reculer vers les portes.

Leur lutte m'ouvre le passage. Ces deux tarés n'ont qu'à régler ça entre eux. Je n'ai plus qu'à piquer un sprint et à plonger dans le vide, en espérant que la pierre de Xitharis ait bien l'effet décrit par Cinq.

J'ai à peine fait un mouvement que le regard de Setrákus Ra bondit sur moi. Je sens une onde d'énergie invisible me traverser, comme si la pression dans la pièce avait changé. Alors qu'il est sur le point de frapper, la peau de Cinq reprend son aspect normal. Son poing s'écrase contre la canne que brandit Setrákus Ra. Au même instant, Cinq s'écroule au sol dans un cri.

C'est exactement comme à la Base de Dulce. Setrákus Ra a créé un champ de force qui annule les Dons. Il est lui aussi un Aeternus, et je sais maintenant que nous partageons également le Dreynen. Sa technique diffère de tout ce que j'ai pu apprendre jusqu'ici. On dirait qu'il a réussi à charger les particules de l'air qui nous entoure, créant ainsi un rayon dans lequel les Dons sont inopérants.

Sauf que ça ne fonctionne pas sur moi. Je sens toujours mon Dreynen palpiter, et je sais aussi que je pourrais me servir de mon Aeternus, si je voulais. Pour une raison que j'ignore, je semble immunisée contre la version du Dreynen de Setrákus Ra. Est-ce parce que nous sommes de la même famille ? Ou un de mes Dons consiste-t-il en une protection contre Setrákus Ra ? Il a eu beau m'abreuver d'absurdités, me raconter que les Dons apparaissaient de manière aléatoire et que Lorien n'était que chaos, je commence à me demander si mes Dons n'auraient pas été choisis précisément pour le détruire. Plus important encore – Setrákus Ra sait-il que ses pouvoirs ne m'affectent pas ?

Il s'est de nouveau concentré entièrement sur Cinq. Je sais que je devrais en profiter, mais je suis comme clouée sur place. Même après tout ce qu'il a fait, puis-je réellement laisser Cinq ici, l'abandonner à son sort ?

Il est maintenant à genoux face au monstre, et se tient le ventre de sa main blessée. La forme humaine de Setrákus Ra a grandi d'une trentaine de centimètres – il est plus grand et plus costaud, et paraît gonflé, ce qui lui donne une apparence presque grotesque. Il se penche et pose une main anormalement massive sur le crâne de Cinq.

« Tout ce que tu avais à faire, c'était suivre les ordres », siffle le monstre. Il tire la tête de Cinq en arrière afin de pouvoir le regarder dans les yeux. « Nous aurions pu entrer dans le sanctuaire ensemble, si seulement tu m'avais rapporté ce fichu pendentif. Et maintenant, voilà ce que tu fais – comment oses-tu lever la main sur ton Chef Bien-aimé ? Tu me dégoûtes, mon garçon. »

J'ignore ce que Setrákus Ra entend par sanctuaire, mais je décide d'essayer de le découvrir. Toujours déchirée entre l'envie de fuir et la pulsion de venir en aide à Cinq, j'avance d'un pas vers eux, sans bien savoir ce que je pourrais faire, si je devais affronter le chef des Mogadoriens.

La tête de Cinq est inclinée bizarrement en arrière, et il ne peut qu'émettre des râles en réponse au sermon de Setrákus Ra.

« J'aurais dû me douter qu'aucun Gardane ne pourrait être réellement sauvé, continue-t-il. Tu es mon plus grand échec, Cinq. Mais tu seras aussi le dernier. »

Setrákus Ra resserre son emprise sur le crâne de Cinq, et ce dernier pousse un cri. J'ai l'estomac qui se retourne en comprenant qu'il a l'intention de lui écraser la tête. Je ne peux pas le laisser faire.

Je rassemble toute la force télékinésique que je peux et je projette Setrákus Ra en direction des portes ouvertes.

Sous l'effet de la surprise, il écarquille les yeux et trébuche en arrière, et le vent venu de l'extérieur agite son costume chic, qui est sur le point de craquer aux coutures sous la pression des chairs. Setrákus Ra perd prise sur le crâne de Cinq, et ses ongles creusent des sillons dans le cuir chevelu tandis qu'il est forcé de reculer. Il parvient à s'immobiliser avant que je le pousse hors de l'*Anubis*, et je sens sa télékinésie résister à la mienne.

« Ella, comment… »

Dans son regard, la surprise se mêle à la frustration.

C'est alors que Cinq charge, brandissant la lame fixée à son bras.

« Meurs ! » braille-t-il.

Setrákus Ra tente de l'esquiver, mais ne peut éviter totalement le coup. La lame plonge dans son épaule.

Je pousse un hurlement de douleur.

Un trou s'ouvre dans mon épaule et du sang chaud se met à couler à gros flots sur ma poitrine. Je titube et me retiens à l'une des navettes tout en portant l'autre main à ma blessure pour arrêter l'hémorragie.

Cinq recule, l'œil exorbité. Le Mogadorien a l'air indemne. Setrákus Ra sourit et Cinq se tourne vers moi, bouche bée. Il a poignardé Setrákus Ra, et c'est moi qui suis blessée.

« T-t-t, regarde un peu ce que tu as fait », ironise le monstre.

Le Sortilège mogadorien, ai-je juste le temps de me dire avant que tout se mette à tourner. Toute blessure infligée à Setrákus Ra m'affecte moi.

Cinq a l'air horrifié par ce qu'il a fait. Avant qu'il puisse réagir, Setrákus Ra le soulève par la gorge et lui plaque violemment l'arrière de la tête contre le fuselage d'un vaisseau. Il frappe, encore et encore, jusqu'à ce que Cinq perde connaissance.

Puis, sans ménagement, il jette le corps inerte par les portes ouvertes de l'*Anubis*. J'essaie d'atteindre Cinq par la télékinésie, mais je suis trop faible. Il descend en piqué, de plus en plus loin, en direction de la Terre.

Je m'effondre au sol, sentant le sang suinter entre mes doigts. Toute force m'a abandonnée. Je ne m'échapperai pas de l'*Anubis*. Mon grand-père a gagné.

Setrákus Ra se tient au-dessus de moi et sa forme humaine a repris ses proportions habituelles, bien que son costume soit bon à jeter à la poubelle. Il secoue la tête et sourit comme un professeur déçu.

« Allons, Ella. Nous devons mettre ce fâcheux épisode derrière nous. »

Je tends ma main couverte de sang. « Pourquoi ? Pourquoi m'avoir fait ça ?

— C'était le seul moyen de te faire comprendre que le Progrès mogadorien est plus important que tout, même que ta propre vie », répond-il. Il se penche pour me soulever dans ses bras. Tandis que je perds conscience, il chuchote d'une voix douce : « Tu ne désobéiras plus à ton Chef Bien-aimé, n'est-ce pas ? »

CHAPITRE 23

Le plan de vol d'Adam prévoit de descendre la Côte atlantique jusqu'à la Floride, puis de plonger vers l'ouest par-dessus le Golfe pour arriver à la pointe sud-est du Mexique. À condition de pousser le Patrouilleur à vitesse maximale et de voler assez bas pour éviter les avions, le voyage devrait prendre environ quatre heures.

L'ambiance est calme. Je me recule dans mon siège et contemple le littoral qui danse en dessous de nous. Adam ne dit pas grand-chose : il garde le regard fixé droit devant lui, effectuant parfois de petits changements d'itinéraire lorsque les systèmes de navigation repèrent un autre engin. Dust fait la sieste à ses pieds. Quant à Marina, elle reste complètement rigide dans son siège – sa peur de voler n'est pas franchement arrangée par le fait de voir un Mogadorien aux commandes.

« Vous savez, vous pouvez en profiter pour vous reposer quelques heures », finit par suggérer Adam d'un ton prudent.

Ça fait un moment que je suis à deux doigts de m'assoupir, donc j'imagine que c'est surtout pour Marina qu'il parle. Elle est assise, le dos droit, et un halo frais émane d'elle. Elle doit occuper toute la vision périphérique d'Adam.

Marina réfléchit quelques secondes, puis se penche en avant, de sorte que sa tête touche presque l'épaule d'Adam. Il hausse un sourcil, mais sans lâcher les commandes.

« Le dernier voyage qu'on ait fait en direction du sud, Six et moi, c'était il y a moins d'une semaine, explique-t-elle d'une voix posée. On a découvert trop tard qu'on voyageait avec un traître. Ça s'est mal terminé et j'ai dû le poignarder dans l'œil. C'était ma manière à moi de faire preuve de *miséricorde*.

— Je sais ce qui s'est passé en Floride, répond Adam. Pourquoi tu me racontes ça ?

— Parce que je veux que tu saches ce qui arrivera, si tu nous trahis, répond Marina en se reculant de nouveau sur son siège. Et puis, je n'aime pas trop que tu emploies le terme... *reposer*. »

Adam me lance un regard, cherchant visiblement de l'aide, mais je hausse les épaules et me détourne. Marina se demande toujours si elle veut vraiment se mettre en colère, et pas question de l'empêcher de régler ça. De plus, je pense que faire monter un peu la peur chez notre compagnon mogadorien n'est pas une si mauvaise idée.

Alors que je m'imagine qu'il va en rester là, Adam reprend la parole quelques minutes plus tard.

« Hier, pour la première fois, j'ai tenu en main une épée qui est dans ma famille depuis des générations. Jamais je n'avais été autorisé à la toucher, juste à l'admirer de loin. Elle appartenait à mon père, le général Andrakkus Sutekh. Il se battait contre Numéro Quatre – John. J'ai planté cette épée dans le dos de mon père, et je l'ai tué. »

Il livre ce discours sur un ton neutre, comme s'il lisait le journal. Je le dévisage en clignant les paupières, puis jette un œil par-dessus mon épaule en direction de Marina. Elle scrute le sol, perdue dans ses pensées. Autour d'elle, le froid se dissipe, et Dust se lève pour venir se rouler en boule près d'elle. Le loup pose la tête sur les genoux de mon amie.

« Sympa, comme histoire », je dis à Adam lorsque le silence devient gênant, et qu'à l'évidence personne d'autre que moi n'est décidé à le rompre. « Je n'avais jamais rencontré quelqu'un qui trimbalait une épée.

— *Sympa*, répète Adam en fronçant les sourcils. Ce que je veux dire, c'est que vous n'avez pas de raison de douter de ma loyauté.

— Je suis désolée que tu aies dû faire ça à ton père, intervient Marina. Je ne savais pas.

— Je ne le suis pas. Désolé, objecte Adam d'un ton brusque. Mais merci pour ta compassion. »

Pour faire baisser la tension ambiante, je me mets à toucher des boutons sur le panneau de commandes du Patrouilleur. « Est-ce que ce truc a une foutue radio, ou quoi ? On est censés se taper des histoires atroces sur tout le trajet ? »

Adam s'empresse de remettre les boutons en ordre derrière moi. Je crois percevoir un petit sourire de sa part. Sans doute est-il soulagé que la partie « menace de mort » soit derrière nous.

« Il n'y a pas de radio. Mais je peux fredonner des classiques mogadoriens, si tu veux.

— Tais-toi, je vais vomir », je réponds, et dans mon dos Marina pousse une sorte de hennissement.

Je me rends alors compte qu'Adam me lorgne d'une drôle de manière, et son visage anguleux semble s'ouvrir tandis que son expression stoïque et méfiante s'évanouit.

Pendant un instant, on dirait même qu'il est presque à l'aise, dans ce vaisseau, avec deux de ses ennemis mortels.

« Quoi ? » je lance, et il détourne rapidement les yeux.

Je comprends alors qu'il avait l'esprit ailleurs.

« Rien, réplique-t-il sur un ton nostalgique. L'espace d'une seconde, tu m'as juste rappelé quelqu'un que j'ai connu autrefois. »

Le reste du vol se fait sans encombre. Je réussis à somnoler une fois ou deux, bien que pas très longtemps. Avec Dust blotti contre elle, Marina semble enfin réussir à se détendre. Quant à Adam, il résiste à la tentation de siffloter des hymnes mogadoriens.

Nous survolons la forêt tropicale de Campeche, au Mexique, à une heure du Sanctuaire loric censément dissimulé parmi les ruines d'une ancienne cité maya, lorsqu'un signal rouge se met à clignoter sur l'écran transparent du Patrouilleur. Je ne le remarque qu'en voyant Adam se tendre.

« Bon sang, s'exclame-t-il immédiatement en se mettant à actionner des interrupteurs sur le panneau de commandes.

— Qu'est-ce qu'il y a ?

— Quelqu'un nous a repérés. »

Les caméras installées sur le Patrouilleur nous renvoient des images sur l'écran – des vues depuis le dessous de la carlingue et l'arrière du vaisseau. Je ne vois rien d'autre qu'un ciel bleu sans nuages et le dais de feuillage dense en dessous de nous.

« D'où ils arrivent ? demande Marina en plissant les yeux pour tenter d'apercevoir quelque chose à travers la vitre.

— De là », répond Adam en tendant le doigt vers l'écran, où une navette mogadorienne identique à la nôtre et volant plus bas glisse lentement vers nous. Elle est peinte de motifs camouflage verts assortis à la forêt dont elle a surgi.

« On peut les semer ? demande Marina.

— Je peux essayer, acquiesce Adam en abaissant la manette pour donner plus de puissance à notre engin.

— Ou bien on peut juste les descendre », je suggère.

Nous prenons un peu de vitesse, et c'est alors que le voyant rouge se subdivise en quatre points clignotants. Des renforts. Deux Patrouilleurs semblables émergent de la jungle juste devant nous, et un autre sur le côté. Quant au dernier, il est resté tout près, dans notre sillage. Pris en étau, Adam n'a pas d'autre choix que de s'immobiliser. Les autres engins nous cernent.

« Ils sont tous armés, n'est-ce pas ? interroge Marina.

— Oui, confirme Adam. Nous n'avons clairement pas l'avantage.

— C'est à voir », je réplique en me concentrant sur le ciel.

Rapidement, des nuages lourds apparaissent et se mettent à rouler à ma guise.

« Attends, me prévient Adam. On ne veut pas leur faire savoir que vous êtes tous à bord.

— Tu es certain qu'ils ne vont pas nous descendre ?

— À 90 %. »

Je laisse se dissiper l'orage que je préparais et les nuages se dispersent naturellement. Une seconde plus tard, une sonnerie stridente résonne sur le panneau de commandes.

« Ils nous appellent, explique Adam. Ils veulent parler. »

Un nouveau plan me traverse l'esprit, dans lequel on n'aurait pas à engager un combat aérien qui ne s'annonce pas bien.

« Tu as bien dit que tu étais le fils d'un général, c'est ça ? Tu ne peux pas te servir de ça ? »

Tandis qu'Adam y réfléchit, le bip retentit de nouveau.

« Il faut que je vous dise que je ne suis pas très aimé, parmi mon peuple. Il est fort possible qu'ils ne m'écoutent pas.

— Ouais, eh bien, c'est un risque, je reconnais. Au pire, ils te font prisonnier, pas vrai ? »

Adam fait la grimace. « Ouais.

— Auquel cas, on les laisse nous emmener là où on va. Ne t'inquiète pas. On viendra à ta rescousse.

— Euh, il faut que tu fasses *quelque chose* », s'impatiente Marina en désignant l'écran.

Le vaisseau droit devant nous a dégainé sa tourelle, avec laquelle il nous vise.

« Très bien, rendez-vous invisibles », lance Adam.

Je me penche en travers de mon siège pour attraper la main de Marina, et nous disparaissons toutes deux. Conscient qu'il se passe quelque chose d'anormal, Dust se métamorphose en une minuscule souris grise et se glisse sous le siège d'Adam.

Ce dernier appuie sur un bouton et une fenêtre vidéo apparaît sur notre écran en grésillant. Un éclaireur mogadorien à l'air vicieux, avec des yeux trop rapprochés et des dents courtes et affûtées, scrute Adam d'un air féroce et agacé. Il aboie quelque chose dans un mogadorien haché.

« Le protocole d'immersion impose qu'on parle anglais, quand on est sur Terre, espèce de crétin incubé », rétorque Adam d'un ton glacial. Il se redresse sur son siège, et prend subitement un air tellement hautain que j'ai envie de le gifler. « Tu t'adresses à Adamus Sutekh, fils originel du général Andrakkus Sutekh. Je suis en mission urgente sur ordre de mon père. Conduisez-moi sur-le-champ jusqu'au site loric. »

Rendons à César ce qui lui appartient, Adam est un baratineur de première. L'expression de l'éclaireur passe de l'irritation à la confusion, puis à la peur.

« Oui, monsieur, tout de suite », répond-il, et Adam coupe immédiatement la communication.

Un par un, les Patrouilleurs rompent le cercle dans lequel ils nous tenaient enfermés et nous laissent reprendre notre course.

« Ça a marché ! s'exclame Marina en lâchant ma main, visiblement abasourdie.

— Pour l'instant. » Adam fronce les sourcils d'un air incertain. « C'était un éclaireur de base. Avec ses supérieurs, ce sera autre chose.

— Tu ne peux pas leur dire simplement que ton père t'a envoyé ici pour mesurer leurs progrès ? je demande.

— En supposant qu'ils ignorent que j'ai trahi mon peuple et qu'en gros mon père m'a condamné à mort ? Ouais, ça peut marcher.

— Tu as juste à faire diversion un moment. Le temps que Marina et moi, on trouve un moyen d'entrer dans le Sanctuaire.

— On y est », annonce Marina en se penchant plus près de la vitre tandis que les Patrouilleurs descendent sur Calakmul.

J'aperçois un groupe de petits édifices très anciens, tous en pierre calcaire érodée par les siècles, et sur lesquels la jungle tente d'avoir le dessus. Mon regard est attiré par le gigantesque temple en forme de pyramide qui domine tout le site : construit sur une colline basse, il est massif, jalonné d'escaliers raides et parfois à demi écroulés, taillés à même la pierre. Je ne vois pas bien les détails à cette distance, mais il semble qu'il y ait une sorte de porte, au sommet de la pyramide.

« Combien vous êtes prêts à parier qu'on va devoir escalader intégralement ce truc ?

— C'est le Sanctuaire, répond Marina. J'en suis certaine.

— Mon peuple aussi, visiblement », confirme Adam.

Les Mogadoriens ont défriché tout autour du monument, formant une clairière parfaitement circulaire où tous les arbres ont été abattus, et une flotte entière de navettes éclaireurs est parquée sur le sol nu. À côté de ces dizaines de Patrouilleurs, je distingue une série de tentes qui doivent être le campement des Mogs. Il y a aussi ce qui ressemble à des lance-missiles surpuissants et des tourelles de tir, tous pointés sur le temple, et pourtant la structure paraît totalement intacte. Étrangement, à la base de l'édifice et remontant le long des parois, des arbres luxuriants et des plantes grimpantes subsistent, laissés en paix depuis des années. Le contraste est frappant avec le périmètre dénudé tout autour, dont toute vie naturelle a été éradiquée.

« C'est comme si quelque chose les avait empêchés de s'approcher trop près, fait remarquer Marina, à qui cette bizarrerie n'a pas échappé.

— Malcolm a dit que seuls les Gardanes pouvaient entrer », je lui rappelle.

Notre escorte de vaisseaux mog va se poser sur l'aérodrome improvisé, et Adam fait de même. Le Sanctuaire se dresse au loin. Le seul obstacle entre lui et nous, c'est une bande de terre totalement à découvert. Et, accessoirement, une petite armée de Mogadoriens, dont bon nombre ont commencé à se rassembler sur le terrain d'atterrissage, armés de canons.

« Le comité d'accueil », je commente en jetant un regard à Adam. Sur le moniteur, il regarde ses semblables se réunir, déglutit avec difficulté, puis détache la ceinture de son siège.

« Très bien, je passe en premier. Je vais essayer de les éloigner. Et vous, vous pénétrez dans le Sanctuaire.

— Je n'aime pas ça, objecte Marina. Ils sont très nombreux.

— Tout ira bien, la rassure Adam. Contentez-vous de rentrer à l'intérieur, et de faire ce que vous avez à faire. »

Sur ces paroles, il ouvre le cockpit et saute sur le capot du Patrouilleur. Il y a une trentaine de Mogadoriens en contrebas, à l'attendre, et d'autres approchent, en provenance des tentes. Marina et moi nous accroupissons à l'intérieur du vaisseau, et je garde la main près de la sienne, au cas où nous devrions à nouveau nous rendre invisibles.

« Qui commande, ici ? » hurle Adam, la silhouette droite et rigide, reprenant ses airs d'Originel.

Une grande guerrière en imperméable noir sans manches avance d'un pas. Elle a deux grosses tresses qui partent des deux côtés de la tête pour s'enrouler autour du crâne, dissimulant en partie les tatouages traditionnels sur son cuir chevelu. Elle a les mains enveloppées d'épais bandages blancs et poussiéreux, comme si elle s'était récemment blessée ou brûlée.

« Je suis Phiri Dun-Ra, fille originelle de l'honorable Magoth Dun-Ra », crie-t-elle à l'intention d'Adam. Elle se tient aussi droite que lui et sa carrure est imposante. « Pourquoi êtes-vous ici, Sutekh ? »

Adam bondit au sol et d'un mouvement de tête, écarte ses cheveux de son visage.

« Par ordre de notre Chef Bien-aimé lui-même. J'ai pour mission d'inspecter ce site pour préparer son arrivée. »

Un frisson parcourt la foule lorsque Adam mentionne le nom de Setrákus Ra. De nombreux Mogs échangent des regards nerveux. Phiri Dun-Ra, en revanche, n'a pas l'air très impressionnée. Elle avance de quelques pas, exhibant le canon qui pend mollement à sa hanche. À sa vue, je sens mon estomac se nouer. Elle se meut comme un prédateur, et la lueur dans son œil indique que les choses pourraient mal tourner, à tout moment. Elle est beaucoup plus coriace que les autres soldats mog que j'ai rencontrés jusqu'ici.

« Ah, le Chef Bien-aimé, évidemment. » D'un geste, elle désigne le temple. « Qu'aimeriez-vous voir en premier, monsieur ? »

Adam avance à son tour en direction du campement, et ouvre la bouche pour répondre. Au même instant, sans prévenir, Phiri lève son canon d'un geste fluide et frappe Adam en pleine mâchoire avec la crosse. Il s'écroule à terre, et tous les autres Mogs le mettent en joue à l'unisson.

« Qu'est-ce que tu dirais de l'intérieur d'une cellule, traître ? » gronde Phiri, les babines retroussées, en pointant son arme sur Adam, gisant à ses pieds.

CHAPITRE 24

Je tends la main vers Marina et elle l'attrape immédiatement. Une fois invisibles, nous sortons avec précaution de la navette, en synchronisant nos mouvements. Derrière nous, j'entends un brusque battement d'ailes. Dust prend son envol sous la forme d'un oiseau tropical aux ailes tachetées de gris. Aucun des Mogs ne le remarque lorsqu'il émerge du cockpit, et ils ne nous entendent pas plus atterrir au sol.

Ils sont trop distraits par le cirque de Phiri Dun-Ra.

« Je connais ton père, Sutekh, énonce-t-elle en forçant la voix, de sorte que les Mogs réunis en demi-cercle autour d'elle et d'Adam puissent tous entendre. C'est un salopard, mais au moins, il a de la noblesse. Il croit au Progrès mogadorien. »

J'ignore si Adam réussit à répondre, toujours est-il que je ne l'entends pas à cause des murmures d'approbation du public. Je l'aperçois entre les silhouettes des spectateurs – il est recroquevillé aux pieds de Phiri, à tâtonner dans la terre pour essayer de se remettre debout malgré le choc.

« Pour tout te dire, c'est ton père qui m'a affectée ici, continue-t-elle. J'étais responsable d'une équipe qui a laissé un Gardane s'échapper du bastion de Virginie-Occidentale. La punition était soit la mort, soit un voyage jusqu'ici. Pas vraiment le choix, comme tu peux voir. Tu sais, si on échoue, on sera tous exécutés, de toute manière. Notre seul espoir de survie, c'est de livrer le *Sanctuaire*. »

Sur le mot *sanctuaire*, Phiri fait un geste théâtral et méprisant pour désigner l'ensemble du monument, de ses mains bandées. J'hésite pendant un moment à écouter ce qu'elle a d'autre à dire, plutôt que de bouger.

« Il ne se passe pas un jour sans que je me demande si je n'aurais pas pris la mauvaise décision. Peut-être une mort rapide aurait-elle été préférable. Tu vois, Sutekh, tous ces gens qui se trouvent autour de toi ont été affectés ici comme punition. »

Il m'apparaît brusquement qu'elle ne s'adresse peut-être pas qu'à Adam – elle tente de remotiver ses troupes. Sans doute le moral est-il bas, dans la jungle.

« Nous avons été envoyés dans ce lieu désolé pour détruire le bouclier impénétrable qui entoure je ne sais quel butin que les Lorics ont caché à l'intérieur. Pour nous tous, c'est la dernière chance d'impressionner le Chef Bien-aimé. C'est l'endroit parfait pour un traître comme toi. »

Phiri s'accroupit à côté d'Adam.

« Alors, connais-tu le secret du Sanctuaire ? Es-tu venu ici dans le but de te racheter, enfin ?

— Ouais, répond Adam, encore sonné. C'est un champ de force, essaie de te jeter dessus, pour voir. »

Phiri éclate de rire. C'est ce rire qui me décide à bouger – il y a une menace sous-jacente, comme si la Mogadorienne n'allait pas tarder à mettre fin à son petit jeu. Ce qui signifie qu'on n'a pas de temps à perdre.

Je tire Marina par la manche et nous nous glissons derrière les Mogadoriens rassemblés. Adam nous a offert une sacrée diversion – si on s'en tenait au plan de départ, on pourrait sans doute entrer sans mal dans le périmètre du Sanctuaire. Mais je refuse de l'abandonner à son sort, et je pense que c'est aussi l'avis de Marina. Au lieu de nous diriger droit vers le temple, nous bifurquons vers l'une des tourelles de tir dont se sont servis les Mogs pour canarder en vain la force qui protège le monument.

« Me jeter dessus, répète Phiri, sans rire cette fois-ci. Ce n'est pas une si mauvaise idée, Sutekh. Pourquoi n'irais-tu pas le premier ? »

Du coin de l'œil, je vois Phiri faire signe à deux de ses subalternes. Ils s'empressent d'approcher pour hisser Adam sur pied. Puis Phiri ouvre la marche, et les deux Mogs traînent Adam jusqu'à la ligne invisible qui sépare la clairière défrichée de la partie de jungle intacte entourant le temple.

« On a tout essayé, sauf le bombardement nucléaire, pour entrer dans ce Sanctuaire, explique Phiri d'un ton désinvolte. On dit que le Chef Bien-aimé connaît un moyen. Il s'agirait des Gardanes et de leurs petits pendentifs. Comme tu le sais, ils sont du genre... insaisissables. Mais si on en croit le Grand Livre – et c'est mon cas –, alors on sait que rien ne peut entraver le Progrès mogadorien. Ce qui signifie que ce fichu champ de force va céder. J'ai l'intention de piétiner la magie loric qui nous empêche d'entrer, au nom du Chef Bien-aimé.

— Alors pourquoi tu ne l'as pas fait plus tôt ? riposte Adam. Si rien ne peut résister au Progrès mogadorien, pourquoi vous ne “progressez” pas ?

— Peut-être parce que, jusqu'ici, je n'avais pas une jolie petite gueule d'Originel sous la main pour me servir de bélier. »

Avec Marina, nous atteignons la tourelle la plus proche. Ensemble, nous grimpons les marches à l'arrière. Ce truc ressemble à un marteau-piqueur monté sur une remorque. Il y a un pare-brise avec un réticule placé au-dessus du canon. Deux poignées servent à faire pivoter le tout, avec des détentes rappelant des freins de vélos.

« Tu saurais te servir de cet engin ? je chuchote à Marina.

— Tu vises, tu appuies, tu tires, répond-elle à voix basse. C'est assez intuitif, Six.

— Très bien. Attends une seconde. »

Il faut deux mains, pour manier la tourelle. Tous les Mogs ont beau nous tourner le dos, je ne veux pas redevenir visible et risquer que l'un d'eux nous voie et ruine notre embuscade. Je pose précautionneusement ma paume sur la nuque de Marina avant de lui lâcher la main. Ainsi, elle sera en mesure de piloter la tourelle et nous resterons toutes deux invisibles. Lentement, Marina fait pivoter l'engin pour le placer face aux Mogs. L'arme aurait besoin d'un coup d'huile – elle émet un grincement métallique au moindre mouvement. Je secoue ma main libre d'ans l'air, convoquant une forte rafale de vent pour couvrir le bruit.

« Laisse-moi te donner un avant-goût de ce que tu vas vivre », annonce Phiri. Elle tient Adam face à la barrière invisible, et ses sbires le forcent à se mettre à genoux. Elle déroule les bandages autour de l'une de ses mains, révélant de la chair horriblement brûlée. « Voici ce que fait le champ de force loric, quand on s'y frotte malencontreusement.

— Tu devrais faire plus attention », réplique Adam.

Phiri adresse un signe de tête à ses sous-fifres, et les deux soldats contraignent leur prisonnier en position courbée, en tenant fermement son bras pour pouvoir l'appliquer contre le champ de force.

Phiri toise Adam. « Il y a des rumeurs, à ton sujet, Sutekh. On dit que tu es en partie Gardane, maintenant. Peut-être que tu es exactement ce qu'il nous faut pour pénétrer dans le Sanctuaire. Peut-être qu'une erreur de la nature comme toi pourra court-circuiter le champ de force, et qu'aujourd'hui sera le jour où nous entrerons dans ce lieu au nom du Chef Bien-aimé.

— D'une manière ou d'une autre, aujourd'hui sera bien ton dernier jour au Sanctuaire, réplique Adam, la mâchoire serrée. Je peux te le promettre. »

Ces paroles font hésiter Phiri. Elle lance un regard vers notre vaisseau, et l'idée la traverse brusquement qu'Adam n'est peut-être pas venu seul. Mais trop tard.

Marina achève d'aligner la tourelle face à la foule de Mogs.

« Prête ? murmure-t-elle.

— Allume-les. »

Ses mains invisibles appuient sur les détentes. Le canon s'anime en grondant avec une telle puissance que je manque de basculer en arrière. Je réussis à me cramponner à Marina pour lui éviter de redevenir visible. Le groupe de Mogs le plus proche n'a même pas l'occasion de faire volte-face : des colonnes rougeoyantes de flammes crépitantes leur pilonnent le dos, les transformant instantanément en cendres.

À la seconde où Marina ouvre le feu, Dust descend en piqué du ciel en poussant des cris perçants. Sous la forme d'un faucon à ailes grises, la Chimæra plante ses serres dans le visage d'un des deux soldats retenant Adam.

Les Mogs se mettent à hurler et se dispersent. Ils nagent en pleine confusion – à leurs yeux, cette tourelle doit sembler hantée par un fantôme. Phiri Dun-Ra a la présence d'esprit de riposter, mais ses tirs sont absorbés par le pare-brise qui nous protège et elle aussi se met finalement à courir. Marina continue à les arroser, tout en prenant soin d'éviter la zone où se trouve Adam.

Dust ayant mis un des soldats hors d'état de nuire, Adam balance un coup de coude dans l'estomac du second. Ce dernier se plie en deux, et Adam le projette en arrière, droit dans la barrière invisible entourant le Sanctuaire. Dans une incandescence d'énergie bleue et froide, le bouclier ceignant le temple apparaît – on dirait un réseau électrique géant façonné en forme de dôme. Le Mog s'enflamme comme une pointe d'allumette en le percutant. Son corps laisse une couche de cendres qui semble flotter dans l'air une fois que le bouclier s'évanouit de nouveau, jusqu'à ce qu'une bourrasque l'éparpille.

Libéré de ses ravisseurs, Adam se jette sur le ventre. Instantanément, Marina fait pivoter la tourelle pour éliminer les Mogs agglutinés autour de lui. Quelques-uns, dont Phiri Dun-Ra, ont réussi à se mettre à l'abri derrière un des vaisseaux à l'arrêt. Ils ont beau ne pas nous voir, ça ne les empêche pas de tirer à feu nourri sur la tourelle. Notre mitraillette se met bientôt à cracher de la fumée et à émettre des râles métalliques.

« Elle est en surchauffe ! je m'écrie. Saute ! »

Marina et moi plongeons dans des directions opposées juste avant que la tourelle explose, dans un nuage noir et âcre. Nous sommes désormais visibles et sans aucune protection.

Sans laisser aux survivants le temps de viser, Adam frappe le sol de ses poings. Un tremblement fuse sous la surface et ondule dans la direction des Mogs, qui sont jetés à terre. Je tire profit de la diversion pour rouler sous une des navettes, activant au passage mon Don pour convoquer un orage.

Le ciel s'assombrit et il se met à pleuvoir. Ici, dans la jungle, c'est du gâteau de provoquer ce genre d'intempéries, mais il me faut tout de même quelques secondes pour envoyer des éclairs, et je ne suis pas certaine de pouvoir être assez rapide. Phiri et ses troupes m'ont déjà dans le viseur, et leurs tirs font crépiter la terre humide à quelques mètres de ma position.

C'est alors qu'un grêlon de la taille d'un poing vient percuter le crâne chauve de Phiri. Elle tombe en arrière en se protégeant du bras.

J'aperçois Marina, cachée derrière un tas de cageots. Elle est visiblement très concentrée sur les gouttes de pluie, qu'elle transforme en glace pour ensuite bombarder les Mogs et les assommer avec ses grêlons. J'amène l'orage à ébullition, et fais fuser un éclair en zigzag. Phiri parvient à plonger à la dernière seconde, mais ses deux derniers soldats sont électrocutés et explosent en poussière.

Et, à ma grande Surprise, Phiri bat en retraite. Sans un regard en arrière, l'Originelle fonce droit vers la jungle.

Adam bondit sur ses pieds. Le coup de Phiri lui a fendu les lèvres, et le sang lui dégouline sur le menton. En dehors de ça, il semble indemne, et alerte. Il prend la Mog en chasse, mais ses semelles glissent dans la terre rougeâtre que l'orage a transformée en boue. Il ne peut aller bien loin, et Phiri l'a déjà distancé. Il s'immobilise à quelques mètres de moi.

« Laisse-la filer, je lui dis en calmant la tempête que j'ai déclenchée.

— Est-ce qu'on ne devrait pas la suivre ? » demande Adam en crachant du sang dans la boue.

Il scrute les ruines environnantes et la ligne des arbres, et je vois bien qu'il voudrait prendre sa revanche sur l'Originelle – à la loyale. Dust nous rejoint d'un bond. Il a repris sa forme de loup et vient s'asseoir à côté d'Adam pour lui lécher gentiment la main. Adam lève les yeux vers moi.

« Merci pour la rescousse, au fait.

— Ouais, je me suis dit que cette histoire de diversion, c'était mon idée, alors je te devais de ne pas les laisser te massacrer.

— Heureux que tu aies vu les choses comme ça. » Son regard scrute les environs. « On devrait la rattraper. Elle est dangereuse.

— Oublie cette Phiri, je recommande en me détournant de la jungle pour contempler le Sanctuaire.

— On a plus urgent à faire que de pourchasser une Mog, renchérit Marina en approchant. Quelle que soit la menace qu'elle peut représenter. »

Je hoche la tête. « Elle est toute seule, là-dedans. Peut-être qu'une créature quelconque va la manger. On va laisser Dust ici pour surveiller les vaisseaux, au cas où elle tenterait de revenir sur ses pas. »

Adam n'arrive pas à détacher les yeux de la jungle.

« Bien. Je vais jeter un œil aux alentours, pendant que vous entrez à l'intérieur. »

J'échange un regard avec Marina pour m'assurer qu'il n'y aura pas de malentendus sur ce que je m'apprête à dire. Elle hausse les épaules en réponse, puis se dirige vers notre vaisseau pour commencer à décharger. Je dévisage Adam, la tête penchée.

« Tu ne veux même pas *essayer* d'entrer ? »

Il me fixe d'un air incrédule.

« Tu plaisantes ? Tu as vu ce que le contact avec ce champ de force a fait à Phiri Dun-Ra ?

— Si ça se produit, je te soignerai, propose Marina par-dessus son épaule.

— Je ne comprends pas », dit Adam. Il pivote en direction du temple, les mains sur les hanches, l'air nerveux. « Pourquoi est-ce que vous voudriez que je vous accompagne ? C'est un lieu loric.

— Comme l'a dit cette chienne de Phiri, tu es en partie Gardane, maintenant, j'explique. Tu n'es pas loric, mais tu as des Dons.

— J'ai *un* Don, corrige Adam. Et au départ, ce n'est pas le mien. Je… je ne suis même pas certain d'être censé l'avoir.

— Peu importe. Si j'ai bien compris ce que nous a raconté Malcolm – c'est un grand "si", j'en conviens –, il y a un morceau vivant de Lorien, dans ce temple. C'est de là que viennent nos Dons. Ce qui signifie que tu y es relié, comme nous.

— Rien ne s'est produit par hasard », confirme Marina en grimpant sur le capot de notre vaisseau. Elle fronce les sourcils d'un air pensif, et ses traits doux se tendent. « Tu n'as qu'à voir les prophéties de Huit. »

Adam n'a guère l'air convaincu. Il déglutit avec difficulté.

« On ignore ce qui nous attend là-dedans. On pourrait avoir besoin de toi. Alors remonte-toi les manches. »

Je sais bien que c'est quitte ou double. Un sourire danse sur les lèvres de notre allié, comme celui que j'ai aperçu dans le cockpit, quand il s'est détendu.

« Je suis partant. À condition que ce mur invisible ne m'arrache pas la tête d'abord. »

Nous rejoignons Marina pour lui donner un coup de main. Elle extirpe de l'habitacle le coffre contenant tous nos Héritages et le pousse jusqu'à moi par la télékinésie. Puis elle sort précautionneusement le corps de Huit du vaisseau. Elle le fait flotter devant elle, comme si elle le portait dans ses bras. À ma grande surprise, elle baisse la fermeture Éclair sur la partie supérieure de la housse. Huit apparaît, semblable à ce qu'il était vivant, préservé par les électrodes mogadoriennes.

« Marina ? Qu'est-ce que tu fais ?

— Je veux qu'il voie le Sanctuaire. » Doucement, elle écarte une boucle de cheveux du front de Huit. « Tu rentres à la maison », lui murmure-t-elle.

Elle descend du vaisseau, concentrée sur sa télékinésie pour que le corps de Huit ne la quitte pas une seconde. Elle semble très déterminée, et ne lève pas les yeux vers nous avant de prendre la direction du temple. Je comprends alors que ça fait des jours qu'elle attend ce moment, celui où elle pourra faire en sorte que Huit repose en paix. Sans un mot, Adam et moi nous joignons à cette sombre procession.

Alors que nous approchons de la lisière de la clairière aménagée par les Mogs et que le temple à l'abandon se dresse devant nous, je ressens un picotement étrange sur la poitrine. Je baisse les yeux et constate que les trois pendentifs que je porte – le mien, celui de John et celui de Neuf – s'illuminent et se soulèvent sous le tissu de mon débardeur. Je les libère et ils se mettent à danser devant moi en tirant sur leurs chaînes. Ils sont attirés comme par un aimant vers l'édifice. Les deux pendentifs de Marina font de même.

Adam lève un sourcil devant les propriétés gravitationnelles de nos bijoux. Je hausse les épaules. Pour moi aussi, c'est tout nouveau.

Marina est la première à franchir le seuil. Le champ de force réapparaît, d'un bleu cobalt et crépitant d'énergie et lorsqu'elle le franchit, un grésillement résonne. Des mèches de cheveux chargées d'électricité ondulent autour de sa tête, mais il ne se passe rien d'autre.

Je ne suis qu'à quelques pas derrière elle. Le champ de force me donne des picotements sur la peau. Ça ne dure qu'une seconde, et je me retrouve brusquement de l'autre côté, face aux marches craquelées et couvertes de lierre du Sanctuaire.

Je me tourne vers Adam. Il s'est immobilisé devant le champ magnétique. Il avance prudemment l'index pour un premier contact. Un *pop* sonore éclate et Adam saute en arrière, mais contrairement à celle de la Mogadorienne, sa peau ne présente aucune trace de brûlure.

« Vous êtes sûres que c'est une bonne idée ?

— Ne fais pas ta chochotte », je lui lance.

Adam pousse un soupir, se ressaisit, et se penche de nouveau, cette fois en tendant toute la main. L'énergie crépite et étincelle contre sa peau pâle, beaucoup plus qu'avec Marina et moi, mais elle laisse passer Adam sans le carboniser. Je lui adresse un large sourire et il me répond par un regard soulagé tout en essuyant la sueur à son front.

« Et maintenant ? » demande-t-il.

Marina s'est arrêtée quelques mètres devant nous, le corps de Huit toujours en lévitation devant elle. Elle passe la main derrière sa tête pour retirer un de ses pendentifs. Ainsi libéré, le bijou se met à avancer vers les marches du temple en oscillant, puis suit l'escalier qui monte.

« On grimpe », conclut Marina.

Son pendentif scintille dans la lumière du soleil, et je me rends compte que la Loralite brille plus vivement que d'ordinaire. Comme si elle s'était rechargée. Et je ressens la même chose. Le Sanctuaire dégage de l'énergie, au-delà du champ de force. J'ai la sensation que chaque cellule de mon corps s'est subitement régénérée. Je lève les yeux vers le ciel, et je sais que je pourrais convoquer le plus gros orage depuis que j'ai découvert que je pouvais maîtriser la météo. Je me sens plus en contact avec mes Dons. Et bizarrement, tout ça paraît on ne peut plus naturel – comme si j'avais déjà connu cet état.

Je me rends compte que Marina avait raison. On est à la maison.

CHAPITRE 25

Il nous faut environ une demi-heure pour accéder au sommet de la pyramide maya. J'essaie de tuer le temps en comptant les marches, mais je perds le fil autour de deux cents. Il y a des portions d'escalier où les marches totalement effondrées créent des crevasses dangereuses pour les chevilles, et d'autres endroits où la pluie a érodé l'ancienne structure, la lissant en courbes douces.

Pour les passages ardus, nous nous aidons des plantes grimpantes et nous nous hissons comme à la corde. Nous ne parlons pas beaucoup, sauf pour nous prévenir mutuellement d'un obstacle. Briser le silence du Sanctuaire nous apparaît comme presque grossier.

Une fois en haut, nous faisons une pause. Marina transpire à cause de la chaleur, de l'effort et de l'épuisement – elle a maintenu sa télékinésie tout le long de l'ascension, pour soutenir le corps de Huit. Je pose le coffre que je portais et me dégourdis les doigts. Les mains sur les hanches, Adam est planté au bord et regarde vers le bas.

« Sacrée vue.

— C'est beau », j'acquiesce.

Au sommet du monument, nous nous trouvons au-dessus du faîte des arbres. On voit même au-delà de la végétation haute qui recouvre la pyramide, et de la clairière dénudée par les Mogs, jusqu'au reste des ruines mayas et à la jungle luxuriante. Je visualise un vieux chef maya se tenant ici, à contempler son domaine. Ensuite, j'imagine ce même homme levant les yeux vers le ciel, où un vaisseau loric apparaît entre les nuages. L'image paraît si réelle, si vivace. J'ai le sentiment étrange que ce n'est pas mon imagination qui vient de l'inventer. Il y a des siècles, une scène de ce genre s'est vraiment produite – Les Lorics sont venus, et le Sanctuaire s'en souvient.

« Les gars, regardez ça », appelle Marina.

Adam et moi faisons volte-face et traversons le toit en terrasse du temple. Au centre se trouve une porte en pierre claire. À première vue, il me semble qu'elle est taillée dans le même matériau que le reste de la pyramide, mais de plus près, il devient évident que le panneau couleur ivoire est lisse, intact, ne montrant pas les mêmes signes d'usure que l'édifice lui-même. La porte est peut-être là depuis un certain temps, mais à l'évidence elle a été ajoutée largement après la construction de la pyramide.

Néanmoins, elle ne mène nulle part, comme le démontre Marina en en faisant le tour. Ses pendentifs flottent devant la porte, attendant que nous approchions à notre tour.

Je m'immobilise face au panneau pour en examiner la surface. Elle est totalement plane – ni poignée, ni bouton, rien qui dépasse, hormis neuf encoches rondes disposées en cercle, au centre.

« Les pendentifs », je murmure en passant les doigts sur la pierre froide.

Marina attrape le sien et guide le fragment bleu dans une des entailles. Elle s'y encastre parfaitement et émet un cliquetis bien net. Cependant, la porte ne bouge pas.

« On n'en a que cinq, je conclus en grimaçant. Ça ne suffit pas.

— On doit essayer », objecte Marina en retirant d'ores et déjà son autre pendentif.

Elle a raison. Nous n'avons pas fait tout ce chemin pour reculer maintenant. Un par un, je passe tous mes pendentifs par-dessus ma tête et les enchâsse dans les engravures de la porte en pierre.

« Et c'est parti », je commente en encastrant le dernier bijou.

Instantanément, les éclats de Loralite se mettent à briller de la même énergie que le champ de force. La lumière se répand entre les pierres et les relie, l'énergie remplit les trous restés vides. Le symbole circulaire qui prend forme sur la porte me rappelle la cicatrice qui apparaît à nos chevilles lorsqu'un des Gardanes meurt.

Et brusquement, dans un grincement d'outre-tombe, le bloc de pierre s'enfonce à l'intérieur du temple, ne laissant derrière lui qu'un cadre à peine visible. Mais dans cette embrasure, au lieu de la jungle environnante, je vois une pièce poussiéreuse éclairée par la faible lueur bleutée de la Loralite.

« Une majorité, je dis. Il suffisait d'une majorité.

— Ou peut-être le Sanctuaire sait-il qu'il est vital pour nous d'entrer, suggère Marina.

— C'est un genre de portail, ajoute Adam en plissant les yeux pour mieux voir de l'autre côté. C'est l'intérieur du temple ?

— Allons le découvrir. » Je ramasse le coffre de Marina avant de franchir le seuil.

Je suis aussitôt saisie par le vertige que je ressentais, quand Huit nous déplaçait avec son Don de téléportation

– comme si j'étais dans des montagnes russes, la tête en bas. Ça ne dure qu'une seconde, puis je cligne les paupières pour m'accoutumer à la semi-pénombre qui règne dans le cœur sacré du sanctuaire. Le changement de pression me fait claquer les tympans, et j'ai l'impression d'avoir pénétré aux confins du temple maya. Ou peut-être plus profond encore, si j'en juge par le silence absolu, comme si la jungle avait disparu derrière un sas hermétique. Il est possible que le sanctuaire se trouve complètement en dessous de la pyramide.

Marina – suivie de près par le corps de Huit – et Adam m'imitent, plissant tous les deux les yeux pour s'adapter au manque de lumière. Une fois qu'ils sont passés, la porte papillote puis disparaît. Il n'y a aucune sortie à la place, rien qu'une paroi calcaire solide, bien que gravée elle aussi d'une série d'encoches. Nos pendentifs tombent au sol dans un bruit métallique, et je m'empresse de les ramasser.

« Le Sanctuaire, souffle Marina.

— Quand votre peuple l'a-t-il construit ? demande Adam.

— Je n'en sais fichtrement rien. On a entendu dire qu'ils venaient sur Terre depuis des siècles, je réponds distraitement, absorbée par le décor. J'imagine que c'était pour faire ça.

— Ils se préparaient pour ce jour, ajoute Marina avec dans la voix une certitude un peu effrayante.

— Et pourtant, qu'est-ce qu'ils nous ont laissé ? » Je regarde autour de moi, un peu déçue. « Une pièce vide ? »

Nous nous trouvons dans une longue salle rectangulaire, au plafond haut, sans aucune ouverture, ni porte ni fenêtre. Comme si nos ancêtres s'étaient téléportés au cœur d'un gros bloc de roche, qu'ils avaient réussi à tailler une pièce, et qu'ils avaient oublié de la meubler. Il n'y a rien, ici. Des veines de Loralite scintillante courent le long des murs de pierre et du plafond, décrivant des dessins erratiques qui éclairent doucement la pièce. Je laisse mon regard glisser sur les volutes bleues – elles ont quelque chose de familier, mais je n'arrive pas à voir quoi.

« C'est l'univers, explique Adam. C'est... encore plus précis que ce que nous savons. Les cartes mogadoriennes des étoiles ne couvrent pas une telle superficie. »

Il me faut un moment pour mesurer ce qu'il dit. Et tout à coup, je remarque les petits tourbillons à certains endroits et reconnais les étoiles du cosmos, et au-delà. C'est comme les Macrocosmes, mais en plus grand, et beaucoup plus vaste. Je trouve Lorien sur un des murs, et en son cœur la pointe de Loralite brille beaucoup moins fort que dans les autres constellations.

« Chez nous », je dis en touchant délicatement Lorien du bout du doigt.

Un frisson me traverse tandis que la Loralite semble pulser en réponse, comme si elle me reconnaissait.

« Chez moi », dit Adam d'une voix neutre en désignant une zone qui se distingue par son absence totale de Loralite, comme un trou noir dans l'univers. Il fronce les sourcils. « Au moins, vos ancêtres ne s'étaient pas trompés sur le côté "ténèbres inhospitalières".

— Ce ne sont plus nos foyers, plus maintenant », dit Marina en faisant glisser son index le long du mur pour suivre la trajectoire exacte de notre vaisseau, de Lorien à la Terre. « C'est ici, chez nous, maintenant. »

La silhouette en Loralite de la Terre brille plus intensément que tous les autres astres représentés sur le mur.

Marina appuie un peu plus fort et le minerai se met à crépiter et à vibrer.

Sous nos pieds, quelque chose est en train de bouger.

De la poussière tombe du plafond, et les particules scintillent dans la lumière de la Loralite, soudain amplifiée. Je sais que je n'ai rien à craindre – c'est un lieu loric, il ne nous fera pas de mal –, mais je ne peux m'empêcher de reculer jusqu'au mur le plus proche. Alors que le Sanctuaire tremble tout autour de moi, je me sens brusquement claustrophobe. Adam me rejoint en trébuchant, les yeux écarquillés.

Dans un grondement ancestral, la pierre crisse et une portion circulaire se soulève au centre de la pièce. Ça forme comme un autel ou un piédestal émergeant du sol. Les murs arrêtent de trembler lorsque l'estrade arrive à hauteur de nos hanches. Ce nouveau fragment est constitué de Loralite pure. Le bloc de sol calcaire repose sur le cylindre bleu, comme un sceau protégeant ce qui se trouve en dessous. Nous nous approchons prudemment.

« On dirait que cette partie est détachable, je constate en touchant le bloc calcaire, mais sans encore le retirer.

— Ça ressemble presque à un puits, ajoute Adam, l'air songeur. Il y a quoi, là-dessous, d'après vous ?

— Aucune idée, je réponds.

— Regardez, dit Marina. Les dessins. »

Je les vois. Ils sont semblables aux motifs rupestres que Huit nous avait fait découvrir, dans cette grotte en Inde, si ce n'est que les nôtres sont directement gravés sur les parois du puits. Je dois en faire intégralement le tour pour les découvrir tous. Neuf silhouettes se dressant autour d'une planète qui rappelle la Terre, avec neuf répliques plus petites debout sur la planète en contrebas.

Une personne – impossible de dire s'il s'agit d'un homme ou d'une femme – se tient devant un trou creusé dans le sol et y déverse le contenu d'une boîte.

Ensuite, neuf autres silhouettes se trouvent devant un château, repoussant un raz-de-marée, ou peut-être s'agit-il d'un dragon à trois têtes.

« De nouvelles prophéties ? je demande.

— Peut-être », acquiesce Marina. Elle s'est arrêtée devant le dessin de la personne vidant la boîte. « Ou des instructions. »

Je viens me planter à côté d'elle. « Tu crois que c'est ici ? Que nous, euh, offrons nos Héritages à la Terre ? »

Marina hoche la tête. Elle pose délicatement le corps de Huit au sol, puis se sert de sa télékinésie pour écarter le bloc de calcaire qui scelle le puits. Il s'effondre au sol dans un grand bruit mat, et la pierre immémoriale se fend instantanément en deux.

Une colonne de lumière bleu vif jaillit du conduit, tellement éblouissante que je dois me protéger les yeux. On dirait un projecteur. Je ressens la chaleur de cette lumière au plus profond de mes os.

« C'est… » Adam ne sait quoi dire.

Une sidération totale se lit dans ses yeux sombres de Mogadorien.

Marina s'agenouille devant son coffre pour l'ouvrir. Elle y plonge les mains et en retire une poignée de pierres précieuses loric, qu'elle lâche dans le puits du Sanctuaire. Elles glissent entre ses doigts en scintillant et tombent dans la lumière. En réponse, la pièce tout entière semble briller encore plus vivement. Les veines de Loralite sur les murs pulsent plus fort.

« Aide-moi, Six », ordonne Marina, tout excitée.

Je saisis la poche de terre rangée dans le coffre, l'ouvre et en renverse le contenu dans le trou. Un parfum riche et fleuri, comme à l'intérieur d'une serre, emplit la salle poussiéreuse et la luminosité continue de croître. Marina ajoute ensuite le petit fagot de brindilles et de feuilles séchées. Juste avant qu'elles quittent sa main, alors qu'elles sont baignées de lumière, je suis prête à jurer que les branches paraissent vertes et vivantes. Au moment où elles disparaissent, une brise tourbillonnante s'engouffre dans la pièce et vient nous rafraîchir.

« Ça fonctionne », je m'exclame, même si j'ignore ce qu'on est en train de faire, exactement.

Tout ce que je sais, c'est que c'est la bonne décision.

Une fois que nous avons vidé tout le coffre, je prends la boîte contenant les cendres d'Henri. Avec soin, je retire le couvercle et vide l'urne dans la lumière. Chacune des particules scintille brièvement en descendant dans le puits. Je regrette que John ne soit pas là pour voir ça.

Je me tourne vers Marina et d'un signe de tête respectueux, je désigne le corps de Huit qui repose au sol. « Est-ce qu'on… ? »

Marina secoue la tête en contemplant Huit. « Je ne suis pas encore prête, Six. »

Je prends un instant pour parcourir la pièce du regard et vérifier si quelque chose a changé. La lumière émanant du puits est presque aussi éclatante que celle du soleil, mais elle ne fait plus souffrir mes yeux. Dans les murs, les veines de Loralite pulsent énergiquement. Notre coffre est vide, et les cendres d'Henri ont été répandues.

« Il n'y a plus rien d'autre à faire, j'objecte à Marina. Il est temps.

— Les pendentifs, Six. Il faut qu'on lui donne les pendentifs.

— Une seconde », s'interpose Adam pour la première fois, en avançant d'un pas.

Il est resté là à contempler toute la scène avec un mélange d'effroi et d'émerveillement, mais les paroles de Marina le ramènent brutalement à la réalité.

« Si tu lâches les pendentifs là-dedans, on n'aura plus aucun moyen de sortir d'ici. »

Je les ai toujours à la main et je les serre un peu plus fort tout en réfléchissant.

« Il faut avoir la foi, pas vrai ? je réponds en haussant les épaules. Il faut qu'on fasse confiance à ce qu'il y a en dessous, à ce que les Anciens ont laissé pour nous. Quoi que ce soit, ça nous indiquera une sortie. »

Marina hoche la tête. « Oui. »

Adam me regarde pendant un moment, puis la lumière. Tout ce dont il a été témoin aujourd'hui doit aller à l'encontre de ses instincts mogadoriens. Mais il y a aussi du Gardane, en lui.

« Très bien. Je vous fais confiance. »

Je garde encore les pendentifs quelques secondes. Je porte cette amulette autour du cou depuis toujours. À de nombreuses reprises, elle m'a rappelé qui j'étais, d'où je venais, et ce pour quoi je me battais. Elle fait autant partie de moi – de nous – que les cicatrices que nous avons à la cheville. Mais il est temps de lâcher prise.

Je laisse choir les cinq pendentifs dans le puits.

La réaction est immédiate, et aveuglante. La lumière en provenance de la cavité explose comme une supernova. Je pousse un cri et me couvre les yeux, et je suis pratiquement certaine que Marina et Adam en font autant.

Un grand souffle remonte des profondeurs, comme des milliers d'oiseaux s'envolant en même temps, ou une mini-tornade dans les entrailles de la Terre, puis on entend un coup sourd de baryton, qui m'envoie des vibrations jusque dans les dents. Quelques secondes plus tard, le son se répète.

Boum, boum. Boum, boum.

Le rythme s'accélère et gagne en puissance. Puis se stabilise.

C'est un battement cardiaque.

Je ne sais pas combien de temps je reste baignée dans la pureté de cette lumière, à écouter le cœur battant de Lorien. Peut-être deux minutes, aussi bien deux heures. C'est une expérience hypnotique et réconfortante. Lorsque la lumière décline et que la pulsation ne devient plus qu'une cadence assourdie et régulière en fond sonore, ça me manque presque. C'est comme se réveiller d'un rêve merveilleux dont on ne veut pas sortir.

J'ouvre les yeux et reste bouche bée.

Le corps de Huit flotte au-dessus du puits, nimbé de la lumière bleue qui s'en échappe. J'attrape la main de Marina.

« C'est toi qui fais ça ? » je demande, en criant malgré moi.

Marina secoue la tête et serre ma main. Elle a les larmes aux yeux.

À quelques pas derrière nous, Adam est à genoux. Il a dû s'écrouler pendant le bain de lumière. Complètement envoûté, il ne peut quitter Huit du regard.

« Qu'est-ce qui se passe ? Qu'est-ce que c'est que ça ?

— Regarde-le, dit Marina. Regardez. »

Je suis sur le point de répondre à Adam que je n'ai aucune idée de ce qui nous arrive, lorsque je vois les doigts de Huit bouger. Est-ce une illusion d'optique ? Marina a dû la voir aussi, car elle pousse un petit cri perçant et se couvre la bouche avec sa main libre, tandis que, de l'autre, elle me serre de toutes ses forces.

Huit agite les doigts puis, toujours en suspension dans l'air, il secoue les bras et les jambes.

Il fait rouler sa tête comme pour se débarrasser d'un torticolis.

Puis il ouvre les yeux. Ils sont de Loralite pure. Ils brillent de la même teinte cobalt que les veines profondes dans les murs. Lorsqu'il ouvre la bouche, de la lumière bleue jaillit.

« Bonjour », dit Huit, d'une voix en écho qui n'est pas celle de notre ami.

C'est un son mélodieux, magnifique, qui ne ressemble à rien de ce que j'ai entendu jusqu'ici.

C'est la voix de Lorien.

CHAPITRE 26

La plupart des gens ont le réflexe de courir. Ces New-Yorkais ont vu assez de films d'aliens pour savoir ce qui se passe quand un vaisseau extraterrestre géant stationne au-dessus de leur ville. Ils se déversent sur les trottoirs en longues files. Certains abandonnent même leurs voitures au milieu des avenues, ce qui ralentit notre convoi de SUV noirs. Par chance, devant l'hôtel de Sanderson, l'agent Walker a réussi à convaincre un flic local appelé pour la fusillade de nous aider. Quand il s'agit d'invasions extraterrestres, il semblerait qu'un agent fédéral en noir et lunettes de soleil, ça soit le *must*.

Même avec l'aide des sirènes et des gyrophares de la police de New York, nous avons du mal à progresser à travers la ville. C'est le chaos.

Et pourtant, il y a des gens qui ne fuient pas l'East River, là où le vaisseau amiral mogadorien plane comme un mauvais présage au-dessus de l'ONU. Au contraire, ils se ruent dans sa direction. Avec leurs téléphones à la main, en train d'enregistrer la scène, curieux d'apercevoir la vie extraterrestre. Je n'arrive pas à savoir s'ils sont courageux, fous, ou simplement stupides. Sans doute un mélange des trois. J'ai envie de passer la tête par la vitre pour leur hurler de faire demi-tour et de s'enfuir, mais nous n'avons pas le temps.

Je ne pourrai pas tous les sauver.

« Michael Worthington, un sénateur représentant la Floride. »

Walker braille dans son téléphone portable le nom qu'elle lit sur un bloc-notes jaune. Elle est assise côté passager, et est visiblement soucieuse et sur les nerfs. Elle sait qu'il n'y a plus assez de temps pour que ses ordres changent quoi que ce soit, mais elle tente quand même le coup.

« Melissa Croft, à l'état-major des armées. Luc Philippe, à l'ambassade de France. » Walker arrive en bas de sa liste et marque une pause. Elle jette un œil vers la banquette arrière, où Bud Sanderson est assis en sandwich entre Sam et moi. « C'est tout ? »

Sanderson acquiesce. « À ma connaissance. »

Walker hoche la tête et reprend sa conversation téléphonique. « Arrêtez-les. Oui, tous. S'ils résistent, tuez-les. »

Elle raccroche. Cette liste d'hommes et de femmes politiques associés au ProMog – des dizaines de noms, relayés un à un par Walker à ses contacts –, nous la devons à Sanderson. Quand bien même les agents complices de Walker réussiraient-ils à procéder à ces arrestations, elles ne seront d'aucune utilité, maintenant que nous sommes à l'heure H. On peut au moins espérer que Walker et ses hommes réduiront les traîtres ProMog à l'impuissance, laissant la place à un gouvernement prêt à résister. Quant à l'étendue de cette résistance… ça restera à voir.

Combien de temps avaient mis les Mogs à conquérir Lorien, disait Henri ? Moins d'une journée ?

À travers le pare-brise, le vaisseau amiral mogadorien est visible. À côté, les gratte-ciel ont l'air de jouets, et il jette une ombre de plusieurs dizaines de mètres de long dans toutes les directions. On dirait un cafard géant planant au-dessus de la ville. Des centaines de tourelles de tir ressortent de ses flancs, et je crois distinguer des ouvertures, là où des vaisseaux plus petits sont sans doute parqués. Même avec les Gardanes au grand complet et tous les Dons en action, je ne suis pas sûr que nous pourrions venir à bout de ce monstre.

L'agent Walker scrute le vaisseau, elle aussi. Il est impossible d'ignorer cette masse inconnue qui obstrue l'horizon. Elle se tourne vers moi.

« Vous pouvez détruire ce truc, pas vrai ?

— Bien sûr », je réponds, en essayant d'imiter le ton fanfaron et désinvolte de Neuf.

Il est dans le SUV derrière le nôtre, probablement en train d'expliquer à son escorte comment il compte déchiqueter ce vaisseau à mains nues.

« On gère. Pas de problème. »

Près de moi, Sanderson ricane d'un air lugubre, puis se tait immédiatement sous le regard noir de Walker. De l'autre côté du ministre de la Défense tombé en disgrâce, Sam finit par lever le nez du téléphone qu'il a « emprunté » à cette passante innocente devant l'hôtel.

« Le téléchargement est terminé, m'annonce-t-il. Sarah a reçu la vidéo.

— Merci, Sam. » Je sors mon propre portable de ma poche et compose immédiatement le numéro de Sarah.

Je me demande ce que penserait Henri, en voyant que nous venons d'envoyer une vidéo de moi en train d'utiliser mes Dons au site *Ils sont parmi nous*. Même dans mes rêves les plus fous, je n'avais jamais imaginé de scénario où je révélerais mes pouvoirs au public de mon plein gré. Et pourtant, nous y voilà.

Sarah répond dès la première sonnerie. J'entends beaucoup de bruit en fond sonore – des voix, une télévision qui hurle.

« John, Dieu merci ! On ne parle que des Mogs, aux infos ! Est-ce que ça va ?

— Je vais bien. Je me dirige juste vers le plus gros vaisseau mogadorien que j'aie vu de ma vie.

— John, j'espère que tu sais ce que tu fais. » L'angoisse est palpable dans sa voix.

« On est de taille... » Je tente de la rassurer, mais je suis interrompu par des grésillements. « Sarah ? Tu es là ?

— Oui, je suis là, répond-elle, néanmoins elle paraît plus lointaine. Mais je crois que quelque chose interfère avec la connexion. »

Les vaisseaux, à l'évidence. Je suis certain que les engins gigantesques qui quittent en ce moment leur orbite n'épargnent pas les réseaux de communications. Sans parler de tous les appels de panique comme celui-ci qui doivent être passés en même temps aux quatre coins du pays. Je dois me dépêcher de parler, au cas où on serait coupés.

« Sam vient d'envoyer des fichiers vidéo sur le site de Mark. Vous les avez reçus ? Je pense qu'ils pourraient être utiles. » Brusquement, je me remémore les paroles de Sam, devant la station-service. « On ne veut pas seulement effrayer la population. On voudrait aussi lui donner de l'espoir. »

Nouveau ricanement de Sanderson. J'imagine que le vieil homme n'a pas tellement foi dans ce que peut faire un site comme celui-là. D'ailleurs je ne sais pas moi-même si ça fonctionnera – pas plus que les arrestations commanditées par Walker, ou tout ce qu'on tentera aujourd'hui. Il est peut-être trop tard pour agir. Mais nous devons exploiter toutes les pistes qui s'offrent à nous, pour combattre les Mogs.

« Je les regarde en ce moment même, répond Sarah, et je l'entends retenir son souffle. John, c'est… tu es formidable. Mais j'ai toujours eu un faible pour les aliens sexy qui réalisent des miracles. »

Comme j'essaie de rester de marbre face à mes alliés peu à l'aise, je dois me détourner pour cacher mon sourire.

« Euh, merci.

— On va pouvoir s'en servir, c'est certain. » J'entends Sarah taper sur un clavier. « Mais qu'est-ce que tu vas faire, maintenant ? Ce vaisseau a l'air *monumental.* »

Je jette un œil au chaos qui règne alentour. « On va essayer de mettre fin à cette guerre avant qu'elle commence. »

L'inquiétude est de retour dans la voix de Sarah. Elle sait que je suis sur le point de sortir une hérésie.

« Qu'est-ce que tu veux dire, John ? C'est quoi, le plan ?

— On se rend au vaisseau amiral. » J'essaie de paraître confiant, même si ce projet me semble de plus en plus désespéré, à mesure que j'approche de l'engin menaçant. « On va tendre un piège à Setrákus Ra. Et on va le tuer. »

Notre convoi doit s'arrêter à une centaine de mètres de l'ONU, car la circulation est totalement bouchée. Les rues sont encombrées de curieux venus voir le vaisseau de plus près. Certains sont même juchés sur des toits de voitures, voire d'un bus à l'arrêt. Ça grouille de flics qui font de leur mieux pour rétablir un semblant d'ordre, mais je doute qu'ils aient été formés aux scénarios de premier contact avec une entité extraterrestre. Pour la plupart, ils fixent le vaisseau d'un air ébahi. Le brouhaha est immense et l'excitation à son comble.

Autant de cibles faciles pour les Mogadoriens. Je redoute le moment où ces tourelles vont ouvrir le feu sur la foule. J'ai la pulsion de leur enjoindre à tous de fuir, mais le seul effet serait de créer un mouvement de panique. À condition qu'ils m'écoutent.

« On se pousse ! Dégagez de là ! » hurle Walker en descendant du SUV. Elle brandit son insigne, mais personne ne fait vraiment attention à elle.

Les agents des deux SUV ainsi que les flics que Walker a recrutés à l'hôtel forment un périmètre serré autour de Sanderson, Sam et moi. Neuf se fraie un chemin jusqu'à nous en lançant des regards noirs à un groupe d'adolescents qui braillent des encouragements au vaisseau.

« Les crétins, grogne-t-il. Johnny, c'est du délire.

— On doit en protéger autant qu'on pourra.

— Il faut surtout qu'ils se protègent eux-mêmes, réplique-t-il avant de se pencher par-dessus l'épaule d'un de nos agents. Rentrez chez vous, bande de demeurés ! Ou alors trouvez-vous des armes et revenez ! »

Walker le fusille du regard. « N'encourage pas les civils à prendre les armes, je te prie. »

Neuf la fixe d'un air hébété, avant de lui aboyer à la figure : « C'est la guerre, ma grande ! Ils doivent s'y préparer ! »

Des gens autour ont dû l'entendre, ou bien la présence policière les perturbe, toujours est-il que j'en vois un certain nombre échanger des regards nerveux, puis repartir dans la direction d'où nous sommes venus. Walker fait une grimace à Neuf, puis tape sur l'épaule d'un de ses hommes.

« En avant ! s'écrie-t-elle. Il faut qu'on avance ! »

Il y a toujours une foule immense qui nous sépare du siège de l'ONU, et elle ne fait pas mine de se disperser. Les agents de Walker et les flics commencent à jouer violemment des coudes et nous sommes emportés dans le flot humain.

« Fais gaffe, mec ! À la queue comme tout le monde, pour te faire téléporter ! proteste un curieux.

— Bordel de merde ! C'est les *Men in Black* ! aboie un autre.

— Est-ce qu'ils vont nous faire du mal ? hurle une femme sur le passage de Sanderson, le reconnaissant sans doute comme un officiel. Est-ce qu'on est en danger ? »

Sanderson détourne le regard et bientôt la femme est absorbée par la foule. La progression est lente, malgré les efforts de la dizaine de flics et d'agents qui font les béliers devant nous. Il faut absolument que tous ces illuminés dégagent de notre chemin.

Un type aux yeux fous et à la barbe broussailleuse, le genre à brandir des panneaux sur la fin du monde imminente, se jette littéralement sur l'agent Walker. Elle trébuche et je tends les bras pour la retenir. Elle ne prend pas la peine de me remercier – je lis juste de la rage et de la frustration dans ses yeux. Ne supportant plus la cohue, elle fait mine de dégainer l'arme fixée à sa hanche, dans l'intention sans doute de tirer quelques coups en l'air pour dégager la zone. Je lui bloque le bras et secoue la tête pendant qu'elle me fusille du regard.

« Non. Vous allez provoquer la panique.

— C'est *déjà* la panique, objecte-t-elle.

— Personnellement, entendre quelqu'un tirer, ça me paniquerait encore plus », renchérit Sam.

Walker lâche un juron et reprend sa marche à travers la foule. Je donne un coup de coude à Neuf.

« Aidons-les, je suggère, avant d'ajouter : Mais ne blesse personne. »

Neuf opine et nous activons notre télékinésie pour déplacer ceux qui nous empêchent d'avancer. Neuf se montre plus doux que je m'y attendais. Nous créons une sorte de bulle télékinésique autour de nous, contre laquelle glissent les spectateurs attroupés. Personne ne se fait piétiner, et peu à peu la route se dégage pour Walker et le reste de notre escorte.

À l'approche des locaux de l'ONU, nous entrons sous l'ombre directe du vaisseau amiral. Un frisson me parcourt, mais je veille à ne rien laisser paraître. Des drapeaux de tous les pays membres plantés dans le sol jalonnent la route sur laquelle nous nous engageons, et tous ces symboles claquent au vent dans la brise printanière, dans l'ombre de l'ennemi qui plane.

Plus loin devant nous, je remarque qu'une estrade a été érigée à la hâte devant l'entrée principale de l'ONU. Une force de police mieux organisée monte la garde – un mélange de flics locaux et d'agents de sécurité privés. Ils empêchent le public de monter sur la scène ou de se ruer dans le bâtiment. Je note également une grande concentration de journalistes, tous armés de caméras, qu'ils pointent tour à tour sur la scène et sur le vaisseau.

J'attrape Sanderson par les épaules et l'attire contre moi en désignant l'estrade.

« C'est quoi, cette histoire ? Qu'est-ce qu'il est censé se passer, là-dessus ? »

Sanderson fait la grimace mais ne tente pas de se dégager. « Le Chef Bien-aimé est assez porté sur la mise en scène. Vous saviez qu'il avait écrit un livre ?

— La lecture, c'est débile, grogne Neuf, concentré sur la foule.

— Je me fiche de sa propagande. Expliquez-moi à quoi va servir cette scène, Sanderson.

— À la propagande, comme vous venez de le dire. Avec d'autres ProMog – ceux que notre chère amie Walker a probablement fait arrêter à l'heure qu'il est –, nous étions censés accueillir Setrákus Ra. Il devait faire une démonstration des cadeaux que les Mogadoriens pouvaient offrir à l'humanité. »

Je me remémore l'état dans lequel nous avons trouvé Sanderson, les veines noircies, au bord de l'effondrement physique, tout ça au nom du soi-disant progrès médical mogadorien.

« Il devait vous soigner, je conclus, comprenant enfin.

— Alléluia ! acquiesce Sanderson d'un ton amer. Notre sauveur ! Ensuite, nous l'aurions invité à se joindre à la table des discussions à l'intérieur de l'ONU, à l'issue desquelles, dès demain, une résolution aurait été adoptée, autorisant les Mogs à pénétrer dans l'espace aérien de chaque nation.

— Et voilà, commente Sam. La reddition de la Terre.

— Au moins, cela se ferait pacifiquement, objecte Sanderson.

— Vous ne pensez pas que les gens s'affoleraient ? je demande. Je veux dire, regardez autour de vous. Imaginez ce qui se passera, quand les Mogs se montreront pour de bon ? Se mêleront au peuple ? Pendront les commandes ? Il y aura des mouvements de terreur, des émeutes, même avec votre fausse diplomatie à la con. Comment vous espériez faire fonctionner votre plan ?

— Il avait bien sûr pensé à tout cela, réplique Sanderson. C'est de cette manière que Setrákus Ra compte identifier les dissidents. Les éléments problématiques.

— Ainsi il saura qui tuer, complète Sam.

— Ce n'est pas cher payé, pour la survie de l'humanité, se justifie Sanderson.

— J'ai vu l'avenir, sous commandement mogadorien, j'explique. Croyez-moi. Vous n'êtes pas prêt à payer un prix pareil. »

Sam m'envoie un regard inquiet et je mesure combien je dois avoir l'air froid, comme si la guerre entre les Mogadoriens et la Terre était inévitable, comme s'il n'y avait plus rien à faire pour empêcher les gens de souffrir. En vérité, je ne peux pas affirmer qu'il existe un moyen d'éviter le bain de sang. La guerre est là, et il va falloir se battre. Mais j'ai besoin que les autres gardent espoir.

« Tout peut encore changer, j'ajoute. Nous allons arrêter Setrákus Ra avant que les choses aillent plus loin. Mais vous devez nous aider. »

Sanderson acquiesce, les yeux fixés sur la scène. « Vous voulez que je le fasse.

— Présentez-le, comme il le souhaite, je confirme en remontant la capuche de mon sweat-shirt. Et alors nous l'abattrons.

— Vous êtes assez puissants pour ça ? »

Alors que je m'apprête à répondre, je lis la même question dans les yeux de Sam. Il n'était pas présent, lors de notre dernier combat avec Setrákus Ra, mais il sait que ça ne s'est pas très bien passé. Et c'était avec les Gardanes au complet – à présent il n'y a que Neuf et moi. Enfin… avec les renforts armés que Walker pourra réunir.

« Il le faut bien », je réponds.

Tandis que nous approchons de la façade de l'ONU et de l'estrade, nous dépassons un type habillé comme un coursier à vélo, entouré de plusieurs caméras de télé. On le remarque car il est le seul à attirer l'attention de la presse, en dehors du vaisseau géant. Je me concentre pour pouvoir entendre ce qu'il dit.

« Je vous jure, ce type est tombé du ciel ! s'exclame le gars face à une bande de journalistes plus que dubitatifs. Ou peut-être qu'il flottait, je ne sais pas. Il a percuté le sol, fort, mais il avait la peau recouverte d'une armure, ou je ne sais quoi. Il avait l'air bien traumatisé. »

Sur mon épaule, la main de Neuf se crispe. Il a entendu, lui aussi, et il est tellement déstabilisé qu'il s'arrête de pousser les badauds par la télékinésie. Les agents qui nous escortent soufflent et grognent sous la pression de la foule, mais réussissent à la contenir.

« Tu as entendu ça ? demande Neuf, et je lis dans ses yeux la soif du sang.

— C'est peut-être un mythomane. » J'ai beau essayer, je n'y crois pas moi-même. « Ce genre de situation, ça les fait sortir.

— Impossible », répond Neuf, tout excité. Il parcourt la cohue du regard, soudain très intéressé. « Cinq est ici, mec. Cinq est ici et je vais lui exploser sa grosse face. »

CHAPITRE 27

Je me sens tout engourdie.

Sur le pont-hangar, j'aperçois mon reflet dans le revêtement blindé couleur perle du petit vaisseau que nous emprunterons pour descendre sur Manhattan. J'ai l'air d'un fantôme. J'ai des cernes énormes sous les yeux. Ils m'ont vêtue d'une nouvelle robe, une tenue de cérémonie noire avec de larges ceintures rouges nouées, m'ont coiffé les cheveux en queue-de-cheval pour me donner un air sévère, en tirant tellement fort que j'ai l'impression que mon cuir chevelu se décolle de mon crâne. La Princesse des Mogadoriens.

Au fond, je m'en moque. J'ai l'esprit complètement embrumé, comme si je flottais. Une partie de moi sait que je devrais me concentrer, relever la tête.

Mais je n'y arrive pas.

Le hayon du vaisseau navette s'ouvre et une petite passerelle se déplie pour me permettre d'embarquer. Setrákus Ra pose doucement sa main sur mon épaule et me pousse vers l'avant.

« Nous y voilà, ma chère. » Sa voix me paraît lointaine. « C'est le grand jour. »

Au début, je ne bouge pas. Mais je ressens alors une douleur violente à l'épaule, là où je me suis fait poignarder. C'est comme si de petits vers gigotaient sous la peau. La douleur ne cède que lorsque je mets un pied devant l'autre, gravis les marches et m'affale dans un des sièges baquets de l'engin.

« Bien », commente Setrákus Ra en me suivant. Il s'installe aux commandes et le sas se referme derrière nous. Après sa bagarre avec Cinq, il a repris sa forme humaine et est habillé d'un costume noir satiné à ornements rouges. Le choix de couleurs ne flatte pas le visage paternel qu'il s'est attribué – il lui donne un air morne et autoritaire. Je ne le lui dis pas, d'abord parce que je ne veux pas l'aider, ensuite parce que parler me demande trop d'efforts.

Si seulement je pouvais juste dormir, jusqu'à ce que tout soit terminé. J'ai beaucoup saigné et ai perdu conscience de nombreuses fois, aussi mes souvenirs sont-ils confus. Je me rappelle que Setrákus Ra m'a portée jusqu'à l'antenne médicale, zone du vaisseau que je n'avais pas eu la malchance d'explorer jusqu'alors. Je les revois m'injecter un liquide noir et visqueux dans la blessure. Je suis presque certaine que la douleur m'a fait hurler. Mais la plaie a commencé à se refermer. Ce n'était pas comme quand Marina m'a soignée, ni John. Avec eux, je sentais les tissus se reconstituer, se régénérer. Aux bons soins des Mogs, c'est comme si ma chair avait été remplacée par une substance froide et étrangère. Vivante, et affamée.

Et je la sens toujours, qui rampe sous la peau pâle et intacte de mon épaule réparée.

Setrákus Ra baisse quelques interrupteurs sur le tableau de bord et notre petit vaisseau sphérique s'anime. Les parois deviennent translucides. C'est la version mogadorienne du verre teinté – nous voyons dehors, mais on ne nous voit pas de l'extérieur. Je tourne la tête vers le pont-hangar, qui grouille de soldats mog parés au combat. Ils se tiennent tous parfaitement immobiles, des centaines de silhouettes alignées en rangées impeccables, tous le poing serré sur le cœur. Ils saluent leur Chef Bien-aimé partant conquérir la Terre. Je scrute leurs visages cireux et inexpressifs et leurs yeux noirs et vides. Sont-ils mon peuple ? Suis-en train de devenir l'une d'entre eux ?

Il semble tellement plus facile de baisser les bras.

Setrákus Ra est sur le point de décoller, lorsqu'un voyant rouge se déclenche sur l'un des écrans vidéo, dans un bourdonnement strident. Le bruit me réveille un peu. Un subalterne malchanceux n'a rien trouvé de mieux que d'essayer de joindre Setrákus Ra pile pendant son grand jour. Le Mogadorien serre la mâchoire, l'air agacé et, pendant une seconde, je crois presque qu'il ne va tenir aucun compte de l'appel. Mais il finit par enfoncer brutalement un bouton et un officier de liaison à l'air éreinté apparaît à l'image.

« Qu'est-ce que c'est ? aboie Setrákus Ra.

— Toutes mes excuses de vous interrompre, Chef Bien-aimé, dit le Mogadorien en gardant les yeux baissés. Mais vous avez un message urgent de Phiri Dun-Ra.

— Il a intérêt à l'être, urgent, gronde Setrákus Ra avant d'agiter impatiemment la main. Très bien, passez-la-moi. »

L'écran s'illumine brièvement, crépite, et une Mogadorienne apparaît. Elle porte deux longues tresses enroulées autour de son crâne chauve, et une grosse entaille à l'arcade sourcilière. Elle est cernée par la jungle. Visiblement, un message de cette Originelle importe suffisamment pour retarder notre descente sur New York. J'essaie de me redresser un peu sur mon siège et lutte contre l'engourdissement pour focaliser mon attention sur ce qui va se dire.

« Qu'y a-t-il, Phiri ? demande Setrákus Ra d'un ton glacial. Pourquoi m'avoir contacté directement ? »

La femme mog, Phiri, hésite avant de répondre. Peut-être est-elle déstabilisée par ce pseudo-humain qui s'adresse à elle de manière aussi autoritaire. Ou peut-être craint-elle tout simplement le Chef Bien-aimé.

« Ils sont ici, finit-elle par lâcher, une pointe de triomphe dans la voix. Les Gardanes ont activé le Sanctuaire. »

Setrákus Ra se recule dans son siège, les sourcils arqués, l'air surpris. Il croise les mains devant lui pour réfléchir un moment. « Excellent, finit-il par dire. Parfait. Vos ordres sont de les garder sur place, Phiri Dun-Ra. Au prix de votre vie. Je vous y rejoindrai sous peu.

— Comme vous voudrez, Chef Bien... »

Setrákus Ra coupe la communication sans la laisser achever. En entendant mentionner les Gardanes et le Sanctuaire, je retrouve un peu de lucidité. J'essaie de penser à Six et à Marina, à John et à Neuf – je sais qu'ils voudraient tous que je lutte. Mais j'ai tellement de mal à reprendre mes esprits, à empêcher mon corps de s'affaisser.

« Pendant des années, je les ai traqués, explique Setrákus Ra à voix basse, presque pour lui-même. Pour balayer l'ultime résistance au Progrès mogadorien. Pour prendre le contrôle de ce que ces imbéciles d'Anciens ont enterré au cœur de cette planète. À présent, le jour est venu de récolter tout ce pour quoi je me suis battu, l'intégralité. Dis-moi, ma petite-fille, comment peut-on mettre en doute la supériorité mogadorienne ? »

Il n'attend pas vraiment de réponse de ma part. Il aime simplement s'écouter parler. Je laisse un sourire lent et drogué se dessiner sur mes lèvres, ce qui a l'air de lui faire plaisir. Mon grand-père tend la main et me tapote le genou.

« Tu te sens mieux, n'est-ce pas ? » Il remonte quelques interrupteurs sur la console et les moteurs de notre vaisseau se mettent à vibrer. « Viens. Allons prendre ce qui nous appartient. »

Sur ces mots, Setrákus Ra démarre. L'engin file vers la sortie, sous les yeux des soldats mogadoriens alignés en haie d'honneur. Ils se frappent la poitrine du poing en criant des encouragements en mogadorien de leurs voix râpeuses. Nous sortons par là où Cinq est tombé. Cette vision-là – celle de son corps disloqué jeté comme un sac d'ordures –, je l'abandonne volontiers au brouillard.

Nous descendons sur Manhattan. Je vois tous les humains rassemblés en contrebas. Ils sont des milliers, massés devant un ensemble de bâtiments majestueux entourés d'un campus. Je distingue aussi une scène. Non loin coule un fleuve gris qui clapote. Je me remémore le Washington de ma vision, les odeurs de fumée qui saturaient l'air. Ce sera New York, sous peu. Je me demande si tous ces gens se jetteront dans le fleuve, quand leur ville commencera à brûler.

Des spectateurs pointent le doigt vers notre vaisseau. Je les entends crier des formules de bienvenue. Ces humains – ceux qui se sont approchés le plus de l'*Anubis* – n'imaginent pas une seconde qu'ils puissent être en danger.

Il m'apparaît soudain que nous avançons vers cette cohue sans la moindre garde mogadorienne. Je tends ma tête branlante vers mon grand-père, m'humecte les lèvres et réussis à proférer quelques mots.

« On les affronte seuls ? »

Il sourit.

« Bien sûr. J'ai l'intention d'élever ce peuple, pas de lui faire du mal. Nous n'avons rien à craindre des humains. Mes serviteurs sur Terre ont arrangé une rencontre que je trouve plus que convenable. »

À l'évidence, il manigance quelque chose. Il a sans doute déjà tout prévu. Je sais qu'il est fort peu probable que même une foule de cette taille ait la moindre chance contre Setrákus Ra et ses pouvoirs, mais une partie de moi espère que peut-être l'un de ces humains y verra clair dans le spectacle qu'il a élaboré et tirera sur cet alien effrayant.

Bien sûr, ça signifierait ma propre mort, avant qu'ils puissent arrêter Setrákus Ra. Au point où j'en suis, ça paraît presque valoir le coup. Quoi que les Mogadoriens m'aient injecté, je le sens qui grouille sous ma peau. Je ne peux pas en supporter plus.

Nous avons terminé notre descente. Nous planons à cinq mètres au-dessus de l'estrade. Un vieil homme en costume à l'air nerveux, sans doute un homme politique quelconque, nous attend là. Des flashes fusent de partout. Je cligne les paupières et fais de mon mieux pour ne pas sombrer dans le somnambulisme.

« Viens, Ella. Allons saluer nos sujets », dit Setrákus Ra. Il ramasse sa canne dorée, et l'obsidienne de l'œil de Thaloc attrape la lumière. J'ignore pourquoi il tient à la prendre avec lui. J'imagine qu'il ne veut pas affronter nos prétendus sujets sans arme. Ou peut-être s'imagine-t-il que ça lui confère un air noble – comme un roi avec son sceptre.

Je me lève en chancelant sur mes jambes. Setrákus Ra m'offre son bras et je m'arrime à son coude.

La porte de notre navette coulisse et un escalier rougeoyant se déploie automatiquement, créant un passage jusqu'à la scène. La foule reste bouche bée en nous voyant émerger. Malgré ma vision trouble, j'aperçois des dizaines de caméras de télé pointées vers nous. Stupéfaite, la foule s'est complètement tue. De quoi avons-nous l'air, à leurs yeux ? D'extraterrestres… qui paraissent humains. Un bel homme dans la fleur de l'âge et sa petite-fille blafarde.

Setrákus Ra lève la main pour saluer la foule. À la royale, en en faisant des tonnes. Lorsqu'il prend la parole, sa voix tonne comme s'il avait la bouche collée à un micro.

« Je vous salue, peuple de la Terre ! vocifère-t-il dans un anglais parfait, d'une voix ferme et rassurante. Mon nom est Setrákus Ra, et voici ma petite-fille, Ella. Nous avons parcouru un long chemin pour venir jusqu'à vous et vous présenter humblement nos vœux de paix ! »

La foule se réjouit. Ils ne voient rien venir. Setrákus Ra contemple d'un air béat tous ces visages levés vers lui. Mais lorsque son regard se pose sur le vieil homme sur la scène, je sens une tension dans son bras.

« Hmm », lâche-t-il à mi-voix.

Quelque chose cloche. Le comité d'accueil n'est pas celui qu'il attendait. Ou peut-être était-il censé y avoir des dizaines d'humains sur l'estrade pour lui ouvrir les bras. Avec des bouquets de fleurs.

Sans se laisser démonter, Setrákus Ra se fait grandir un peu et descend les dernières marches.

« Nous avons beaucoup à offrir à votre peuple ! continue-t-il à brailler, d'une voix charitable. Des progrès en médecine pour soigner vos malades, des techniques d'agriculture pour nourrir vos affamés, et une technologie qui vous permettra de mener une vie plus facile et plus productive. Tout ce que nous demandons en retour, après ce long voyage dans l'espace glacé, c'est l'asile. »

Je passe la foule en revue pour voir s'ils avalent ses couleuvres. Mon regard finit par croiser celui d'un jeune homme au premier rang, pratiquement collé aux caméras de télé, et dont les yeux sombres cherchent les miens. Il porte un sweat-shirt à capuche d'où sortent ses longs cheveux noirs, il est grand et athlétique, et...

Dans mon état, il me faut un moment pour le reconnaître. Il n'y a pas si longtemps, j'étais assise sur ses épaules et il m'apprenait à voler.

Neuf.

Le voir ainsi, savoir que je ne suis pas seule, que tout n'est pas encore perdu – voilà qui me rend subitement ma lucidité. La douleur dans mon épaule s'accroît de manière exponentielle, comme si quelque chose essayait de sortir de moi par la force. Ce qu'on m'a injecté dans le sang ne veut pas que j'utilise mes Dons. J'ignore le mal et active ma télépathie.

Neuf ! Sa canne ! C'est grâce à ça qu'il change de forme ! Prends sa canne et détruis-la !

Un rictus féroce se dessine sur les lèvres de Neuf tandis qu'il acquiesce d'un signe de tête. Je sens mon rythme cardiaque s'accélérer.

Près de moi, Setrákus Ra s'est raidi. Ma main est piégée dans le creux de son coude. Il sait que quelque chose se trame, pourtant il poursuit son numéro comme si de rien n'était.

« Je vous attendais plus nombreux, pour cette occasion extraordinaire, mais je vois qu'un de vos chefs s'est avancé pour m'accueillir ! » Setrákus Ra tend la main au vieil homme. « Je viens à vous en paix, monsieur ! Que cette poignée de main scelle l'amitié entre nos deux grandes races. »

Au lieu de prendre la main de Setrákus Ra, le vieillard recule d'un pas. Une peur profonde se lit dans ses prunelles, mais pas celle qui fait fuir en courant. Celle de l'animal acculé. L'homme tient un micro à la main et, alors que les caméras pivotent dans sa direction, il se met à hurler.

« Cet homme – cette chose – est un menteur !

— Qu'est-ce... » Setrákus Ra s'avance d'un pas vers lui, l'air agressif, et me libère du même coup.

Pour la première fois depuis qu'il me retient prisonnière, le Mogadorien paraît surpris.

Surpris, et furieux.

Un murmure de confusion parcourt la foule. Le vieillard crie autre chose – j'entends les mots « esclavage » et « mort » avant que Setrákus Ra se serve de la télékinésie pour écraser le micro de l'homme.

« Vous faites erreur, mon ami, riposte Setrákus Ra, mâchoire serrée, tentant vainement de poursuivre la comédie. Mes intentions sont purem... »

Brusquement, Setrákus Ra perd l'équilibre. Je sais pourquoi. C'est une attaque télékinésique. Sa canne dorée lui est arrachée des mains. Neuf l'attrape au vol en sautant sur la scène, souriant de toutes ses dents à l'ennemi.

Je sens du mouvement sur ma gauche. Je tourne la tête et vois John sauter à son tour sur l'estrade. Ils le prennent en étau, exactement comme on l'a fait dans la salle de conférences. Parsemés dans la foule, j'aperçois des hommes et des femmes vêtus de noir, qui dégainent tous leurs armes et les lèvent bien en vue. La foule commence à gronder et certains civils – les plus malins – s'éloignent de la scène.

Je comprends avec euphorie que c'est un piège. Les Gardanes sont là !

Cette fois, Setrákus Ra semble vraiment pris de court. Et, je dois avouer, un peu effrayé.

« On vous a égarés ! hurle Setrákus Ra en pointant ses mains vides vers Neuf et John. Ces garçons sont des fugitifs ! Des terroristes venus de ma planète ! Je ne sais pas ce qu'ils vous ont raconté...

— On ne leur a rien raconté », l'interrompt John. Sa voix ne porte pas autant que celle de Setrákus Ra, mais les spectateurs tendent le cou pour mieux l'entendre. « Nous les laisserons décider par eux-mêmes. Un fou génocide est facile à repérer.

— Mensonges ! »

Fais-le, maintenant ! j'ordonne à Neuf par la télépathie.

« Je me demande ce qui se passera, si je fais ça ? » demande Neuf en jouant avec la canne de Setrákus Ra.

Avant que ce dernier ait pu plonger sur lui, Neuf brandit le sceptre au-dessus de sa tête et l'écrase violemment contre l'estrade. L'œil d'obsidienne explose dans un nuage de cendres.

Après ça, tout va très vite.

Le corps de Setrákus Ra est pris de convulsions. La forme de bellâtre humain à laquelle il semblait tellement attaché glisse de son corps, comme une mue de serpent. Le véritable Setrákus Ra – monstre cacochyme et hideux, d'une pâleur exsangue, au crâne chauve tatoué et au cou orné d'une épaisse cicatrice – apparaît sur la scène dans son armure mogadorienne hérissée de pointes.

Des hurlements montent de la foule. Frappés d'horreur, la majorité des spectateurs reculent et se retournent pour fuir. Un coup de feu éclate alors – j'entends la balle siffler à mes oreilles avant de ricocher vainement sur la carlingue de la navette mog derrière moi. La détonation ne fait qu'amplifier l'effet de panique, et c'est la bousculade générale au pied de la scène. D'autres tirs fusent, cette fois en l'air. L'un des agents visant Setrákus Ra s'effondre, écrasé par les fuyards terrifiés.

C'est le chaos.

Dans un rugissement d'un autre monde, Setrákus Ra grandit jusqu'à mesurer cinq mètres de haut. En dessous de nous, le plancher gémit. Le vieil homme sur scène avec les Gardanes essaie de fuir dans la foule, mais Setrákus Ra le rattrape par la télékinésie et le lance comme un missile contre Neuf. Tous deux tombent de l'estrade, l'un sur l'autre.

Dans les paumes de John, le feu s'anime, puis s'éteint instantanément dès que Setrákus Ra active son Dreynen. Ça n'empêche pas John de charger, et dans sa course, il dégaine son poignard loric de son fourreau.

« Oui ! rugit Setrákus Ra en le voyant approcher. Fonce vers la mort, mon garçon ! »

N'étant pas touchée par le Dreynen de Setrákus Ra, je ramasse une partie de sa canne brisée. J'ai les doigts engourdis et je manque de la lâcher deux fois avant de réussir à la tenir assez fermement. Je me concentre, ignore la douleur insupportable sous ma peau, et charge l'éclat avec mon propre Dreynen.

Le tesson se met à rougeoyer, et je le plante à l'arrière de la jambe de Setrákus Ra.

Le seigneur mogadorien pousse un cri et rétrécit instantanément, reprenant sa taille normale. Je sens le champ de Dreynen annuler l'abolition des Dons. Trop tard, Setrákus Ra tente en trébuchant de m'échapper. La canne chargée par le Dreynen est enfoncée de plusieurs centimètres dans la chair de son mollet. Lorsqu'il l'arrache, un filet de sang noir forme une auréole sur son pantalon. Maintenant qu'il a retiré le projectile, j'ignore combien de temps les effets de mon Dreynen perdureront.

Sauf que… Il saigne. Et la blessure ne s'est pas transférée sur moi. Chaque sortilège a un point faible qui lui est propre, c'est ce qu'a dit Setrákus Ra avant de me brûler la cheville au fer rouge.

Je peux l'atteindre. Je suis la seule à pouvoir faire du mal à Setrákus Ra.

J'ai à peine le temps d'enregistrer cette information que le monstre se rue sur moi, les yeux écarquillés d'indignation. Il me frappe d'un revers de bras, violemment, et je suis éjectée en l'air. Lorsque je percute la scène, j'en ai le souffle coupé et j'ai de nouveau la tête qui tourne. Il devait savoir que, même dans le cas où je percerais à jour la défaillance du sortilège, je ne serais pas assez forte pour m'en prendre à lui.

Setrákus Ra se tient au-dessus de moi, sa face hideuse plissée par la fureur. Il se baisse et m'attrape la gorge.

« Espèce de petite chienne perfi... »

John le percute de l'épaule et le fait basculer. Setrákus Ra atterrit de tout son poids sur le flanc et je sens des ecchymoses se développer immédiatement à mon coude. J'accepte la douleur. Ça ne fait que commencer. Je ne suis peut-être pas assez puissante pour le combattre, mais j'ai joué mon rôle. Je l'ai privé de ses Dons.

À présent, les autres peuvent faire ce qu'il y a à faire.

John ne faiblit pas. Il saute sur Setrákus Ra qui tente de fuir. Le chef mogadorien a l'air moins effrayant, maintenant, alors qu'il rampe comme un crabe pour échapper à John. Le voir tellement pitoyable et désespéré me réjouit. Il faut qu'il sache ce que ça fait, avant qu'il meure.

Avant qu'on meure.

John réussit à l'immobiliser et se place à califourchon sur lui. Il lève sa dague au-dessus de la tête de l'ennemi. J'inspire à fond et réunis tout mon courage.

« Ça, c'est pour Lorien ! Et pour la Terre ! »

Je sais ce qui va se passer. John va poignarder Setrákus Ra, et je mourrai. Le sortilège mogadorien sera brisé, et alors les Gardanes pourront tuer Setrákus Ra pour de bon. Ça vaut la peine. Je mourrai volontiers, si ça signifie mettre fin à l'existence de ce monstre.

Vas-y ! je hurle à John par la télépathie. *Peu importe ce qui se passera ! Fais-le !*

Au moment où John abaisse la lame, j'entends comme un appel d'air. Quelque chose vole dans cette direction, à toute allure.

Une perle de sang me brûle la gorge tandis qu'une entaille s'ouvre sous la lame de John. C'est alors qu'une boule de canon chromée fend l'air, le renverse à terre et l'envoie s'écraser à l'autre bout de l'estrade.

Cinq. Il est vivant et il vient de me sauver la vie.

Et de nous condamner tous, par la même occasion.

Avant que j'aie pu réagir, la scène émet un craquement sonore avant de s'effondrer. Je tombe. Je glisse le long d'une planche inclinée et percute le bitume en dessous. Tout autour de moi, ça hurle et ça court.

Setrákus Ra atterrit à côté de moi.

Il se penche pour me saisir par les cheveux et me hisse brutalement sur mes pieds.

« Tu me paieras cette humiliation, petite. Tu la paieras de ta vie », rugit-il avant de me traîner vers son vaisseau.

Neuf se tient sur sa route.

CHAPITRE 28

Je me suis disloqué l'épaule, c'est une certitude. Je gis sur le dos et des débris de la scène détruite me rentrent dans le corps. Je vois double et je n'arrive pas à respirer. J'ai l'impression de m'être fait percuter par une voiture.

Pas par une voiture. Par Cinq.

Le renégat se tient au-dessus de moi, essoufflé. Sa peau est métallique, mais il paraît tout de même salement blessé. Pour commencer, il porte un bandeau sur l'œil. Un des côtés de son visage est enflé, et je crois voir des bosses dans la carapace de fer qui recouvre son crâne. Il lui manque aussi quelques dents. J'ignore où il a récolté ces blessures, et je m'en moque.

Ce salopard m'a pris en traître. J'étais si proche du but. Setrákus Ra était pratiquement mort.

Ma dague est toujours attachée à mon poignet, mais du côté démis. Je la cherche à tâtons pour tenter de changer de main. Mais Cinq ne m'en laisse pas le temps et me soulève par le devant de ma chemise en lambeaux.

« Écoute-moi ! me crie-t-il au visage.

— Va au diable », je réponds.

De mon bras valide, j'attrape son avant-bras en métal et le chauffe avec mon Lumen, puissance maximale. Quel que soit l'alliage dont il s'est fait une armure, il a forcément un point d'ébullition. Je me demande si je parviendrai à le faire fondre avant que Cinq arrive à ses fins.

« Arrête, John ! supplie-t-il en me secouant.

— Tu as massacré Huit, espèce d'ordure ! »

Une vapeur à l'odeur toxique s'échappe entre mes doigts. Cinq écarquille l'œil, mais ne lâche pas pour autant son emprise et ne bat pas en retraite. Je suis en train de le faire souffrir, et il choisit d'encaisser.

« Espèce de petit con arrogant », aboie-t-il en brandissant le poing comme s'il allait me frapper.

Je ne suis pas certain d'avoir la force de contrer. Son poing serré se met à trembler, et Cinq semble réfléchir.

« Écoute-moi, John ! Si tu blesses Setrákus Ra, les dégâts se répercuteront sur Ella ! »

Je réduis un peu la puissance du Lumen. J'ai la paume collante de métal fondu.

« Quoi ? De quoi tu parles ?

— C'est un sortilège, comme celui que les Anciens ont utilisé sur nous. Il a réussi à le détourner. »

J'éteins complètement le Lumen. Est-ce que Cinq serait en train d'essayer de nous *aider*, maintenant ? Est-ce qu'il m'a percuté non pas pour sauver son Chef Bien-aimé, mais Ella ? Je ne sais plus quoi penser.

« Comment on brise ce sortilège ? je crie. Comment on le *tue* ?

— Je ne sais pas ! » répond Cinq en regardant par-dessus son épaule.

Son expression s'assombrit de nouveau, et la fureur qui se lisait dans ses yeux au moment où il s'apprêtait à me frapper réapparaît. « Bon sang ! »

Cinq s'arrache brutalement au sol et s'envole. Je me relève juste à temps pour voir Neuf charger Setrákus Ra. Il tient une planche de l'estrade brisée et la brandit comme une lance.

« Neuf ! Non ! »

Il ne m'entend pas, sans doute parce qu'il est trop occupé à se battre avec Cinq. Ce dernier le frappe de côté, le décollant du bitume. Ils s'écrasent tous deux dans les décombres de la scène et des morceaux de bois volent en tous sens. Une fois à terre, Cinq essaie aussitôt de voler de nouveau, mais Neuf le rattrape par la cheville.

« Où tu vas comme ça, grassouillet ? » j'entends Neuf hurler.

Il se relève sans lâcher Cinq, puis le fait tournoyer de toutes ses forces. Cinq bat des bras pour tenter de se stabiliser, mais il n'a pas assez de puissance. Neuf l'abat tête la première sur la chaussée. Le crâne de Cinq fait un bruit de cloche au moment de l'impact, et des éclats de béton volent. Je remarque que sa carapace métallique reprend brièvement l'apparence de la peau – le choc a dû être assez violent pour lui faire perdre sa concentration et désactiver son Externa.

« Neuf ! Ça suffit ! » je hurle en me dégageant de mon propre tas de débris.

Il tourne la tête dans ma direction, et Cinq en profite pour lui balancer un uppercut. Dans un grondement féroce, Neuf lui plonge dessus et ils tombent ensemble. Les coups de poing fusent et je perds de vue l'amas indistinct de bras et de jambes lorsqu'ils passent à travers la baie vitrée du bâtiment de l'ONU.

Je n'ai pas le temps de m'occuper d'eux pour l'instant. Je dois retrouver Setrákus Ra.

Je dois sauver Ella. Pas question qu'il nous l'enlève une seconde fois.

Mon bras gauche pend mollement. J'essaie de remettre mon épaule en place avant de me soigner, mais le temps presse. J'époussette ma main couverte de copeaux de métal et accroche ma dague au poignet de mon bras valide. Je vais devoir faire ça d'une seule main.

Bizarrement, Setrákus Ra n'a pas l'air le moins du monde intéressé par le combat. Il traîne Ella au milieu des gravats, en direction du vaisseau en forme de perle dans lequel il est arrivé. Ella ressemble un peu à ce qu'elle était dans la vision de Washington que nous avons partagée – comme si on l'avait vidée de son essence vitale. Je me demande ce qu'ils lui ont fait, dans ce vaisseau de guerre.

Peu importe ce qui se passera ! Fais-le ! a-t-elle crié dans mon esprit. *Peu importe ce qui se passera.* Cinq doit certainement mentir. Ella savait quelles seraient les conséquences, si je poignardais Setrákus Ra, et elle les a acceptées. Quoi qu'ils lui aient fait, les Mogs ne l'ont pas brisée. Il lui restait assez de combativité pour nous aider. C'était comme revivre la scène à la Base de Dulce. Elle a frappé Setrákus Ra avec un débris rougeoyant, et mes Dons sont revenus instantanément.

Je me rends alors compte qu'elle a aboli les Dons de Setrákus Ra. Et, à voir comme il a battu en retraite, il ne les a toujours pas récupérés.

Je ne suis peut-être pas en mesure de tuer Setrákus Ra, mais ça ne veut pas dire pour autant que je ne peux pas le soumettre. Voyons voir si les Mogadoriens vont envahir la Terre, si je tiens leur Chef Bien-aimé en otage.

Je bondis à travers la scène bancale dans l'espoir de l'intercepter avant qu'il n'atteigne son vaisseau. Ella me voit arriver et plante les talons dans le sol. Elle se débat contre l'emprise du Mog et la lutte le ralentit suffisamment. Je vais le rattraper.

« Setrákus Ra ! »

Bon sang. Pas maintenant.

Le chef mogadorien n'a même pas un regard pour l'agent Walker, qui lui arrive dessus par l'autre côté. Elle s'attend à quoi ? À ce qu'il mette les mains en l'air ? Elle est accompagnée des deux agents qui ont réussi à s'extirper de l'émeute. Sam est avec eux. Ils s'immobilisent à quelques mètres du monstre, le tenant en joue. Même Sam a l'air paré à tirer – les yeux étrécis, les lèvres serrées. Je me rappelle les brûlures à l'acide autour de ses poignets. Il les doit à Setrákus Ra. Je suis sûr qu'il est prêt à régler ses comptes avec lui.

« Attendez ! » je braille à l'intention de Sam et de Walker, mais trop tard.

Je n'arrive pas à croire que je vais faire ça.

J'interromps la trajectoire des balles par la télékinésie. Je ne sais même pas si elles auraient traversé l'armure de Setrákus Ra, mais je ne peux pas courir ce risque. Je ne laisse pas à Sam et aux autres l'occasion de comprendre qu'ils ont manqué leur cible, et repousse tout le groupe en arrière. Pas assez fort pour leur faire mal, mais suffisamment pour les faire trébucher sur des débris. Et aussi pour les mettre hors de portée du fouet de Setrákus Ra. Les excuses seront pour plus tard.

Sans un regard pour les agents, Setrákus Ra profite de ma diversion pour rejoindre les marches du vaisseau devant moi. Il les gravit d'un bond en traînant toujours Ella derrière lui, et disparaît à bord.

Je pique un sprint, bien décidé à ne pas le laisser s'en tirer. L'engin commence à s'élever avant que l'escalier soit complètement replié sous la carlingue arrondie.

Je peux encore les rattraper. Je peux encore l'arrêter. Je suis si près.

Je plonge en avant et réussis à saisir la dernière marche de ma main valide.

L'engin prend de l'altitude tandis que la rampe finit de remonter vers l'entrée. Elle me rapproche de Setrákus Ra et d'Ella, même si dans le même temps l'appareil s'éloigne de la Terre. Je lance une de mes jambes vers le haut pour m'arrimer à la marche. Bientôt, nous nous trouvons à pratiquement trente mètres au-dessus du sol, poursuivant notre ascension vers le vaisseau amiral.

Les marches se replient comme un accordéon dans un panneau à la base de l'entrée de la navette. Je me dégage juste avant de me faire écraser par le mécanisme et saute vers l'ouverture. Pas évident, avec un seul bras en état de marche. Je me retrouve accroché au rebord du hayon et je sens l'articulation qui s'étire dangereusement. Mes jambes pendent au-dessus d'un dénivelé de soixante mètres.

Setrákus Ra me domine de ses deux mètres cinquante. Son fouet à trois lanières s'agite tout près de mon visage, et ses pointes enflammées crépitent. Je ne pense pas qu'il ait l'intention de m'aider à grimper à l'intérieur.

Entre ses jambes, je réussis à apercevoir Ella. Elle est affalée dans l'un des sièges du cockpit, l'air complètement droguée. Je ne dois pas compter sur son aide.

« John Smith, c'est bien ça ? demande Setrákus Ra sur le ton de la conversation. Merci pour le coup de main, en bas.

— Mon but n'était pas de t'aider.

— C'est pourtant ce que tu as fait. C'est une des raisons pour lesquelles je te laisserai la vie sauve. »

Je grimace. Je sens ma main glisser de quelques centimètres. Il faut que je trouve un plan, et vite. Impossible de former une boule de feu avec un bras démis et l'autre occupé à m'empêcher de tomber dans le vide. Je dois me servir de la télékinésie. Si seulement je réussissais à le repousser…

Ma télékinésie, elle a disparu. Abolie, comme la dernière fois.

Setrákus Ra me sourit. Ses Dons à lui sont de retour. J'ai échoué.

« L'autre raison de te garder en vie, siffle-t-il, c'est de te permettre de me voir *brûler* cette planète. »

Il se redresse et fait nonchalamment claquer son fouet dans ma direction. Les trois têtes me frappent en plein visage. Je suis immunisé contre le feu, mais le coup me creuse quand même trois entailles dans la joue.

Ça suffit à me faire lâcher prise. Je tombe.

Tandis que je descends en piqué vers le fleuve en contrebas, je sens mes Dons se réactiver. Je dois être assez loin de Setrákus Ra. Sans perdre une seconde, je pousse de toutes mes forces avec la télékinésie pour tenter de ralentir ma chute.

L'impact sur l'East River reste brutal, comme si on me giflait tout le corps. L'eau sale emplit mes poumons et, pendant une seconde de terreur, je ne sais plus par où est la surface, dans quel sens nager. Je réussis malgré tout à remonter et, tout en toussant et en crachant, je tente de nager contre le courant avec un seul bras. Je finis par opter pour un dos crawlé maladroit, et je n'arrive toujours pas à reprendre mon souffle. Le temps d'atteindre la rive, je suis éreinté. Je me trouve légèrement en aval du chaos de l'ONU, et la berge est parsemée d'ordures et de poissons morts.

« John ! John ! Est-ce que ça va ? »

C'est Sam. Il court vers moi dans la boue. Il a dû voir ma cascade aérienne et me pister jusqu'ici. Il me rejoint en dérapant dans la vase. Pour tout accueil, je ne réussis à émettre qu'un grognement. Je crois bien que j'ai plusieurs côtes cassées.

« Tu peux bouger ? » me demande-t-il en m'attrapant par mon épaule blessée.

Je hoche la tête. Avec l'aide de mon ami, je réussis à me hisser sur mes pieds. Je suis trempé, couvert de bleus et perclus de fractures, avec trois larges coupures sur le visage. Je ne sais pas bien quoi soigner en premier.

« Où est Neuf ? je réussis à articuler.

— Je l'ai perdu, dans le chaos, m'apprend Sam, la voix cassée. Avec Cinq, ils étaient littéralement en train de s'entretuer. Walker et ses hommes essaient d'évacuer les civils. C'est la folie, là-bas. John, qu'est-ce qu'on fait ? »

J'ouvre la bouche pour répondre, dans l'espoir qu'un plan surgira brusquement, mais une explosion non loin m'arrête dans mon élan. L'impact est tellement puissant que j'en ai les dents qui claquent.

Je lève les yeux vers le ciel. Le vaisseau amiral mogadorien vient d'ouvrir le feu sur New York.

CHAPITRE 29

Les yeux de Huit, des éclats étincelants de Loralite pure, nous dévisagent l'un après l'autre. Ils restent longtemps posés sur Adam – assez en tout cas pour rendre notre allié mogadorien nerveux, et le faire reculer d'un pas. Tout comme Marina, je suis clouée sur place, et je contemple notre ami revenu à une forme de vie. Huit flotte au-dessus du puits du Sanctuaire, dans une colonne d'énergie débridée. En fait, il ne fait pas que baigner dedans. L'énergie fait partie de lui.

Quoi qu'il soit. Car je suis pratiquement certaine qu'il ne s'agit pas du jeune homme blagueur et sarcastique que nous avons connu. Pourtant, je me sens une familiarité étrange avec cette entité, comme si l'énergie qui l'avait ranimée était la même que celle qui me traverse. C'est la même impulsion électrique que je ressens quand j'active mes Dons. Ce que j'ai sous les yeux, c'est l'essence même de ce qui fait de moi une Loric, une Gardane.

Peut-être suis-je en train de contempler Lorien même.

« Deux Lorics et un Mogadorien », finit par dire l'entité, ayant fini de nous scruter.

Sa voix ne ressemble en rien à celle de Huit – on dirait mille voix qui parlent de concert, parfaitement accordées entre elles. Les deux petites flaques bleues dans les orbites de Huit se posent de nouveau sur Adam, et l'entité pince les lèvres d'un air surpris.

« Mais pas tout à fait. Tu es quelque chose de différent. Une créature nouvelle.

— Euh… Merci ? » répond Adam en reculant encore d'un pas.

Marina se racle la gorge et se rapproche du puits. Ses yeux sont remplis de larmes. Elle tend les mains devant elle, comme pour saisir celle de l'entité, pour s'assurer qu'elle est bien réelle.

« Huit ? c'est toi ? »

Sa voix est à peine audible, avec les pulsations rythmées qui montent des profondeurs.

L'entité tourne le regard vers Marina et fronce les sourcils. « Non. Je suis désolée. Ton ami est parti. »

Les épaules de Marina s'affaissent. La chose qui habite le corps de Huit tend le bras pour la réconforter, mais le champ d'énergie entre elles se met à crépiter et l'entité finit par se raviser.

« Il est avec moi en ce moment, dit-elle d'un ton apaisant. Il me rend un grand service, en me laissant parler à travers lui. Cela fait bien longtemps que je n'ai plus de voix.

— Es-tu Lorien ? je demande, ayant enfin retrouvé la mienne. Es-tu… la planète ? »

L'entité semble réfléchir à ma question. À travers le tissu fin de la chemise de Huit, je vois sa blessure briller d'un bleu cobalt, comme le reste de son corps regorgeant d'énergie. Elle suinte littéralement de lui.

« C'est ainsi qu'on m'appelait jadis, oui. » D'un geste de la main, l'entité désigne les motifs gravés dans les murs. « En d'autres lieux, on me donnait d'autres noms. Et à présent, sur cette planète, j'en aurai un nouveau.

— Tu es un dieu, souffle Marina.

— Non. Je *suis*, simplement. »

Je secoue la tête. Dieu ou pas, nous avons besoin de l'aide de cette chose. Nous n'avons plus le temps de jouer aux devinettes. Brusquement, j'en ai vraiment, vraiment assez des dessins rupestres, des prophéties et des gens qui étincellent.

« Est-ce que tu sais ce qui se passe ? je demande à Huit – ou à Lorien. Les Mogadoriens sont en train d'envahir la Terre. »

L'entité pose de nouveau le regard sur Adam.

« Pas tous, à ce que je vois. »

Adam semble mal à l'aise. L'entité se détourne pour fixer le plafond, comme si ses yeux perçants pouvaient voir à travers la pierre. Comme s'ils pouvaient tout embrasser.

« Oui. Ils arrivent, confirme-t-elle, et je perçois une certaine perplexité dans sa voix caverneuse. Leur chef me poursuit depuis fort longtemps. Vos Anciens avaient prévu la chute de Lorien et ils ont choisi de me protéger. Ils m'ont cachée ici dans l'espoir que cela le retarderait.

— Ça n'a pas vraiment fonctionné », je fais remarquer, et Marina m'envoie un coup de coude.

L'entité scrute de nouveau le plafond. Pendant un instant, un profond chagrin se lit sur son visage.

« J'ai perdu tellement de mes enfants, disparus à jamais. Je suppose que vous seriez les Anciens loric, à présent, s'ils existaient toujours.

— Nous sommes des Gardanes », j'objecte, n'hésitant pas à corriger effrontément cette divinité énergétique vieille d'un milliard d'années. Après tout, au point où on en est... « Nous sommes venus chercher ton secours. »

L'entité laisse échapper un gloussement.

« Peu m'importe, ma fille. Anciens, Gardanes, Cêpanes – ce ne sont que des mots choisis par les Lorics pour comprendre mes Dons. Ici, ils ne sont pas nécessaires. Ici, *rien* n'est nécessaire. » Elle marque une pause, l'air songeur. « Quant à mon secours, je ne sais pas ce que je pourrais offrir, mon enfant. »

Encore de la confusion, encore des devinettes. Je ne m'imaginais pas qu'en entrant dans le Sanctuaire, ce serait comme Neuf l'a décrit – qu'on délivrerait une surpuissance qui éradiquerait d'un coup tous les Mogadoriens. Mais je m'attendais au moins à trouver une forme d'*aide*. En ce moment même, nos amis sont peut-être en train de mourir sous le feu de la première vague de l'invasion mogadorienne, et moi je suis là, à bavasser avec un immortel mystérieux et franchement agaçant.

« Ça ne suffit pas », je dis.

Frustrée, j'avance d'un pas vers l'entité. L'énergie crépite autour de moi et je sens mes cheveux se dresser.

« Six, murmure Adam. Sois prudente. »

Je ne tiens aucun compte de sa remarque et hausse la voix contre la toute-puissante Lorien.

« Nous avons fait beaucoup de chemin, pour te réveiller ! Nous avons perdu des amis ! Tu dois bien pouvoir faire *quelque chose*. À moins que tu ne trouves normal que Setrákus Ra vienne détruire cette planète ? Qu'il tue tous ses habitants ? Tu vas laisser faire ça *deux fois* sans bouger ? »

L'entité fronce les sourcils. Une lézarde apparaît sur le front de Huit, et l'énergie commence à se répandre à l'extérieur de son corps. Marina se couvre la bouche de la main pour étouffer un cri. C'est comme si le corps de Huit n'était qu'une enveloppe vide que l'énergie détruisait peu à peu.

« Je suis désolée, ma fille, dit Huit à Marina. Cette forme ne peut me contenir très longtemps. »

L'entité se tourne alors vers moi. Elle n'a pas l'air offensée par mes paroles. Sa voix reste aussi mélodieuse et patiente qu'auparavant.

« Je ne pardonne pas la destruction absurde de la vie. Mais je ne choisis pas les destinées. Je ne juge pas. Si c'est la volonté de l'univers que je cesse d'être, alors il en sera ainsi. Je n'existe que pour offrir mes présents à ceux qui sont ouverts à ce don. »

J'ouvre les bras devant moi. « Je suis ouverte ! Couvre-moi de présents ! Transfère-moi assez de Dons pour détruire Setrákus Ra et sa flotte, et je te laisserai scintiller tranquille. »

L'entité me sourit. D'autres fissures apparaissent sur le dos des mains de Huit. L'énergie est en train de s'échapper.

« Ce n'est pas ainsi que cela fonctionne, psalmodie-t-elle.

— Alors ça marche comment, bon sang ? je hurle. Dis-nous quoi faire !

— Il n'y a plus rien à faire, ma fille. Vous m'avez réveillée et rendu ma force. J'appartiens à la Terre, désormais, de même que mes présents.

— Mais en quoi ça va nous aider à gagner ? À quoi ça a servi, tout ce bordel ? »

L'entité ne me répond pas. J'imagine qu'elle est arrivée au bout de la sagesse qu'elle souhaitait partager. Elle préfère se concentrer sur Marina.

« Il n'aura que peu de temps, ma fille.

— Qui ça ? » répond-elle, interdite.

Sans plus un mot, l'entité ferme les paupières et le corps de Huit se met à trembler. À ma grande surprise, l'énergie le quitte peu à peu. La peau sur le dos de ses mains cesse de briller et se referme, tout comme l'entaille qui s'était ouverte sur son front. Au bout de quelques secondes, la seule chose qui scintille encore sur Huit, c'est la blessure au-dessus de son cœur. Il quitte la colonne de lumière et vient se poser délicatement juste en face de Marina.

Lorsqu'il ouvre les yeux, ils ne miroitent pas. Ils sont verts, comme je me les rappelle, sereins, mais avec cette lueur d'humour caractéristique. Ses lèvres s'ouvrent et un lent sourire se dessine sur son visage à la vue de Marina.

« Ouaouh, salut », dit Huit, et c'est bien sa voix qui résonne.

C'est lui. C'est vraiment lui.

Marina se plie quasiment en deux, secouée d'un sanglot ravi. Elle se reprend presque aussitôt et l'attrape d'abord par les épaules, puis pose les mains sur ses deux joues. Elle l'attire contre lui.

« Tu es chaud, s'exclame-t-elle, ébahie. Tu es si chaud. »

Huit rit de bon cœur.

« Toi aussi.

— Je suis tellement désolée, Huit. Je te demande pardon de ne pas avoir pu te soigner. »

Huit secoue la tête.

« Arrête, Marina. Tout va bien. Tu m'as amené ici. C'est… je ne peux même pas te le décrire. C'est *époustouflant*, là-dedans. »

Déjà, je vois l'énergie se répandre depuis son cœur. Elle bondit dans son corps, et des fissures s'ouvrent sur ses bras et ses jambes. Il n'a pas l'air de souffrir du tout. Il se contente de sourire à Marina en la dévisageant, comme pour mémoriser son visage.

« Je peux t'embrasser ? demande-t-elle.

— J'aimerais vraiment beaucoup, oui. »

Marina l'embrasse en le serrant fort dans ses bras. Et alors, l'énergie déborde du corps de Huit, et il commence à se briser. C'est différent de la désintégration des Mogadoriens. Pendant un instant, j'ai l'impression de pouvoir contempler chacune des cellules de son corps, et les connexions que l'énergie surgie de ce puits établit entre chacune d'entre elles. Une par une, ces parties de Huit se dissolvent, et il ne fait plus qu'un avec la lumière. Marina tente de se cramponner à lui, mais ses doigts traversent le champ énergétique. Et brusquement, Huit n'est plus. La lumière fuse vers le puits et s'y engouffre, disparaissant de nouveau dans les profondeurs de la Terre. Le rythme cardiaque que nous avons réveillé faiblit. Je l'entends toujours, mais seulement en prêtant l'oreille. La pièce a retrouvé son calme et n'est plus éclairée que par les symboles de Loralite sur les parois. Je sens de l'air frais dans mon dos et constate en me retournant qu'une porte s'est ouverte dans le mur. Elle débouche sur un escalier baigné par la lumière du soleil.

Marina s'écroule dans mes bras, secouée de sanglots violents. Je la serre contre moi en essayant de ne pas m'effondrer moi-même. Adam nous regarde et s'essuie discrètement le coin de l'œil.

« On devrait y aller, dit-il d'une voix douce. Les autres vont avoir besoin de notre aide. »

J'acquiesce d'un signe de tête. Je me demande si nous sommes arrivés à quoi que ce soit, ici. C'était beau de revoir Huit, même pour quelques instants éphémères. Pourtant ma conversation avec l'entité intergalactique qui nous a transmis nos Dons ne m'a guère donné de réponses. Pendant ce temps, l'invasion mogadorienne a peut-être commencé.

Marina me serre le bras. Je baisse les yeux vers elle.

« Je l'ai vue, Six. Quand je l'ai embrassé, j'ai vu à l'intérieur de la chose – Lorien, l'énergie, quel que soit le nom qu'on veuille lui donner.

— OK. » Je veux me montrer douce avec elle, mais je ne suis pas certaine qu'on ait le temps pour ce genre de dialogue. « Et ? »

Marina m'adresse un sourire étincelant. « Elle se répand, Six. Dans la Terre. Elle se répand *partout*.

— Que veux-tu dire ? demande Adam.

— Je veux dire… » Marina s'essuie le visage et se redresse. « Je veux dire qu'on n'est plus seuls. »

CHAPITRE 30

Les gratte-ciel sont en flammes.

Nous fuyons.

Le vaisseau de guerre mogadorien rampe au-dessus de New York, et ses canons surpuissants bombardent les édifices sans discrimination. Il a d'ores et déjà déversé des dizaines de navettes éclaireurs armées et les engins plus maniables filent le long des avenues, larguant leurs soldats au sol, où ils exterminent tous les civils qu'ils croisent.

Ils ne sont pas seuls, à descendre de ces vaisseaux. Il y a aussi des créatures en colère, et affamées. Je ne les ai pas encore vues, mais j'entends leurs rugissements atroces qui couvrent les explosions.

Des pikens.

New York est perdue, je le sais avec certitude. Impossible de reprendre le dessus sur les Mogadoriens. J'ignore comment s'en sortent les autres villes où des vaisseaux mogadoriens ont été repérés. Il n'y a plus aucun réseau de communications à New York, et mon téléphone satellite a coulé au fond de l'East River.

Il ne reste rien d'autre à faire que courir. Comme je l'ai fait toute ma vie. Sauf que maintenant, malheureusement, ils sont des millions à courir avec moi.

« Fuyez ! je hurle à tous ceux que je croise. Jusqu'à ce que vous ne voyiez plus leurs vaisseaux ! Faites en sorte de survivre, regroupez-vous, et nous les combattrons ! »

Sam est avec moi. Il a le teint blême et on dirait qu'il va vomir. Il n'a jamais vu ce que les Mogadoriens avaient fait à Lorien. Il a traversé des moments difficiles à nos côtés, mais rien de comparable à ça. Je pense qu'il a toujours cru qu'on gagnerait. Il n'imaginait pas que ce jour viendrait.

Je l'ai laissé tomber.

Je ne sais pas où se trouvent Neuf et Cinq. Je n'ai pas de nouvelle cicatrice brûlée autour de la cheville, ils n'ont donc pas réussi à s'entretuer.

J'ai aussi perdu l'agent Walker. Avec ses hommes, ils sont livrés à eux-mêmes. J'espère qu'ils s'en sortiront vivants. Si tel est le cas, peut-être auront-ils l'intelligence de nous retrouver à Ashwood.

À condition que Sam et moi arrivions à en réchapper.

Nous dévalons les rues saturées de fumée, zigzaguant entre les voitures retournées, escaladant les blocs de pierre tombés des immeubles. Dès que l'une des navettes éclaireurs se profile, nous nous jetons dans des ruelles ou sous des portes cochères.

Je pourrais les combattre. Avec toute la colère qui bouillonne en moi, je suis certain que je pourrais les atomiser en un rien de temps, à moi tout seul.

Mais je ne suis pas tout seul.

Il y a une vingtaine de survivants qui nous suivent, Sam et moi. Une famille que j'ai tirée d'un balcon en feu par la télékinésie, une paire d'agents de la police new-yorkaise tout éclaboussés de sang qui m'ont vu exterminer deux soldats mog, un groupe sorti de sa planque dans un restaurant quand j'ai activé mon Lumen, et d'autres encore.

Je ne peux pas sauver tout le monde dans cette ville, mais je vais faire ce que je peux. Ce qui veut dire ne pas se battre contre les Mogadoriens. Du moins, pas avant d'avoir réussi à mettre ceux-là en lieu sûr.

J'évite autant que possible les ennuis. Mais ce n'est pas toujours faisable.

Alors que nous traversons un carrefour où des lignes haute tension sont tombées sur la carcasse calcinée d'un bus de la ville, nous tombons nez à nez avec une patrouille d'une douzaine de soldats mogadoriens. Ils lèvent leurs canons vers nous, mais je les fais exploser avec une boule de feu avant qu'ils aient pu tirer. Ceux qui ne sont pas incinérés sur-le-champ se font descendre par les flics derrière moi.

Je jette un coup d'œil par-dessus mon épaule pour adresser un signe de tête aux agents. « Jolis tirs.

— On te couvre, John Smith », répond l'un d'eux.

Je ne pense même pas à lui demander comment il connaît mon nom.

Notre groupe parcourt encore quelques dizaines de mètres, et j'entends des cris non loin. Au coin de la rue, nous trouvons un jeune couple essayant de fuir un appartement en flammes par l'escalier de secours. Les boulons sont visiblement mal fixés et se sont même détachés du mur, au niveau du toit, de sorte que toute l'échelle pend au-dessus de la rue tel un doigt tordu. Le type est encore à la hauteur du cinquième étage, où il est tombé contre la rambarde. Sa petite amie essaie désespérément de le faire basculer du bon côté.

Le visage de Sarah m'apparaît alors. *Reste en vie, c'est tout*, je me dis. *Reste juste en vie, et on sera réunis*. Je dois m'en sortir pour pouvoir la rejoindre.

Je cours en direction de l'échelle d'incendie, que je soutiens à distance grâce à la télékinésie.

« Lâchez ! je crie au couple. Je vous rattraperai !

— Vous êtes dingue, ou quoi ? » hurle le type en réponse.

Aucun de nous n'a le temps de discuter, c'est pourquoi je dirige ma télékinésie sur les deux jeunes gens et les secoue jusqu'à ce qu'ils lâchent prise. Tandis que je les descends jusqu'au sol, j'entends un martèlement lourd fonçant dans ma direction.

« John ! s'écrie Sam. Attention ! »

Je tourne la tête. C'est une piken. La bête galope vers moi ventre à terre, les mâchoires hérissées de crocs affûtés dégoulinants de bave. J'entends des cris monter du groupe derrière moi. Les flics tirent quelques coups de feu sur le monstre, mais ils échouent à le ralentir. Les autres ont le bon sens de fuir la bête mogadorienne enragée.

Sauf que leur course les porte pile en dessous de l'escalier de secours, qui choisit ce moment exact pour se décrocher totalement du mur de l'immeuble et choir dans la rue dans un fracas métallique.

Je tiens toujours le couple en suspension dans l'air, et maintenant je dois aussi retenir l'escalier dans sa chute. J'essaie de diviser ma concentration de façon à pouvoir activer mon Lumen, mais c'est trop demander. Je suis épuisé, et je ne peux pas tout faire à la fois.